# ¡CONTINUEMOS!

# ¡CONTINUEMOS!

THIRD EDITION

**Ana C. Jarvis**   •   **Raquel Lebredo**   •   **Francisco Mena**

*Mesa Community College*      *California Baptist College*      *Crafton Hills College*

*D. C. HEATH AND COMPANY*    Lexington, Massachusetts  /  Toronto

Cover Illustration: Giles Laroche

Photo credits on page 375.

Published simultaneously in Canada.

Printed in the United States of America.

International Standard Book Number: 0-669-10142-7

Library of Congress Catalog Card Number: 86-82196

# *Preface*

*¡Continuemos!*, third edition, is a complete and flexible second-year college Spanish program that presents a thorough review of grammar, provides ample practice in active communication, and promotes a greater understanding of Hispanic cultures.

This comprehensive program consists of:

- *¡Continuemos!* review grammar
- Instructor's Guide and Testing Program (new to this edition)
- Laboratory Manual/Workbook
- *Spanish for Business and Economics*, a reader and workbook
- *Aventuras literarias*, a literary reader
- *Nuestro mundo*, a cultural reader
- Audio program

    *¡Continuemos!* review grammar, third edition, can be successfully used either by itself or in coordination with one of the readers and the Laboratory Manual/Workbook, for one- or two-semester courses, as well as for intensive summer courses; or with *Spanish for Business and Economics* for intermediate business courses. Although *Aventuras literarias*, *Nuestro mundo*, and *Spanish for Business and Economics* have been designed to accompany *¡Continuemos!* review grammar, these components can also be used by themselves or as a supplement to any review grammar.

    *¡Continuemos!*, third edition, has several new features. We have added a new cultural introduction containing maps and information on the Hispanic world, have modified or replaced several of the dialogues, and have considerably increased the number of exercises and activities that are communicative in nature. We have also prepared an Instructor's Guide and Testing Program with answer keys to facilitate the use of the program in class.

## ORGANIZATION OF THE TEXT

The third edition of *¡Continuemos!* includes:

1. A section called *Bienvenidos al mundo hispánico,* which contains maps and cultural information on the Spanish-speaking world that will help students to have a better understanding of the readings included in the *Carta de una viajera* section of every lesson.
2. A preliminary lesson that reviews basic grammatical structures.
3. Twelve regular lessons, each containing:
   a. A dialogue and questions based on dialogue comprehension.
   b. A vocabulary section, consisting of a list of the lesson's active vocabulary, an entry called *Palabras problemáticas* that examines groups of Spanish words that English speakers find particularly troublesome, and a vocabulary exercise.
   c. *Estructuras:* A review of grammatical structures with explanations in English. For added flexibility, grammar points are presented in two parts: *Primer Paso* reviews the basics that may well have been covered in first year; *¡Continuemos!* expands and elaborates on the given grammar points.
   d. *¿Cuánto sabe Ud. ahora?* The exercises and activities in this section summarize and review all the grammatical structures of the lesson in a situational context. They are mostly in the form of conversations, written exercises, and group activities stressing communication. A new exercise, *Palabras y más palabras,* reviews and reinforces the lesson's vocabulary.
   e. *Carta de una viajera,* the reading section for each lesson, consists of a letter written by an American student traveling through different Spanish speaking countries. Numerous realia and illustrations make the traveler's experiences more personal and real for the students.
4. Four self tests containing exercises that review the materials in the three preceding lessons. An answer key is provided in Appendix E.
5. A comprehensive appendix that includes verb paradigms, Spanish-English and English-Spanish vocabularies, an answer key, and a complete index.

The organization of the *¡Continuemos!* program facilitates its use by students with different levels of proficiency, in one- or two-semester courses:

- With more advanced students, several of the *Primer Paso* sections in the review grammar could be omitted and the *Continuemos* sections emphasized. With less advanced students, the *Primer Paso* sections could be covered, and the *Continuemos* sections eliminated at the discretion of the instructor.
- *¡Continuemos!* grammar, used with *Aventuras literarias,* will offer an excellent start for those who prefer to use literary selections in class. Used with *Nuestro mundo,* it will be ideal for those classes that prefer to discuss current events and to stress interaction.

- *¡Continuemos!* grammar, in coordination with the *Spanish for Business and Economics* reader and workbook, is an excellent second-level business course.

## COMPONENTS OF THE PROGRAM

### Instructor's Guide and Testing Program

The Instructor's Guide and Testing Program for *¡Continuemos!* provides a description of each component of the program, gives suggestions on how to present and expand on the various elements of each lesson, and includes additional exercises and activities for use in the classroom. The complete testing program consists of a quiz for every lesson, mid-terms and final examinations, and answer keys for both the testing program and most exercises in the text.

### Nuestro mundo, second edition

This cultural reader is divided into twelve lessons, each containing two or three selections from contemporary Spanish and Hispanic-American newspapers and magazines. The cultural theme of each lesson in *¡Continuemos!* is developed in the corresponding lesson of *Nuestro mundo*. Reading comprehension questions, vocabulary exercises, class activities, and a guided composition follow each selection. *Nuestro mundo* is well-illustrated with photographs, cartoons, and realia.

### Aventuras literarias, second edition

This literary reader contains short stories, essays, excerpts from novels or plays, and poems. *Aventuras literarias* is divided into twelve lessons and progresses structurally at the same pace as the text. Each selection is preceded by biographical and literary information about the author and is followed by comprehension questions, vocabulary, an exercise on literary interpretation, and a guided composition.

### Spanish for Business and Economics, second edition, a reader and workbook

Each of the twelve lessons of *Spanish for Business and Economics* contains three thematically-related selections adapted from Hispanic business journals, newspapers, and news magazines. The selections are followed by a vocabulary section and a reading comprehension exercise. Additional grammar, translation, and vocabulary exercises, as well as written and oral reports, reinforce the content and the vocabulary of this workbook.

## Laboratory Manual/Workbook, third edition

This component consists of two sections. The *Laboratory Manual*, which stresses oral communication, is to be used in conjunction with the Audio Program. Each laboratory lesson contains from two to four brief dialogues, listening comprehension questions and exercises, pronunciation drills, and a dictation. The *Workbook* contains a variety of written exercises, fill-in charts, crossword puzzles, and word games, which reinforce the grammatical structures and vocabulary of the text.

The *Answer Key* at the end of this component allows students to work individually and to check their own progress without the aid of the instructor.

## Audio Program

A complete audio program accompanies this edition of *¡Continuemos!* The program consists of six cassettes that play for approximately six hours. The audio program reinforces the material presented in the text and also provides speaking and listening practice.

In the third edition of *¡Continuemos!*, as in our first-year texts *¿Cómo se dice...?*, *Basic Spanish Grammar*, and *Hola, amigos*, we have endeavored to present the Spanish language as a living, practical means of communication, and to introduce students to the customs, the civilizations, and the ways of thinking of the Spanish and Hispanic-American people.

## ACKNOWLEDGMENTS

We wish to thank our colleagues who have used the preceding editions for their valuable suggestions. We are especially grateful to professors Clayton Baker, Indiana University/Purdue University; Ronald Cere, University of Nebraska; Dr. Frank Medley, University of South Carolina; Dr. Esther B. Mosega-Gonzales, Northern Illinois University; and Teresa Valdivieso, Arizona State University, for their excellent reviews and constructive criticism.

We also want to express our appreciation to the members of the editorial staff of D. C. Heath and Company for their many valuable suggestions, which have substantially enhanced the quality of the manuscript.

A. C. Jarvis
R. Lebredo
F. Mena

# Contenido

¡CONTINUEMOS!

# AL MUNDO HISPÁNICO!

OCÉANO ATLÁNTICO

MONTES CANTÁBRICOS

San Sebastián

LEON

Zamora

R. Duero

R. Duero

CASTILLA LA VIEJA

Salamanca

Ávila

Segovia

SIERRA DE GUADARRAMA

Madrid

CATALUÑA

Barcelona

ARAGÓN

R. Ebro

PORTUGAL

SERRA DA ESTRELA

ESPAÑA

Toledo

CASTILLA LA NUEVA

VALENCIA

Lisboa

Cáceres

R. Tajo

LA MANCHA

Valencia

EXTREMADURA

R. Jucar

R. Guadiana

MURCIA

SIERRA MORENA

Córdoba

R. Guadalquivir

ANDALUCÍA

Sevilla

Granada

SIERRA NEVADA

MAR MEDITERRÁNEO

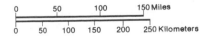

| 0 | 50 | 100 | 150 Miles |
| 0 | 50 | 100 | 150 | 200 | 250 Kilometers |

## ¿CUÁNTO SABE USTED SOBRE EL MUNDO HISPÁNICO?

1. ¿Cuál es la capital de España?
2. ¿Qué ciudades importantes hay en el sur de España?
3. ¿Cuáles son los límites de España?
4. ¿Qué separa a España de Francia? (¿De Marruecos?)
5. ¿Dónde están las Islas Baleares?
6. ¿Qué ciudades están cerca del Golfo de Vizcaya?
7. ¿Qué ciudades están sobre el Mar Mediterráneo?
8. ¿Qué países latinoamericanos son islas?
9. ¿En qué país latinoamericano no se habla español?
10. ¿Qué países de Sudamérica no tienen salida al mar?
11. ¿Cuál es la nacionalidad de una persona de Santiago? (¿De San José?)
12. ¿Cuál es la capital de Uruguay? (¿De Paraguay?)
13. ¿Con qué países limita Colombia?
14. ¿Con qué países sudamericanos no limita Brasil?
15. ¿Cuáles son los países de Centroamérica?

| PAÍS | CAPITAL | NACIONALIDAD |
|------|---------|--------------|
| España | Madrid | español |
| México | México D. F.[2] | mexicano |
| Cuba | La Habana | cubano |
| República Dominicana | Santo Domingo | dominicano |
| Puerto Rico | San Juan | puertorriqueño |
| Guatemala | Guatemala | guatemalteco |
| Honduras | Tegucigalpa | hondureño |
| El Salvador | San Salvador | salvadoreño |
| Nicaragua | Managua | nicaragüense |
| Costa Rica | San José | costarricense |
| Panamá | Panamá | panameño |
| Venezuela | Caracas | venezolano |
| Colombia | Bogotá | colombiano |
| Ecuador | Quito | ecuatoriano |
| Perú | Lima | peruano |
| Brasil[1] | Brasilia | brasileño |
| Bolivia | La Paz | boliviano |
| Chile | Santiago | chileno |
| Paraguay | Asunción | paraguayo |
| Argentina | Buenos Aires | argentino |
| Uruguay | Montevideo | uruguayo |

[1]En Brasil se habla portugués.
[2]Distrito Federal

# Lección preliminar–Repaso

## ESTRUCTURAS GRAMATICALES

### 1. Género y número

#### Género

In Spanish all nouns are either masculine or feminine, even those denoting non-living things.

1. Most nouns ending in **-a** are feminine. Nouns ending in **-ción, -sión, -tad, -dad, -tud** and **-umbre** are also feminine:

   | | | |
   |---|---|---|
   | la casa | la lec**ción** | la televi**sión** |
   | la liber**tad** | la ciu**dad** | la apti**tud** |
   | la cos**tumbre** | | |

   Two important exceptions are: **el día** and **el mapa**

2. Most nouns ending in **-o** are masculine. Nouns ending in **-r** are also masculine. Words of Greek origin, ending in **-ma** and **-ta**, keep their masculine gender in Spanish:

   | | | |
   |---|---|---|
   | el libro | el color | el calor |
   | el programa | el idioma | el planeta |

   One exception is: **la mano**

ATENCIÓN: Words like **foto** and **moto** are shortened versions of **fotografía** and **motocicleta,** which are feminine. They retain the same gender: *la* **foto**; *la* **moto.** Notice that articles or adjectives that determine or modify nouns have the same gender as the noun.

5

3. Some nouns have the same ending for both genders, and the article indicates whether they are feminine or masculine:

a. All nouns ending in **-ista:**

| | |
|---|---|
| el den**tista** | la den**tista** |
| el ar**tista** | la ar**tista** |

b. Other nouns:

| | |
|---|---|
| el estudiante | la estudiante |
| el atleta | la atleta |
| el joven | la joven |

4. Feminine nouns used to designate human beings of both genders are **persona** and **víctima:**

> Él es **una persona** muy buena, y es **una víctima** de su familia.

5. The gender of other nouns must be learned:

| | |
|---|---|
| **el** café | **la** clase |
| **el** árbol | **la** cárcel |

### Número

1. Nouns ending in a *vowel* form the plural by adding **-s,** and those ending in a *consonant* or **-i** add **-es:**

| | |
|---|---|
| la escuel**a** | las escuel**as** |
| la ciuda**d** | las ciuda**des** |
| el rub**í** | los rub**íes** |
| la lecci**ón** | las lecci**ones** |

ATENCIÓN: If a word ends in **-n** and the last syllable is stressed, the plural form is not accented.

2. Nouns ending in **-z** change **z** to **c** before adding **-es:**

| | |
|---|---|
| el lápi**z** | los lápi**ces** |

3. Nouns ending in **-es** or **-is** have the same form for singular and plural:

| | |
|---|---|
| **el** martes | **los** martes |
| **la** tesis | **las** tesis |
| **el** análisis | **los** análisis |

ATENCIÓN: Remember that in Spanish the article, the noun and the adjective always agree in gender and number.

| | |
|---|---|
| **el** libro pequeño | **los** libros pequeños |
| **la** casa pequeña | **las** casas pequeñas |

## Práctica

**a.** Diga si los siguientes nombres son femeninos o masculinos:

| | |
|---|---|
| 1. muchedumbre (*crowd*) | 9. color |
| 2. libro | 10. café |
| 3. virtud | 11. clase |
| 4. problema | 12. mano |
| 5. día | 13. mapa |
| 6. universidad | 14. planeta |
| 7. televisión | 15. libertad |
| 8. emoción | 16. mesa |

**b.** Cambie los nombres plurales al singular y los singulares al plural:

| | |
|---|---|
| 1. lápices | 6. conversaciones |
| 2. invitación | 7. cines |
| 3. maní (*peanut*) | 8. cruz |
| 4. país | 9. facultad |
| 5. requisitos | 10. árbol |

**c.** En el siguiente párrafo hablamos de *Tomás* y sus *amigos*. ¿Puede Ud. escribirlo de nuevo hablando de *Tomasa* y sus *amigas*? Cambie las palabras que están en letra cursiva al femenino:

*Tomás* es *ingeniero* y su *padre* es *profesor* de matemáticas. *Tomás* y su *padre* son *españoles*, pero viven en Quito. *Tomás* tiene dos *niños*. *Ellos* son *los estudiantes* más inteligentes de su escuela.

*Luis, uno* de *los amigos* de *Tomás*, es *un joven* muy *simpático*, y es *uno* de *los* mejores *abogados* de la ciudad. *Juan, otro* de sus *amigos*, es *el artista* del grupo. Es *un gran pianista* y una persona muy refinada. Su *abuelo* es *inglés*, y por eso *Juan* habla muy bien el inglés.

## 2. Adjetivos y pronombres demostrativos

### Adjetivos demostrativos

| Masculine | | Feminine | | |
|---|---|---|---|---|
| Singular | Plural | Singular | Plural | |
| este | estos | esta | estas | *this, these* |
| ese | esos | esa | esas | *that, those* |
| aquel | aquellos | aquella | aquellas | *that, those (over there)* |

Demonstrative adjectives agree in gender and number with the nouns they modify, and always precede them.

### Pronombres demostrativos

| Masculine | | Feminine | | Neuter | |
|---|---|---|---|---|---|
| Singular | Plural | Singular | Plural | | |
| éste | éstos | ésta | éstas | esto | *this (one), these* |
| ése | ésos | ésa | ésas | eso | *that (one), those* |
| aquél | aquéllos | aquélla | aquéllas | aquello | *that (one), those (over there)* |

Demonstrative pronouns are the same as the demonstrative adjectives, except that the pronouns have a written accent mark.

The neuter pronouns are only used in the singular and have no written accent mark:

> **Eso** no me gusta.
> **Esto** es horrible.
> **Aquello** fue un desastre.

The neuter forms are used to refer to situations, ideas or things that are equivalent to the English, *this, that matter; this, that business* or *stuff.*

ATENCIÓN:   Notice that the demonstrative pronouns are used without a noun to follow them.

### Práctica

Complete las siguientes oraciones, traduciendo al español las palabras que aparecen entre paréntesis:

1. No quiero comprar estos diccionarios. Prefiero ____ .   (*those* [*near you*])
2. ____ hombre es de Ecuador y ____ es de Venezuela.   (*this, that one* [*over there*])

3. ____ cosas son de plata y ____ son de oro.   (*these / those*)
4. ____ casa es de Pedro y ____ es de Juan.   (*that / this one*)
5. ____ es el cine Victoria y ____ es el cine América.   (*this one / that one* [*over there*])
6. ____ muchachas son de México y ____ es de España.   (*these / that one* [*over there*])
7. ¿Qué libros necesitas tú? ¿ ____ , ____ o ____ ?   (*these / those / those* [*over there*])
8. No quiero ____ sombrero, prefiero ____ .   (*this / that one* [*near you*])
9. ¿Aprender español en un mes? ____ es imposible.   (*that*)
10. Yo no sé lo que es ____ .   (*this*)

## 3. Palabras interrogativas y exclamativas

The most common interrogative words are:

| | |
|---|---|
| ¿Qué?   *What?* | ¿De quién (es)?   *Whose?* |
| ¿Por qué?   *Why?* | ¿Cuál(es)?   *Which one(s)?* |
| ¿Para qué?   *What for?* |    *What?* |
| ¿Quién(es)?   *Who? Whom?* | ¿Cómo?   *How?* |
| (after a preposition) | ¿Cuánto(a)?   *How much?* |
| ¿Cuántos(as)?   *How many?* | ¿De dónde?   *From where?* |
| ¿Dónde?   *Where?* | ¿Cuándo?   *When?* |
| ¿A dónde?   *Where (to)?* | ¿Cuánto tiempo?   *How long?* |

ATENCIÓN:   Interrogative words have written accent marks, whether they are used in direct or indirect questions:

| | |
|---|---|
| —¿**Qué** necesitas? | *What do you need?* |
| —Ese libro. ¿**De quién es?** | *That book. Whose is it?* |
| —¿**Cuál?** ¿El libro azul? | *Which one? The blue book?* |
| Es de Jorge. | *It's George's.* |
| —¿**Dónde** está Jorge? | *Where is George?* |
| —Está en la universidad. **¿Por qué?** | *He's at the university. Why?* |
| —Porque necesito preguntarle **dónde** están los exámenes. | *Because I need to ask him where the exams are.* |

ATENCIÓN:   Notice that in questions with interrogative words the subject usually follows the verb.

Words commonly used in exclamations are:

| | |
|---|---|
| ¡Qué!   *How, what a!* | ¡Cuántos(as)!   *How (so) many!* |
| ¡Cuánto(a)!   *How much* | ¡Cómo!   *How!* |

These words also have a written accent mark:

| | |
|---|---|
| —¡**Cuántos** niños! | *So many children!* |
| —Son los hijos de Juan. | *They are John's children.* |
| | |
| —¡**Cómo** llueve! | *How it rains!* |
| —¡**Qué** lástima! No podemos ir a la playa. | *What a pity! We can't go to the beach.* |

### Práctica

**a.** Escriba las preguntas que originaron las siguientes respuestas, usando la palabra interrogativa correspondiente:

1. Ana Vera es *la maestra de Robertito.*
2. Ella es *de Colombia.*
3. Su novio se llama *Manual Navarro.*
4. Mañana van *a la ciudad.*
5. El pasaje a la ciudad cuesta *doscientos pesos.*
6. Van para *ver al juez.*
7. Necesitan ver al juez porque *tienen un problema legal.*
8. Después de ver al juez, quieren *visitar a los padrinos de Ana.*
9. Sus padrinos son *los señores Alba.*
10. Los señores Alba viven *en la calle Magnolia.*
11. El señor Alba es *médico.*
12. Los Alba tienen *cuatro hijos.*
13. Ana y Manuel pasan *diez horas* en la ciudad.
14. Ellos regresan *esta noche.*

**b.** ¿Qué diría Ud. al oír lo siguiente? Use las palabras exclamativas correspondientes:

1. Tiene trescientos libros.
2. Llueve muchísimo.
3. Carlos está muy enfermo.
4. Robert Redford
5. Bo Derek
6. El Empire State Building

## 4. El presente de indicativo

All verbs in Spanish are classified into three conjugations, according to the ending of the infinitive. First conjugation verbs end in **-ar**, second conjugation verbs end in **-er**, and third conjugation verbs end in **-ir**:

|  | hablar | comer | vivir |
|---|---|---|---|
| yo | **hablo** | **como** | **vivo** |
| tú | **hablas** | **comes** | **vives** |
| Ud., él, ella | **habla** | **come** | **vive** |
| nosotros | **hablamos** | **comemos** | **vivimos** |
| vosotros | **habláis** | **coméis** | **vivís** |
| Uds., ellos, ellas | **hablan** | **comen** | **viven** |

Depending on how the speaker views the action, the nature of the event and the context, the present indicative in Spanish may be expressed in English in three ways:

$$\textbf{hablo} \quad \begin{cases} \text{I speak} \\ \text{I am speaking} \\ \text{I do speak} \end{cases}$$

&ast; The present indicative is often used in Spanish to express a future action:

Yo **trabajo** mañana            *I'm working tomorrow*

### Práctica

Conteste las siguientes preguntas:

1. ¿Dónde vive Ud.?
2. ¿Dónde trabaja?
3. ¿Comen Uds. en la cafetería?
4. ¿Cuánto tiempo estudias cada día?
5. ¿El profesor (la profesora) habla con Uds. en inglés o en español?
6. ¿Escriben Uds. todos los ejercicios?
7. ¿A qué hora regresas a casa?
8. ¿Necesitas hablar conmigo?
9. ¿Corre Ud. todas las mañanas?
10. ¿A qué hora abren las tiendas?

Las computadoras también han llegado a la Universidad de Ibaeta, en San Sebastián, España.

## 5. El presente de indicativo de algunos verbos irregulares

### Algunos verbos irregulares

| | |
|---|---|
| ser (*to be*) | soy, eres, es, somos, sois, son |
| tener (*to have*) | tengo, tienes, tiene, tenemos, tenéis, tienen |
| venir (*to come*) | vengo, vienes, viene, venimos, venís, vienen |
| estar (*to be*) | estoy, estás, está, estamos, estáis, están |
| dar (*to give*) | doy, das, da, damos, dais, dan |
| ir (*to go*) | voy, vas, va, vamos, vais, van |
| oír (*to hear*) | oigo, oyes, oye, oímos, oís, oyen |

ATENCIÓN: All verbs ending in -tener are conjugated exactly like the verb tener: i.e. mantener (*to maintain, to support*), detener (*to stop, to detain*) and entretener (*to entertain*). All verbs ending in -venir are conjugated exactly like the verb venir: i.e. convenir (*to suit, to be convenient*) and intervenir (*to intervene*).

### Práctica

Quiero saber algo sobre ti. Contesta mis preguntas, por favor:

1. ¿Quién eres?
2. ¿Quiénes son tus padres?
3. ¿De dónde son Uds.?
4. ¿Tienes hermanos?
5. ¿Intervienes en los problemas de tus hermanos?
6. ¿Dónde estás?
7. ¿Quién está contigo?
8. ¿A qué universidad vas?
9. ¿Qué promedio mantienes en tus clases?
10. ¿Qué días vienes a la clase de español?
11. ¿Vienen tú y los otros estudiantes los domingos?
12. ¿Quién da la clase de español?
13. ¿Es difícil para ti el español?
14. Cuando oyes hablar español, ¿tratas de entender lo que dicen?

1

# Sobre la educación

David Jones, de Nueva York, y Marta Ríos, de Santiago, Chile, están en el aula de francés de la Universidad de Tejas. Mientras esperan al profesor, comienzan a charlar sobre las diferencias que existen entre los sistemas educativos de sus respectivos países.

DAVID —Marta, ¿hay muchas diferencias entre el sistema educativo de Chile y el de aquí?

MARTA —¡Ya lo creo! Por ejemplo, en mi país no tenemos cursos electivos. Tampoco existen los requisitos generales.

DAVID —¿Los estudiantes toman esos requisitos en la escuela secundaria?

MARTA —Sí. En la universidad, los estudiantes toman solamente las materias propias de sus respectivas carreras.

DAVID —¿Cuántos años deben estudiar para recibir el título de ingeniero, por ejemplo?

MARTA —Por lo regular, unos cinco años en la Facultad de Ingeniería.

DAVID —Un amigo mío de Paraguay dice que la asistencia a clase no es obligatoria allí.

MARTA —Bueno, en muchos países algunos estudiantes estudian por su cuenta, sin asistir a clases. Solamente van a la universidad a tomar el examen de mitad de curso y el examen final.

DAVID —¡Qué buena idea! Yo prefiero ese sistema. Oye...tú tienes una beca para asistir a esta universidad, ¿verdad? Por lo visto eres muy inteligente.

MARTA —Bueno, la inteligencia no basta. La verdad es que yo tengo que estudiar día y noche para mantener un promedio de "A".

15

DAVID —Pero esta noche no tienes que estudiar, ¿verdad? Pasan una buena película en el cine Fox. ¿Vamos?

MARTA —Bueno, aunque tu invitación es de última hora, acepto.

DAVID —Fantástico. Paso por ti a las siete.

A las siete y cuarto, David llama a Marta por teléfono.

MARTA —¡David! ¡No eres nada puntual! ¿A qué hora vienes? ¡Ya son las siete y cuarto!

DAVID —Ya lo sé. Ahora mismo salgo para tu casa. Puedo estar ahí en diez minutos.

## Charlemos

1. ¿De dónde son David y Marta y dónde están ahora?
2. ¿A quién esperan?
3. ¿Sobre qué charlan David y Marta?
4. ¿Qué no existe en el sistema educativo de Chile, según Marta?
5. ¿Dónde toman los estudiantes chilenos los requisitos generales?
6. ¿Cuántos años deben estudiar para recibir el título de ingeniero, por ejemplo?
7. ¿Qué no es obligatorio en algunos países?
8. ¿Quién tiene una beca para asistir a la universidad?
9. ¿Qué debe hacer Marta para mantener un promedio de "A"?
10. ¿Por qué quiere David ir al cine Fox?
11. ¿Qué dice Marta de la invitación de David?
12. ¿A qué hora llama David a Marta?

UNIVERSIDAD NACIONAL DE CÓRDOBA

FACULTAD, INSTITUTO O ESCUELA ..................................................

(¹) Apellido y Nombre ..................................................................................

Hijo de ........................................................ y de ........................................................

Nacionalidad ........................................ Nacido en ........................................

Fecha de nacimiento ........................................ Estado civil ........................................

Domicilio ........................................ Nº ........ Seccional ........................................

L. E. - L. C. - D. N. I. ........................................ Prontuario Nº ........................................

# VOCABULARIO

NOMBRES

la **asistencia**   attendance
el **aula, salón de clase**   classroom
la **beca**   scholarship
la **carrera**   career
el **curso**   class, course
la **escuela secundaria**   secondary school
  (junior high school and high school)
el **examen de mediados (mitad) de
  curso, examen parcial**   mid-term
  examination
la **facultad**   college (a division within a
  university)
el (la) **ingeniero(a)**   engineer
la **materia, asignatura**   subject (in
  school)
el **promedio**   average

el **requisito**   requirement
el **título**   degree

VERBOS

**asistir (a)**   to attend
**bastar (con)**   to be enough
**charlar**   to chat
**existir**   to exist
**mantener** (*conj. like* **tener**)   to
  maintain, to keep

ADJETIVOS

**educativo(a)**   educational
**obligatorio(a)**   mandatory
**propio(a)**   related, own

---

### Expresiones idiomáticas

**ahora mismo**   *right now*
**de última hora**   *last minute*
**día y noche**   *night and day*
**no ser nada puntual**   *not to be punctual
  at all*
**pasar por (alguien)**   *to pick (somebody) up*

**pasar una película**   *to show a
  movie*
**por lo regular**   *as a rule*
**por lo visto**   *apparently*
**por su cuenta**   *on their own*
**¡ya lo creo!**   *I'll say!*

---

## PALABRAS PROBLEMÁTICAS

**a. Tomar, coger, agarrar** y **llevar** como equivalentes de *to take*

1. **Tomar** y **coger** son sinónimos y equivalen a *to take hold of, to take* o *seize*.
   En algunos países (Chile, Paraguay, México, Argentina) sólo se usa **tomar**
   (**agarrar**):

   Él **toma** (**coge, agarra**) la pluma y escribe.

2. **Llevar**

   a. **Llevar** se usa cuando se quiere expresar la idea de *to take* (*someone or
      something someplace*):

      Yo **llevo** a Elena a la universidad.

b. **Llevar** se usa también para expresar la acción de *to take, to carry*, refiriéndose a cosas:

Roberto **lleva** los libros a la clase.

## b. Asistir y atender (e>ie)

1. **Asistir** significa **ir** o **estar presente:**

Yo **asisto** a[1] la Universidad de Boston.

2. **Atender** quiere decir **cuidar** u **ocuparse de** alguien:

Nosotros **atendemos** a los niños.
La empleada nos **atiende** en seguida.

## Práctica

Complete las siguientes oraciones, usando las "palabras problemáticas" correspondientes:

1. Teresa ____ a la Facultad de Medicina.
2. Voy a ____ un taxi para ____ a Carlos a la escuela.
3. ¿Quién va a ____ a los niños? Yo no los puedo cuidar.
4. Ella ____ un libro y lo lee en un día.
5. Ellos ____ los libros a la biblioteca.

---

**ACADEMIA BILBAO**

Sagasta, 10 - Telfs. 445 91 27 - 445 91 26

Vale por una clase de

T A Q U I G R A F I A

Alumno   Estrella Ruiz

durante el mes de        JUN 1980

EL DIRECTOR,

Son 1.100 ptas.

FDO. ALEJANDRO DOMINGUEZ

NOTA.-Se ruega a los señores padres de los alumnos, exijan a éstos mensualmente, la presentación del **Ejercicio Examen de Taquigrafía.**

---

[1]Notice the use of the preposition **a** after the verb **asistir.**

# ESTRUCTURAS GRAMATICALES

## 1. El presente de indicativo de verbos irregulares en la primera persona del singular

PRIMER PASO

### Irregularidades

Many verbs in Spanish are irregular in the present tense only in the first person singular. Most verbs ending in a vowel plus **-cer** or **-cir** add a **z** before the **c:**

| Common irregular verbs | | Verbs ending in a vowel + -cer or -cir | |
|---|---|---|---|
| hacer | yo **hago** | aparecer | yo **aparezco** |
| rehacer | yo **rehago** | desaparecer | yo **desaparezco** |
| poner[1] | yo **pongo** | conocer | yo **conozco** |
| salir | yo **salgo** | reconocer | yo **reconozco** |
| valer | yo **valgo** | (to recognize; | |
| traer | yo **traigo** | to admit) | |
| caer | yo **caigo** | ofrecer | yo **ofrezco** |
| ver | yo **veo** | agradecer | yo **agradezco** |
| saber | yo **sé** | (to thank) | |
| caber | yo **quepo** | obedecer | yo **obedezco** |
| | | (to obey) | |
| | | parecer | yo **parezco** |
| | | (to seem) | |
| | | conducir | yo **conduzco** |
| | | traducir | yo **traduzco** |

—¿Tú trabajas los domingos?     *Do you work on Sundays?*
—No, yo no **hago** nada los     *No, I don't do anything on*
    domingos. Generalmente     *Sundays. I generally go out*
    **salgo** con mis amigos.     *with my friends.*
—¿Quién conduce cuando sales     *Who drives when you go out*
    con tus amigos?     *with your friends?*
—Siempre **conduzco** yo.     *I always drive.*

### Práctica

Conteste las siguientes preguntas afirmativamente:

1. ¿Conoces bien tu ciudad?
2. ¿Siempre obedeces a tus padres?

---

[1]All verbs ending in **-poner** (i.e.: **suponer, proponer,** and so on) are conjugated like **poner.**

3. ¿Traduces del inglés al español?
4. ¿Haces tu trabajo todos los días?
5. ¿Pones el dinero en el banco?
6. ¿Sabes qué película pasan esta noche?
7. ¿Siempre sales de tu casa temprano?
8. ¿Traes el libro a clase todos los días?
9. ¿Ves a tus amigos los sábados?
10. ¿Ofreces dinero para los hospitales?

CONTINUEMOS...

*Saber y conocer*

There are two verbs in Spanish meaning *to know:* **saber** and **conocer.**

A. **Saber** means *to know something by heart* or *to know a fact.* When it is followed by an infinitive, **saber** means *to know how to do something:*

| | |
|---|---|
| —¿Qué idiomas **saben** Uds.? | *What languages do you know?* |
| —**Sabemos** inglés y español. | *We know English and Spanish.* |
| —¿**Sabes** dónde vive Ana? | *Do you know where Ana lives?* |
| —**Sé** que vive en la calle Paz. | *I know she lives on Paz Street.* |
| —¿Rafael **sabe** jugar al tenis? | *Does Ralph (know how to) play tennis?* |
| —¡Ya lo creo! Juega muy bien. | *I'll say! He plays very well.* |

B. **Conocer** means *to be familiar or acquainted with a person, a thing, or a place.* Unlike **saber, conocer** is never followed by an infinitive.

| | |
|---|---|
| —¿**Conoces** las novelas de Cervantes? | *Are you acquainted with the novels of Cervantes?* |
| —**Conozco** algunas de ellas. | *I know some of them.* |
| —¿**Conocen** Uds. a Diego Soto? | *Do you know Diego Soto?* |
| —Sí, lo **conocemos** muy bien. | *Yes, we know him very well.* |
| —¿**Conoces** Nueva York? | *Do you know New York?* |
| —Sí, yo visito Nueva York todos los años. | *Yes, I visit New York every year.* |

### Práctica

Pregúntele a un compañero si **conoce** o **sabe** lo siguiente:

1. las novelas de Mark Twain
2. a alguna persona latinoamericana

3. cuándo es el examen de mitad de curso
4. México
5. nadar
6. italiano
7. a los padres de su mejor amigo(a)
8. qué nota tiene en esta clase
9. jugar al fútbol
10. al presidente de la universidad
11. el poema *The Raven* de memoria
12. si la asistencia a clase es obligatoria
13. los poemas de Pablo Neruda
14. dónde vive el profesor (la profesora)
15. quién enseña otra clase de español

## 2. El presente de indicativo de verbos de cambios radicales

### PRIMER PASO

*Algunos verbos de cambios radicales*

Certain verbs undergo a change in the stem in the present indicative:

| preferir e>ie | | poder o>ue | | pedir e>i | |
|---|---|---|---|---|---|
| prefiero | preferimos | puedo | podemos | pido | pedimos |
| prefieres | preferís | puedes | podéis | pides | pedís |
| prefiere | prefieren | puede | pueden | pide | piden |

ᘏ Notice that the stem-change occurs in all persons, except **nosotros** and **vosotros.**

ᘏ Other stem-changing verbs are:

1. *e>ie*

| -ar | -er | -ir |
|---|---|---|
| cerrar | querer | mentir |
| comenzar | encender | sugerir |
| empezar | perder | sentir |
| pensar | entender | advertir (*to warn*) |
| confesar | | |
| despertar | | |
| negar | | |

2. *o > ue*

| | -ar | -er | -ir |
|---|---|---|---|
| | contar | volver | dormir |
| | costar | mover | morir |
| | encontrar | doler | |
| | probar | morder (*to bite*) | |
| | recordar | | |
| | acostar | | |
| | almorzar | | |
| | volar | | |
| | mostrar (*to show*) | | |
| | soñar (*to dream*) | | |

3. *e > i*

| | -ir | -ir | -ir |
|---|---|---|---|
| | decir | competir | repetir |
| | servir | conseguir | elegir |
| | impedir (*to prevent*) | despedir (*to fire*) | corregir (*to correct*) |
| | seguir | | |

## Práctica

Escriba de nuevo los siguientes párrafos, usando los pronombres dados entre paréntesis:

1. *Nosotros* no *queremos* estudiar historia; *preferimos* estudiar geografía. Por lo general *comenzamos* a estudiar a las diez y a las doce *almorzamos. Seguimos* estudiando hasta las nueve y después *volvemos* a casa, *cenamos, acostamos* a los niños y *dormimos.*

   (*Yo…*)

2. *Mario* te *advierte* que *él cierra* la tienda a las nueve y no *piensa* esperar más. *Él* no *entiende* por qué debes llegar siempre tarde. Si no vienes temprano, *Mario* te *despide.*

   (*Nosotros…*)

3. *Nosotros volamos* a México todos los veranos. *Soñamos* con ir a Buenos Aires, pero nunca *conseguimos* suficiente dinero. *Sentimos* mucho no poder ir, pero…no *perdemos* las esperanzas (*hope*). Siempre *decimos* "el año que viene".

   (*Ellos…*)

━━━━━━━━━━━━━━ CONTINUEMOS...

*Pedir vs. preguntar*

A. **Pedir** means *to ask for* or *to request (something)*. It also means *to order (something)* to eat or drink at a restaurant:

| | |
|---|---|
| —No puedo asistir a la universidad porque no tengo dinero. | *I can't attend the university because I have no money.* |
| —Puedes **pedir** una beca. | *You can apply (ask) for a scholarship.* |
| —Yo voy a comer biftec. ¿Y tú? | *I'm going to eat steak. And you?* |
| —Yo voy a **pedir** pollo. | *I'm going to order chicken.* |

B. **Preguntar** means *to ask (a question)* or *to inquire*. It is also used with the preposition **por** to mean *to ask for* or *about (someone)*:

| | |
|---|---|
| —Voy a **preguntarle** al profesor cuándo es el examen de mediados de curso. | *I'm going to ask the professor when the midterm exam is.* |
| —Es el ocho de noviembre. | *It's on November the eighth.* |
| —Ana siempre **pregunta** por ti. | *Ann always asks about you.* |
| —¿Dónde vive ella ahora? | *Where does she live now?* |
| —No sé. Voy a **preguntárselo** a Eva. | *I don't know. I'm going to ask Eve.* |

## Práctica

**a.** En un restaurante, Carlos habla con Juan de sus problemas. Complete lo que dice Carlos, usando **pedir** o **preguntar** según corresponda:

Le voy a ＿＿ a mi papá si puede darme cien dólares. Si él no tiene el dinero, se lo voy a ＿＿ a mi tío. Si papá me ＿＿ para qué es el dinero, le voy a decir que es para libros. Siempre que yo le ＿＿ dinero a papá, él quiere saber para qué es, de modo que la próxima vez se lo voy a ＿＿ a mamá porque ella nunca me ＿＿ nada.

Y ahora, vamos a ＿＿ la comida. ¿Qué quieres comer?

**b.** Diga lo que **pide** o **pregunta** cada persona según la situación:

| | |
|---|---|
| TOMÁS | —¡Mozo! Un biftec con ensalada. |
| SILVIA | —¿Qué carrera estudia Rafael? |
| ANDREA | —¿Qué asignaturas toman Uds. este semestre? |
| ANITA | —Necesito la lista de los cursos que ofrecen en la Facultad de Ingeniería. |

ALFREDO —¿Puedes darme diez dólares para llevar a Elenita al cine?
PACO —¿A qué universidad asiste Rodolfo?
LUIS —¡Oye! ¿Cómo están los padres de María?
JULIA —¡Camarero! Un café, por favor.

| UNIVERSIDAD DE VALENCIA — BIBLIOTECA DE LA FACULTAD DE FILOSOFIA Y LETRAS | | |
|---|---|---|
| *Autor:* | | |
| *Título de la obra:* | | |
| *Tomo o tomos pedidos:* | *Signatura:*[1] | |
| *Nombre y apellidos:* | | |
| *Curso:* | | |
| *Domicilio:* | | |
| *Valencia_____ de_____ de 19 ____* | | |
| Firma del lector, | | |
| Se deberán hacer tantos BOLETINES como obras se pidan, es indispensable la presentación del carnet para acreditar la personalidad. Al terminar la lectura, se devolverán las obras al encargado de la Biblioteca. De las obras extraviadas que figuran en BOLETINES, responderá el lector que los firme. | | |

# 3. La *a* personal

PRIMER PASO

*Usos y omisiones*

A. The preposition **a** is used in Spanish before a direct object noun referring to a specific person. This is called *the personal* **a,** and has no equivalent in English:

—¿Qué hace Carlos en el aula tan temprano?     *What's Carlos doing in the classroom so early?*
—Espera a la[1] profesora.     *He's waiting for the professor.*

---

[1]If the personal **a** is followed by the article **el,** the contraction **al** is formed: Llaman **al** señor Vera.

*The personal* **a** is also used when the direct object is either **quien**(**es**) or one of the indefinites or negatives expressions: e.i. **alguien** and **nadie:**

| | |
|---|---|
| —¿Necesitas ver **a** alguien? | *Do you need to see anybody?* |
| —No, no necesito ver **a** nadie. | *No, I don't need to see anyone.* |

B. The personal **a** is not used when the direct object refers to an indefinite person, to a thing, or after the verb **tener:**

| | |
|---|---|
| —¿Qué necesitas? | *What do you need?* |
| —Necesito una secretaria. | *I need a secretary.* |
| —¡Hola! ¿Qué haces aquí? | *Hi! What are you doing here?* |
| —Espero el ómnibus. | *I'm waiting for the bus.* |
| —¿Tiene Ud. hijos? | *Do you have children?* |
| —Sí, tengo cuatro hijos. | *Yes, I have four sons.* |

## Práctica

**a.** ¿Se necesita la **a** personal o no? Lea los siguientes diálogos y use la **a** en los casos en que se necesita:

1. —¿ _____ quién esperas?
   —No espero _____ nadie. Estoy esperando _____ el ómnibus.
2. —¿Cuántos hijos tienes?
   —Tengo _____ dos hijos: Luis y Mario; pero no veo _____ Luis muy frecuentemente.
3. —¿ _____ cuál de los chicos prefieres? ¿ _____ ése o _____ aquél?
   —Prefiero _____ aquél.
4. —¿Vas a visitar _____ tus padres en Madrid?
   —Sí, vamos a ir a visitar _____ el Museo del Prado.

**b.** Lo necesitamos como intérprete. Traduzca lo siguiente:

1. "David visits Marta sometimes, doesn't he?"
   "Yes, he sees all his friends once a month."
2. "Who are you waiting for?"
   "I'm not waiting for anybody. I'm waiting for the bus."
   "Aren't you waiting for your sister?"
   "I don't have (any) sisters."
3. "I'm going to take Marisa to the party."
   "Are you going to take a taxi?"
   "No, I have a chauffeur (*chofer*)."

CONTINUEMOS...

## Usos especiales de la *a* personal

A. The personal **a** is used when an animal or thing is given special human or personal characteristics:

—¿A dónde vas? — *Where are you going?*
—Voy a llevar **a** mi perrito al veterinario porque el pobre está enfermo. — *I'm going to take my little dog to the vet because the poor thing is sick.*

—En Chile tenemos las montañas más hermosas. — *In Chile we have the most beautiful mountains.*
—Para ti, todo lo mejor está en Chile. — *For you, the best things are in Chile.*
—Es que yo amo mucho a mi país. — *Well, I love my country very much.*

B. The personal **a** is used after the verb **tener** when it means *to hold* or when it can be substituted for the verb **estar**:

—¿Puedes coger las maletas? — *Can you pick up the suitcases?*
—Lo siento, pero **tengo al** bebé en los brazos, y está dormido. — *I'm sorry, but I have the baby in my arms, and he's asleep.*

—¿Por qué no vienes a la fiesta con nosotros? — *Why don't you come to the party with us?*
—No puedo, porque **tengo a** mi mamá en el hospital. (Mi mamá está en el hospital y yo debo atenderla.) — *I can't, because I have my mother in the hospital. (My mother is in the hospital and I should take care of her.)*

## Práctica

Lo necesitamos como intérprete. Traduzca lo siguiente:

1. "I'm looking for a secretary."
   "Well . . . I need a job. . ."
2. "Shall we study tomorrow?"
   "No, I can't. My children are sick." (Use **tener**)
3. "Why are you holding the dog in your arms?" (Use **tener**)
   "Because it is sick."
4. "Are you an American?"
   "No, but I love the United States. It is a great country."
5. "Is there anybody here?"
   "I don't see anybody."

## 4. Adjetivos posesivos

PRIMER PASO

*Adjetivos posesivos que se colocan antes del sustantivo*

| Singular | Plural | |
|----------|--------|---|
| mi | mis | my |
| tu | tus | your (*familiar*) |
| su | sus | your (*formal*), his, her, its |
| nuestro(a) | nuestros(as) | our |
| vuestro(a) | vuestro(as) | your (*familiar*) |
| su | sus | your (*formal*), their |

Possessive adjectives always precede the nouns they introduce, and are never given vocal emphasis as in English. The possessive adjectives agree in number with the noun they modify, not with the possessor.

**Nuestro** and **vuestro** are the only possessive adjectives that have feminine endings. The others have the same endings for both genders:

| | | |
|---|---|---|
| **nuestro** profesor | **mi** profesor | **tu** amigo |
| **nuestra** profesora | **mi** profesora | **tus** amigas |

| | |
|---|---|
| **Yo** tengo un vestido. | **Mi** vestido es azul. |
| **Yo** tengo dos hermanas. | **Mis** hermanas viven en Buenos Aires con mis padres. |

🐟 The possessive adjectives in Spanish must be repeated before each noun they modify:

| | |
|---|---|
| **Mi** madre y **mi** padre son de España. | *My mother and father are from Spain.* |

🐟 Since **su** and **sus** have several meanings, the forms **de él, de ella, de Ud., de Uds., de ellas, de ellos** may be substituted for **su** or **sus** for clarification:

*his father* $\begin{cases} \text{su padre} \\ \text{el padre de él} \end{cases}$

## Práctica

**a.** Complete las siguientes conversaciones, usando los adjetivos posesivos correspondientes. Si el uso de **su** o **sus** resulta confuso, utilice **de** + pronombre personal:

1. —¿Dónde están _____ libros y _____ cuadernos?
   —Están en mi cuarto. Yo siempre tengo todas _____ cosas allí.

2. —¿Dónde viven los padres de Carlos y los de Rita?
   —____ padres de ____ viven en Quito y ____ padres de ella viven en Caracas.
3. —¿De qué color es ____ coche, señora Pereyra?
   —____ coche es amarillo.
4. —¿Dónde está la casa de Uds.?
   —____ casa está allí mismo, en la esquina.
5. —____ amiga es muy atractiva, Rosita. ¿Cómo se llama?
   —Se llama Carmen, y ____ esposo se llama Roque.

**b.** Pregúntele a un(a) compañero(a):

1. ...dónde viven sus padres.
2. ...si puede llevar a su amiga a su casa.
3. ...dónde está el libro del profesor.
4. ...si conduce el coche de su padre.
5. ...cómo se llama el profesor (la profesora) de español de Uds.
6. ...si conoce a la familia del profesor.
7. ...en qué ciudad está la universidad de Uds.
8. ...dónde ponen Uds. sus libros.
9. ...si sabe cuál es su promedio.
10. ...si puede ir con Ud. a su casa.

CONTINUEMOS...

### Adjetivos posesivos que se colocan después del sustantivo

There is another set of possessive adjectives in addition to the forms placed before the noun. These possessive adjectives are called *stressed possessive adjectives*.

| *Singular* | *Plural* | |
|---|---|---|
| **mío(a)** | **míos(as)** | mine, of mine |
| **tuyo(a)** | **tuyos(as)** | yours, of yours (*familiar*) |
| **suyo(a)** | **suyos(as)** | yours, of yours (*formal*) |
| | | his, of his |
| | | hers, of hers |
| **nuestro(a)** | **nuestros(as)** | ours, of ours |
| **vuestro(a)** | **vuestros(as)** | yours, of yours (*familiar*) |
| **suyo(a)** | **suyos(as)** | yours, of yours (*formal*) |
| | | theirs, of theirs |

☙ Stressed possessive adjectives are placed after the noun. They are generally used with either the definite or the indefinite article.

    **El lápiz mío**                      **La clase nuestra**

🐚 Stressed possessive adjectives are used for emphasis. They agree with the noun in number and gender.

| | |
|---|---|
| —¿Quién es Roberto Viera? | *Who is Roberto Viera?* |
| —Es un buen **amigo mío.** | *He's a good friend of mine.* |

| | |
|---|---|
| —¿Quiénes son esas chicas? | *Who are those girls?* |
| —Son unas **amigas mías.** | *They're some friends of mine.* |

| | |
|---|---|
| —¿Por qué no vamos juntos a la universidad? | *Why don't we go to the university together?* |
| —No, porque **las clases mías** son por la mañana y **las clases tuyas** son por la tarde. | *No, because my classes are in the morning, and your classes are in the afternoon.* |

| | |
|---|---|
| —¿Este libro es de David o de Teresa? | *Is this book David's or Theresa's?* |
| —Es el libro **de él.** | *It's his book.* |

ATENCIÓN: When the meaning of **suyo(a)** or **suyos(as)** is ambiguous, **de** + *the corresponding personal pronoun* is used for clarification as it is with **su** or **sus.**

*his friends*  $\begin{cases} \textbf{los amigos suyos} \\ \textbf{los amigos de él} \end{cases}$

### Práctica

Dígale a su profesor lo que dice cada una de las siguientes personas:

| | |
|---|---|
| TOMÁS | —Marta es una buena amiga mía. |
| CARLOS Y ELENA | —Los títulos nuestros son de la Universidad de La Habana. |
| AÍDA | —No podemos ir en el coche mío porque no funciona. |
| DAVID | —Los estudiantes míos estudian día y noche. |
| NORMA | —El novio mío no es nada puntual. |
| LUISA | —Los estudiantes tuyos pueden estudiar por su cuenta. |
| ROBERTO | —Las asignaturas de Uds. son muy difíciles. |
| OLGA | —Todo el dinero de Uds. no basta para comprar esta casa. |

## ¿CUÁNTO SABE USTED AHORA?

**a.** El siguiente párrafo es sobre Olga. Vuelva a escribirlo en la primera persona del singular:

Olga es una chica muy popular. Conoce a todos los estudiantes de la Facultad y todos dicen que ella vale mucho, porque es muy inteligente.

Los viernes y sábados sale con sus amigos (nunca dice que no a una invitación), pero los domingos no hace nada; desaparece de la ciudad y no aparece hasta el lunes por la mañana. Generalmente va con su familia a la montaña.

En su trabajo, en el departamento de español, traduce lecciones y prepara exámenes. Como no tiene mucho tiempo para estudiar en su casa, a veces trae sus libros a la oficina.

Olga conduce un coche muy bonito y tiene bastante dinero; todos los meses pone dinero en el banco para poder salir de viaje en las vacaciones. Ella reconoce que es una chica de mucha suerte.

**b.** A estos anuncios y noticias en un programa de televisión les faltan los verbos. Póngaselos Ud., usando el presente de indicativo de los verbos que aparecen en cada lista. Ud. y sus compañeros serán los locutores (*announcers*), y cada uno leerá un anuncio:

competir    costar    servir    almorzar

1. Todo _____ menos en el restaurante El Sombrero. Ud. _____ por sólo tres dólares. Nosotros _____ el mejor pollo frito de la ciudad. Ningún otro restaurante _____ con el nuestro en precios ni en servicios.

morir    encender    encontrar    sugerir

2. Si Ud. _____ la luz y _____ cucarachas (*roaches*) en la cocina, debe usar nuestro producto Anticucarachas. En menos de dos minutos, todas las cucarachas _____ . Yo le _____ no esperar ni un día más.

tener    confesar    recordar    contar    repetir

3. ¿ _____ Uds. a la famosa Lolita Vargas? Rosa Barreto nos _____ lo que está pasando en la vida de la famosa actriz. Lolita _____ que _____ un nuevo amor y _____ que *éste es el verdadero* (otra vez).

morder    perder    impedir    despertar

4. ¡Importante! Un agente de policía _____ un robo en la tienda Libertad. Un perro rabioso _____ a dos personas en un parque. El gobernador Francisco Acosta _____ las elecciones. Un hombre _____ después de estar en coma por seis meses. Film a las once.

**c.** Ud. está en el aeropuerto de Miami y oye fragmentos de conversaciones. ¿Qué palabras faltan?

1. —¿ _____ hermano de Julio?
   —Sí, lo conozco, pero no _____ dónde vive.
   —¿ _____ su número de _____ ?
   —Sí, es 887–6538.
2. —¿A dónde _____ ?
   —Voy a Guatemala porque tengo _____ .
   —¿Está muy enferma tu mamá?
   —Creo que sí.

3. —¿Éstas son tus maletas?
   —No, creo que _____ de Alicia.
   —No, las maletas de _____ son verdes, y éstas _____ azules.
   —Entonces no _____ de quién _____ .
4. —Mi esposa busca _____ .
   —¿Sí? Yo conozco _____ _____ que habla dos idiomas y _____ escribir muy bien a máquina.

**d.** Palabras y más palabras

Diga lo siguiente de otra manera usando el vocabulario de esta lección:

1. ir
2. asignatura
3. curso que todos los estudiantes tienen que tomar
4. examen de mitad de curso
5. aparentemente
6. salón de clase
7. conversar
8. relativo a la educación
9. por lo general
10. ser suficiente
11. en este mismo momento
12. ayuda monetaria que recibe un estudiante
13. clase
14. llegar siempre tarde
15. 24 horas al día

**e.** Vamos a conversar

1. ¿Cuáles son algunas diferencias entre el sistema educativo de Chile y el de los Estados Unidos?
2. ¿El español es un requisito en la escuela secundaria?
3. ¿Es obligatoria la asistencia a esta clase?
4. ¿Qué conviene más: estudiar por su cuenta o asistir a clase?
5. ¿Qué número tiene el aula de español?
6. ¿A qué hora vienen Uds. a la clase de español?
7. ¿Qué promedio mantiene Ud. en español?
8. ¿El español es difícil para ti?
9. Por lo regular, ¿hablan Uds. español o inglés conmigo?
10. ¿Tiene Ud. una beca para asistir a esta universidad?
11. Para sacar buenas notas, ¿basta la inteligencia?
12. ¿Cuándo es el examen de mediados de curso? ¿Y el examen final?
13. ¿Da el profesor un examen mañana?
14. ¿Oye Ud. lo que dice el profesor (la profesora)?
15. Hoy pasan una película española. ¿Vamos todos al cine?

**f.** Imagínese que Ud. se encuentra en las siguientes situaciones. ¿Qué diría Ud.?

1. Alguien lo (la) invita para ir al cine por la noche. Ud. tiene otros planes.
2. Alguien le pregunta cómo se dice *to take* en español. Déle tres equivalencias, usando ejemplos.
3. Un latinoamericano quiere saber algo sobre el sistema educativo de los Estados Unidos.
4. Ud. quiere explicarles a sus padres algunas cosas sobre el sistema educativo de Chile.
5. Ud. quiere invitar a un amigo (una amiga) a ir al cine con Ud. Esa persona dice que está ocupada, y Ud. trata de convencerlo(la) de que es mejor ir al cine.

**g.** Ahora el profesor (la profesora) va a dividir la clase en grupos de dos para conversar. Ud. desea saber lo siguiente sobre su compañero(a): (Hagan las preguntas usando la forma **tú**):

1. ...de dónde es.
2. ...dónde vive.
3. ...cuáles son las materias propias de su carrera.
4. ...cuántos años debe estudiar para recibir el título.
5. ...si tiene una beca.
6. ...si es fácil para él (ella) aprender sin asistir a clase.
7. ...qué promedio mantiene en español.
8. ...si es puntual.
9. ...si desea ir al cine con Ud.
10. ...a qué hora viene a la universidad.
11. ...a qué hora puede pasar por Ud. esta noche.
12. ...cuál es su programa de televisión favorito.

# CARTA DE UNA VIAJERA[1]

CHILE $11.50

3 de septiembre de 19 . .

Queridos amigos:

Aquí estoy en esta hermosa capital chilena, y quiero contarles algunas de mis impresiones sobre el sistema educativo de este país.

En la mayoría de los países hispánicos la enseñanza primaria dura° seis años. Después de terminar la escuela primaria, los estudiantes pueden asistir a una escuela comercial, a una escuela normal (donde estudian para maestros), a una escuela tecnológica, o a un instituto o liceo, donde se preparan para estudiar en la universidad. Por lo regular, los alumnos de la escuela primaria y la mayoría de los de la secundaria usan uniforme.

En Chile y en algunos otros países, las notas son de 1 a 10, y la nota más baja para aprobar° una asignatura es de 6. En otros, usan la escala de 1 a 100. Con esta carta les mando una fotocopia de una libreta de calificaciones° para darles un ejemplo. (Como pueden ver, aquí llaman castellano al idioma español.)

Los equivalentes de nuestras notas A, B, C y F son los siguientes:

A: Sobresaliente°          C: Aprobado
B: Notable (Muy bueno)     F: Suspenso

Las universidades se dividen en facultades, donde los estudiantes toman clases directamente relacionadas° con su especialización. Los planes de estudio son muy rígidos y no hay cursos electivos.

Los estudiantes latinoamericanos (y también los españoles) toman una parte muy activa en los problemas políticos de su país. Muchas revoluciones comienzan en las aulas de las universidades.

Bueno, voy a llevar esta carta al correo porque después voy al cine con una amiga. Pasan una película norteamericana con subtítulos en español. ¡Va a ser una experiencia interesante!

¡Hasta la próxima semana!

Un abrazo,

*Carol*

P.D.[2] Éstas son las notas del hermano de una amiga mía.

---

lasts

pass

report card

outstanding

related

[1]En cada capítulo encontrará Ud. una carta de nuestra amiga Carol Taylor, que está viajando por varios países de habla hispana y nos cuenta sus experiencias e impresiones.
[2]P.D. (Post Data: P.S.)

Después de leer la carta, díganos:

1. ¿Desde dónde escribe Carol?
2. ¿Cuántos años pasan los niños en la escuela elemental?
3. ¿Dónde pueden continuar sus estudios después de terminar la escuela primaria?
4. ¿Existen las mismas posibilidades en los Estados Unidos?
5. ¿Por qué dice Carol que muchas revoluciones comienzan en las aulas de la universidad?
6. ¿En qué época ocurre en los Estados Unidos algo similar?
7. ¿Puede Ud. comparar el sistema de calificación de los Estados Unidos con el de los países de habla hispana?
8. ¿Qué nombre le dan al español en los países latinoamericanos?
9. ¿Qué manda Carol con la carta?
10. ¿Qué van a ver Carol y su amiga en el cine?

### El es Tootsie...Ella es Dustin Hoffman

Nombre del estudiante:   Jorge Vera Mendoza

Mes de    noviembre

| ASIGNATURAS | NOTA |
|---|---|
| Arte ............................................................................. | 7 |
| Biología ...................................................................... | 6 |
| Castellano ................................................................... | 8 |
| Geografía .................................................................... | 10 |
| Historia ...................................................................... | 9 |
| Inglés ......................................................................... | 8 |
| Matemáticas ............................................................... | 7 |
| Química ...................................................................... | 8 |

Firma del director[1]:   *Luis Vargas Peña*

Fecha:    15 de noviembre de 1983

Firma del padre o tutor:   *Alberto Vera Soto*

---

[1]principal

# 2

# De vacaciones

La familia Alba planea ir de vacaciones. El Sr. Alba quiere ir a veranear a un balneario cercano; Carmen, su esposa, quiere ir a dar la vuelta al mundo; Pepe prefiere hacer una gira por Europa y Ada sueña con un crucero por el Caribe. Deciden, por lo tanto, ir a una agencia de viajes. Como es la temporada turística, hay mucha gente en la agencia. Mientras esperan, miran folletos, itinerarios, tarifas de hoteles y propaganda de varios centros turísticos para poder tomar una decisión. Por fin, deciden ir a Río de Janeiro y hacer escala en Venezuela y también en Perú, para ver las famosas ruinas de Machu Picchu.

El día del viaje, después de reservar los asientos y facturar las maletas, entran en una de las salas de espera del Aeropuerto Internacional Kennedy. Ahora están conversando mientras esperan la salida del avión.

JOSÉ —Por suerte podemos salir hoy y aprovechar el descuento que da la aerolínea.

PEPE —Ya que ahorramos dinero, podemos estar unos días más en Río. Según Julia, es una ciudad extraordinaria.

JOSÉ —Claro que Julia es brasileña...Sólo podemos estar en Río una semana si queremos ir a ver las Cataratas de Iguazú.[1]

CARMEN —Eso nos va a costar unos mil dólares más.

---

[1]*Iguazú* is a guaraní word which means "big water."

Los Pérez siguen hablando. De pronto, se oye por el altavoz: "Pasajeros del vuelo 284 con destino a Venezuela, favor de ir a la puerta número dos para abordar el avión."

En el avión:

| | |
|---|---|
| AUXILIAR DE VUELO | —Su tarjeta de embarque, por favor. Uds. tienen un asiento de ventanilla y dos de pasillo en la fila quince. |
| PEPE | —¿Dónde podemos poner los bolsos de mano? |
| AUXILIAR DE VUELO | —Pueden ponerlos en el compartimiento de equipajes o debajo de los asientos. |
| JOSÉ | —El avión está para despegar. Vamos a abrocharnos el cinturón de seguridad. |
| PEPE | —No veo la hora de estar en la playa de Copacabana, tomando el sol. Ada, ¿tienes el bronceador y los anteojos de sol? |
| ADA | —No, los podemos comprar en Río. Papá, vamos a tomar una excursión para ir al Pan de Azúcar y al Cristo del Corcovado, ¿verdad? |
| JOSÉ | —¡Por supuesto! |
| CARMEN | —Yo quiero ver las ruinas de Machu Picchu. |
| JOSÉ | —El próximo jueves vamos a estar en Lima. Podemos ir ese fin de semana. |
| PEPE | —Oye, mamá. Me duele un poco la cabeza. ¿Tienes aspirinas? |
| CARMEN | —Sí, pero ya van a servir el almuerzo. ¿Por qué no las tomas después de comer? |

Después del almuerzo, continúan charlando hasta que el piloto anuncia que pronto van a aterrizar en el aeropuerto de Caracas.

| | |
|---|---|
| JOSÉ | —Yo tengo tres bolsos de mano. Pepe, ¿dónde está el tuyo? |
| PEPE | —El mío está debajo de mi asiento. |
| CARMEN | —¡Al fin llegamos! ¡Qué hermosa es Caracas! |
| ADA | —Es una de las ciudades más modernas de Latinoamérica. |

## Charlemos

1. ¿Qué planea la familia Alba?
2. ¿A dónde quiere ir a veranear el Sr. Alba?
3. ¿Quién quiere dar la vuelta al mundo?
4. ¿Qué quieren hacer Pepe y Ada?
5. ¿Por qué deciden los Alba ir a una agencia de viajes?
6. ¿Por qué hay mucha gente en la agencia?
7. ¿Qué hace la familia Alba antes de tomar una decisión?

8. ¿Para qué quieren hacer escala en Perú?
9. ¿Por qué dice José "por suerte podemos salir hoy"?
10. Como la aerolínea les da un buen descuento, ¿qué quiere hacer Pepe? ¿Por qué?
11. ¿Qué se oye por el altavoz?
12. ¿Qué lugares quieren ver Pepe y Ada en Brasil?
13. ¿Qué quiere ver Carmen en Perú?
14. ¿Qué anuncia el piloto después del almuerzo?
15. ¿Qué dice Ada de Caracas?

## VOCABULARIO

### NOMBRES

el **altavoz**   loudspeaker
los **anteojos de sol**   sunglasses
el (la) **auxiliar de vuelo**   flight attendant
el **balneario**   beach resort
el **bronceador**   suntan lotion
las **cataratas**   falls
el **compartimiento de equipaje**   luggage compartment
el **crucero**   cruise
el **descuento**   discount
el **folleto**   brochure
la **gira**   tour
el (la) **pasajero(a)**   passenger
la **propaganda**   advertisement
la **tarifa**   rate

la **tarjeta de embarque (embarco)**   boarding pass
la **temporada turística**   tourist season

### VERBOS

**abordar**   to board
**aprovechar**   to take advantage of
**aterrizar**   to land
**despegar**   to take off (*ref. to planes*)
**facturar**   to check (*ref. to luggage*)
**reservar**   to reserve
**veranear**   to spend the summer (*on vacation*)

### ADJETIVOS

**cercano(a)**   nearby
**turístico(a)**   tourist

---

### *Expresiones idiomáticas*

**abrocharse el cinturón (de seguridad)**   *fasten seat belts*
**con destino a**   *destined for*
**dar la vuelta al mundo**   *to go around the world*
**hacer escala**   *to stop over*
**por lo tanto**   *therefore*

**por suerte**   *luckily*
**tomar el sol**   *to sunbathe*
**tomar una decisión**   *to make a decision*
**tomar (hacer) una excursión**   *to go on a tour*
**ya que**   *since*

## PALABRAS PROBLEMÁTICAS

**a. Tiempo, vez** y **hora** como equivalentes de *time*

1. **Tiempo** equivale a *time* cuando nos referimos al periodo o duración de algo:

   No quiero estar aquí mucho **tiempo.**

2. **Vez** equivale a *time* cuando se habla de series:

   Voy a clase dos **veces** por semana.

3. **Hora** equivale a *time* cuando se habla de una parte del día o de una actividad específica:

   Es **hora** de cenar.

**b. Debajo de, bajo, abajo**

1. **Debajo de** equivale a *under, below* or *underneath:*

   Ponen los bolsos **debajo** del asiento.

2. **Bajo** (*adv.*) es el equivalente de *under* o *below* y puede usarse también para indicar *under* (en sentido figurado):

   Están sentados **bajo** un árbol.
   Trabajan **bajo** la supervisión de la doctora Ortega.

3. **Abajo** es el opuesto de arriba y al usarlo no se establece ninguna relación de posición:

   Mi hermano me está esperando **abajo.**

### Práctica

Complete las siguientes oraciones, usando las "palabras problemáticas" correspondientes:

1. No están arriba; están _____ .
2. ¿Ya es _____ de almorzar?
3. Los folletos están _____ de la mesa.
4. Los auxiliares de vuelo trabajan _____ mi supervisión.
5. No tenemos _____ para hacer esa gira.
6. ¿Cuántas _____ al año van al balneario?
7. No tienen calor porque están sentados _____ un árbol grande.

# ESTRUCTURAS GRAMATICALES

## 1. Pronombres posesivos

### Formas

The forms of the possessive pronouns are the same as the long forms of the possessive adjectives:

|  | Masculine |  | Feminine |  |  |
|---|---|---|---|---|---|
|  | *Singular* | *Plural* | *Singular* | *Plural* |  |
| (el) | **mío** | **míos** | **mía** | **mías** | mine |
|  | **tuyo** | **tuyos** | **tuya** | **tuyas** | yours (*familiar*) |
|  | **suyo** | **suyos** | **suya** | **suyas** | his, her, yours |
|  | (los) |  | (la) |  | (las) |
|  | **nuestro** | **nuestros** | **nuestra** | **nuestras** | ours |
|  | **vuestro** | **vuestros** | **vuestra** | **vuestras** | yours (**vosotros** form) |
|  | **suyo** | **suyos** | **suya** | **suyas** | theirs, yours |

🪶 Possessive pronouns agree in gender and number with the nouns they replace, that is, with the thing possessed, and are generally preceded by a definite article.

—No encuentro mis anteojos
de sol.

*I can't find my sunglasses.*

—Si quieres, puedes usar **los míos.**

*If you want to, you may wear mine.*

—Éstas son mis maletas.
¿Dónde están **las suyas?**

*These are my suitcases.
Where are yours?*

—**Las nuestras** están debajo del
asiento.

*Ours are under the seat.*

❧ After the verb **ser,** the article is usually omitted: **Sí, son míos.**

❧ Since the third person forms of the possessive (*el suyo, la suya, los suyos, las suyas*) could be ambiguous, they are often replaced by the following:

el de
la de
los de
las de

Ud.
él
ella
Uds.
ellos
ellas

—¿De quién es este diccionario?
—Es el diccionario **suyo.** (*fem. pl.*)
—¡Ah! Es el diccionario **de ellas** (*clarified*)
—Sí, es el **de ellas.**

## Práctica

Escoja el pronombre posesivo que corresponda para completar cada una de las siguientes oraciones:

| la mía | la tuya | el suyo | la nuestra |
| la mías | las tuyas | las suyas | los nuestros |

1. —La casa de los García está en la calle Paz. ¿Dónde está la de Uds.?
   —____ está en la calle 25 de Mayo.
2. —Marta está muy contenta con su viaje.
   —¿Sí? Alberto no está muy contento con ____ .
3. —Mi tarjeta de embarque está aquí. ¿Dónde está ____ , querida?
   —____ está en mi bolso.
4. —Mis hijas están en casa. ¿Dónde están las de Marisol?
   —____ están en casa también.
5. —Hay cuatro cartas, dos para ti y dos para mí. Yo tengo ____ y ____ están en tu cuarto.
6. —Estos vestidos son de México. ¿De dónde son los vestidos de Uds.?
   —____ son de Buenos Aires.

## HOSTAL BAHIA

San Martín 54 - 1.° - Teléfono 41-44-41

**SAN SEBASTIAN**

№ 9967

Habitación n.º *121*

*3*

## pullmantur, s. a.

Agencia de Viajes Mayorista - Grupo A - Título 1 - M
Organización al servicio exclusivo de las Agencias de Viaje

MIEMBRO DE

AETO

PLACA DE PLATA

CONTINUEMOS...

### Uso del artículo definido con los pronombres posesivos

After the verb **ser**, the definite article is used with the possessive pronoun to express *the one that belongs to (me, you, him, etc.)*:

—Estos libros son **los míos.**
    ¿Cuáles son **los tuyos?**

*These books are mine (the ones that belong to me). Which ones are yours (the ones that belong to you)?*

—Los libros que están sobre la mesa son **los míos.**

*The books that are on the table are mine (the ones that belong to me).*

If one merely wants to express possession, the definite article is *not* used:

—¿De quién son estos libros?
—Son **míos.**

*Whose books are these?*
*They are mine.*

### Práctica

Lo necesitamos como intérprete. Traduzca lo siguiente:

1. "What a beautiful dress. Is it yours, Anita?"
   "Yes, it's mine."
2. "These green suitcases are ours (the ones that belong to us)."
   "No . . . I think they're mine (the ones that belong to me)."
3. "Whose books are these?"
   "They're yours, Mr. Ortiz."
4. "George's room is on the third floor."
   "No, that one is ours (the one that belongs to us). His is on the second floor."

## 2. Usos y omisiones de los artículos definidos e indefinidos

PRIMER PASO

*Usos y omisiones del artículo definido*

| The definite article is used: | The definite article is not used: |
|---|---|
| 1. With abstract nouns:<br><br>**La educación** es muy necesaria. | |
| 2. With nouns used in a general sense:<br><br>**El café** tiene cafeína. | |
| 3. With parts of the body and articles of clothing instead of the possessive adjective:<br><br>Me duele **la cabeza.**<br>Me pongo **los zapatos.** | When one wants to stress possession, in which case the possessive adjective is used:<br><br>**Mis** ojos son azules.<br>**Tu** sombrero es muy elegante. |
| 4. With the adjectives **pasado** and **próximo:**<br><br>Terminamos **el próximo** año. | |
| 5. With titles such as **señor, doctor,** etc., when talking about a person:<br><br>**La señora** Soto no está aquí. | When talking directly to the person:<br><br>Buenos días, **doctora** Soto. |
| 6. With names of languages:<br><br>**El español** es fácil. | After the verb **hablar** or the prepositions **en** and **de:**<br><br>**Hablo español.**<br>**Escribo en inglés.** |
| 7. With seasons of the year, days of the week, dates of the month, and when telling time:<br><br>Vengo **los lunes** a **las cinco.** | With the days of the week after the verb **ser** in the expressions **hoy es,** etc.:<br><br>**Hoy es lunes,** mañana **es martes.** |
| 8. To avoid repeating a noun:<br><br>Los libros de Ana y **los** de Eva están aquí. | |

### Práctica

Lisa Smith tiene que escribirle a una amiga argentina, pero no está muy segura de cuándo debe usar el artículo definido. Ayúdela Ud., y ponga los artículos donde sea necesario. Después lea la carta para ver si quedó bien.

24 de septiembre de 19 . .

Querida Sandra:

Hoy es _____ viernes, y como _____ viernes yo no tengo clases, tengo tiempo para escribirte. Tengo muchas cosas que contarte. Como ves, te estoy escribiendo en _____ español. Mi profesora de español, _____ doctora Torres, dice que estoy progresando mucho. En realidad, _____ español no es muy difícil.

_____ domingo pasado, David y yo fuimos a comer a un restaurante argentino. ¡Qué buena es _____ comida de Uds., sobre todo _____ parrillada![1]

Este fin de _____ semana pienso ir a Nueva York. Voy a pasar _____ sábado en la casa de Anita y _____ domingo en _____ de Mary. _____ otoño en Boston es hermoso. ¿Por qué no vienes a verme _____ mes próximo? Así puedes hablar _____ inglés con mis amigos para practicarlo. No debes olvidar que, para aprender una lengua, _____ práctica es lo más importante.

Bueno, te dejo porque me duele un poco _____ cabeza y quiero descansar.

Un abrazo,

*Lisa*

MAIPU SHOW

Mc.Donnell (cba)

EL NUMERO UNO
BAILABLE
TANGO
SHOW

Un almacén...Cordobés,
a puro tango
Viernes y sábados
Av.Maipú 440
Córdoba   Rep.Argentina

El Quincho

Restaurant
Parrilla

---

[1]Barbecued steak, sausages, etc.

CONTINUEMOS...

## Usos y omisiones del artículo indefinido

The indefinite article is used less frequently in Spanish than in English.

| The indefinite article is not used: | The indefinite article is used: |
| --- | --- |
| 1. After nouns of profession, religion, nationality or political party:<br><br>Roberto es **ingeniero.**<br>Marta es **mexicana,** pero no es **católica.** | When the noun is modified by an adjective:<br><br>Roberto es **un buen ingeniero.** |
| 2. With personal belongings, when the idea of quantity is not emphasized:<br><br>Yo nunca uso **sombrero.** | If the idea of quantity is emphasized:<br><br>Tengo **un** sombrero azul. |
| 3. With adjectives such as **cien**(to), **mil, otro, medio, tal** and **cierto:**<br><br>Mi sueldo es **mil** dólares.<br>Necesitamos **otro** contador.<br>Esperé **media** hora. | |
| 4. After the words **de** and **como,** when they mean *as* in English:<br><br>Él trabaja **de** (**como**) secretario. | |

## Práctica

Conteste las preguntas, usando la información que aparece entre paréntesis, y prestando atención al uso u omisión del artículo indefinido. Siga el modelo.

MODELO: ¿Qué buscan Uds.? (apartamento)
　　　　　Buscamos apartamento.

1. ¿Qué es tu novio? (actor / muy famoso)
2. ¿De qué religión es tu secretaria? (católica)
3. ¿Cuánto cuesta el crucero? (mil dólares)
4. ¿De qué nacionalidad es Rebeca? (brasileña)
5. ¿Necesitas alguna otra cosa? (sí / otro / diccionario)
6. ¿Qué necesitas? (lápiz rojo / pluma azul)
7. ¿Qué profesión tiene Marta? (trabajar / auxiliar de vuelo)
8. ¿Qué quieres beber? (media / taza / café)
9. ¿Dónde está tu sombrero? (no usar / sombrero)
10. ¿Ella es republicana? (no / demócrata / fanática)

## 3. Formas pronominales en función de complemento directo

PRIMER PASO

### El complemento directo de la oración

The direct object is the one that directly receives the action of the verb.

Él compra el libro.
S    V     D.O.

In the above sentence, the subject **Él** performs the action, while **el libro,** the direct object, receives directly the action of the verb. (The direct object of a sentence can be either a person or a thing.)

The direct object can be easily identified by saying the subject and verb and then asking the questions *what?* or *whom?*

| | |
|---|---|
| Él compra **el libro.** | *He is buying **what?*** |
| Alicia mira **a Luis.** | ***Whom** is she looking at?* |
| | *(watching)* |

A. Forms of the direct object pronouns

| | *Singular* | | *Plural* |
|---|---|---|---|
| **me** | me | **nos** | us |
| **te** | you (*familiar*) | **os** | you (**vosotros** *form*) |
| **lo** | you (*m.*), him, it (*m.*) | **los** | you (*m.*), them |
| **la** | you (*f.*), her, it (*f.*) | **las** | you (*f.*), them |

❧ The direct object pronouns replace nouns used as direct objects.

B. Position of the direct object pronouns

1. In Spanish, the direct object pronouns are placed *before* a conjugated verb, and attached to the end of an infinitive or a gerund:

| | |
|---|---|
| —¿**Me** llamas este fin de semana? | *Will you call me this weekend?* |
| —No, no[1] **te** llamo. | *No, I won't call you.* |
| —No tenemos tiempo de terminar**lo.** | *We don't have time to finish it.* |
| —Sí, haciéndo**lo** entre los dos, **lo** terminamos sin problema. | *Yes, (by) doing it between the two (of us) we'll finish it without (any) problem.* |

---

[1]Remember that in a negative sentence, the word **no** is placed before the pronoun.

2. If an infinitive or a gerund and a conjugated verb are used in the same sentence or clause, the direct object pronouns may either be placed *before* the conjugated verb or *attached* to the infinitive or to the gerund:

—¿Cuándo **los** quieres ver?     *When do you want to see them?*
—Quiero ver**los** mañana.     *I want to see them tomorrow.*

—¿Dónde está el periódico?     *Where is the paper? Are you*
   ¿Estás leyéndo**lo?**         *reading it?*
—No, no **lo** estoy leyendo.     *No, I'm not reading it.*

## Práctica

**a.** Conteste las siguientes preguntas, en la forma afirmativa, utilizando en las respuestas las formas pronominales correspondientes. Siga el modelo.

MODELO:   ¿Conoces *al piloto?*
             Sí, *lo* conozco.

1. ¿Cuidan Uds. *a la hija de Rosa?*
2. ¿Esperas *a los pasajeros?*
3. ¿Necesitas *el bronceador?*
4. ¿Tiene él *las reservaciones?*
5. ¿Siempre *reservas habitación?*
6. ¿Conoces *a mis padres?*
7. ¿*Me* llamas, mamá?
8. ¿*Nos* llevas al cine (a nosotras)?
9. ¿Quieres *estos folletos?*
10. ¿Tus padres *te* visitan a menudo?

**b.** Expanda las siguientes oraciones usando los verbos dados entre paréntesis. Siga el modelo.

MODELO:   *Los* visitan.   (querer)
             Quieren visitar*los.*
             *Los* quieren visitar.

1. Las facturan.   (no querer)
2. Lo hacen allí mismo.   (estar)
3. La traen de Paraguay.   (querer)
4. Te llaman ahora mismo.   (estar)
5. Los firman esta noche.   (deber)
6. Me cuidan.   (estar)
7. Nos eligen para la beca.   (poder)
8. No la usan.   (estar)
9. Las visitan.   (deber)
10. Lo leen.   (estar)

**c.** Lo necesitamos como intérprete. Traduzca lo siguiente:

1. "Do you know Ana Vera, Miss Peña?"
   "Yes, I know her. I can call her this afternoon."
2. "Can you see me, Paquito?"
   "No, I can't see you."
3. "Are you going to take us to the movies, Miss Martel?"
   "Yes, I always take you to the movies on Saturdays..."
4. "Do you bring your father to the office, sir?"
   "Yes, I bring him, but I drive his car."
   "Why doesn't he drive it."
   "Because I need it."

CONTINUEMOS...

### Otros usos de las formas pronominales lo, la, los y las

A. When the pronouns **lo, la, los** and **las** are used as direct objects with the impersonal verb **haber,** they are equivalent to *one, some,* or the negative *any* in English.

| | |
|---|---|
| —¿Hay alguna tarifa especial este mes? | *Is there any special rate this month?* |
| —No, no **la** hay. | *No, there isn't (any).* |
| —Hay algunos estudiantes sudamericanos en la universidad, ¿verdad? | *There are some South American students at the university, right?* |
| —Sí, **los** hay, pero yo no los conozco. | *Yes, there are (some), but I don't know them.* |

B. The verbs **saber, decir, pedir** and **preguntar** generally take a direct object. If the sentence does not have one, the pronoun **lo** must be added to complete the idea. **Lo** is also added to **ser** and **estar.**

| | |
|---|---|
| —No hay muchos descuentos durante la temporada turística. | *There aren't many discounts during tourist season.* |
| —Sí, **lo** sé. | *Yes, I know.* |
| —No sé el número de teléfono de Olga. | *I don't know Olga's phone number.* |
| —Puedes preguntar**lo**... | *You can ask. . .* |
| —Él es muy inteligente, ¿verdad? | *He's very intelligent, isn't he?* |
| —Sí, **lo** es. | *Yes, he is.* |

ATENCIÓN:   **Lo** is not used if there is an adverb of quantity following the verb: Sabe **mucho.** Pedimos **poco.**

### Práctica

Lo necesitamos como intérprete. Traduzca lo siguiente:

1. "There are many houses on that street."
   "Yes, there are, but they're not very big."
   "I know."
2. "He knows a lot about Chilean music. Is he from Chile?"
   "Yes, he is."
3. "Are you tired, dear?"
   "Yes, I am. And my head hurts too."

## 4. El presente progresivo

### PRIMER PASO

#### Formas y usos

A. The gerund

1. To form the gerund of regular verbs (the -*ing* form in English) the following endings are used:

| -ar *verbs:* -ando | | -er *and* -ir *verbs:* -iendo | |
|---|---|---|---|
| aprovechar | aprovech**ando** | comer | com**iendo** |
| | | vivir | viv**iendo** |

2. The following verbs have irregular gerund forms:

   a. -**er** and -**ir** verbs whose stems end in a vowel use the ending -**yendo** instead of -**iendo:**

   | leer | le**yendo** |
   |---|---|
   | oír | o**yendo** |

   b. -**ir** stem-changing verbs change the -**e** to **i** and the **o** to **u:**

   | mentir | mintiendo |
   |---|---|
   | servir | sirviendo |
   | dormir | durmiendo |

   c. Other irregular gerunds:

   | decir | **diciendo** |
   |---|---|
   | poder | **pudiendo** |
   | ir | **yendo** |
   | venir | **viniendo** |

B. The present progressive tense

The most commonly used present progressive construction in Spanish is formed with the present tense of the verb **estar** and the gerund of the main verb.

—¿Qué **está haciendo** el Dr. Paz?    *What is Dr. Paz doing?*
—**Está hablando** con un    *He's talking with a student.*
    estudiante.

In Spanish, the present progressive indicates an action that is in progress at a certain moment.

ATENCIÓN:

1. The present progressive is never used in Spanish to indicate a future action:

    **Salgo mañana.**    *I'm leaving tomorrow.*

2. Progressive actions with **estar** are temporary. They are seldom used to indicate an action extending over a period of time, or repeated actions; the present tense is used instead.

—¿Dónde vive tu yerno?    *Where is your son-in-law living?*
— Vive en Miami.    *He is living in Miami.*

FIN DE SEMANA EN UN PARAISO $30 50* Por noche. Por persona. ocupación doble. Mínimo 3 días • 2 noches

VACACIONES NACIONAL COSTA DEL AZAHAR

### Práctica

**a.** Escriba oraciones en el presente progresivo, usando las palabras dadas. Agregue los elementos necesarios, siguiendo el modelo:

MODELO:   Lucía / escribir / carta
Lucía está escribiendo una carta.

1. ellos / abordar / avión
2. las niñas / tomar / el sol
3. el avión / aterrizar
4. ¿ / quién / servir / cena / ahora / ?
5. niños / dormir / cuarto
6. él / mentir
7. nosotros / leer / folletos
8. ¿ / tú / ponerlas / compartimiento de equipaje / ?

**b.** Pregúntele a un(a) compañero(a) lo siguiente, usando siempre el presente progresivo:

1. qué dice.
2. qué clases toma.
3. qué hace el profesor.
4. qué hacen los estudiantes.
5. qué lección estudiamos hoy.
6. qué hace Ud.
7. qué libros lee ahora.
8. qué explica el profesor.

CONTINUEMOS...

### *El gerundio con los verbos seguir y continuar*

**Continuar** or **seguir** + the gerund may be used in Spanish to indicate an action that started in the past and is still taking place at a given time.

| | |
|---|---|
| —¿Todavía estás estudiando español? | *Are you still studying Spanish?* |
| —Sí, yo **continúo estudiando,** pero no aprendo mucho. | *Yes, I continue (keep on) studying but I'm not learning much.* |
| —¿**Sigues estudiando** en la universidad? | *Are you still studying at the university?* |
| —No, no puedo estudiar porque tengo muchos problemas económicos. | *No, I can't study because I have many financial problems.* |

ATENCIÓN:  The verbs **continuar** and **seguir** are *never* followed by the infinitive, as in English:

| Ellos | **siguen estudiando** | arte moderno. |
|-------|----------------------|---------------|
| They | *continue to study* | modern art. |

Notice that **seguir** and **continuar** are synonymous.

Ellos **siguen** (*continúan*) **estudiando.**

### Práctica

Conteste las siguientes preguntas afirmativamente, usando **seguir** o **continuar** + **gerundio** en sus respuestas:

1. ¿Todavía trabajas en el mismo lugar?
2. ¿Todavía vives en la misma ciudad?
3. ¿Todavía veraneas en el mismo balneario?
4. ¿Todavía planeas tomar una excursión a las cataratas?
5. ¿Todavía tienes problemas económicos?

## ¿CUÁNTO SABE USTED AHORA?

**a.** Carlos le escribe una carta a una amiga. Vuelva a escribirla, cambiando los verbos que están en letra cursiva al presente progresivo:

Querida Estrella:

Te *escribo* desde la playa de Torremolinos. Ahora *vivo* con una familia española muy simpática y les *doy* clases de inglés a los niños, que *aprenden* bastante. *Practico* mucho el español y ya lo *leo* casi como un nativo.

Paco y yo *salimos* todas las noches y no regresamos hasta tarde. Me *muero* de sueño porque *dormimos* solamente tres o cuatro horas al día.

Raquel y Luis *viajan* ahora por el sur de España y me *escriben* casi todos los días.

¿Y qué *haces* tú? Espero noticias tuyas pronto. Ahora te dejo porque la señora de la casa me *llama*. Me dice que *sirve* la comida. Prometo escribirte pronto.

Un abrazo,

*Carlos*

**b.** Ud. está en un café, y oye varios fragmentos de conversaciones. ¿Qué palabras faltan? Complete cada fragmento, y represéntelos (*act them out*) con un compañero:

1. —¿Puedes llamarme al llegar a casa?
   —Sí, al llegar, _____ . Probablemente a _____ ocho y media.
   —¿Piensas ir a ver a _____ doctora Mena?
   —No, no puedo _____ porque no voy a tener tiempo. _____ próxima vez _____ voy a visitar.

2. —¿Quieres _____ taza de café?
   —No, gracias. Nunca _____ . Prefiero tomar _____ .

3. —¡Qué bonitas son tus sandalias! Todas _____ sandalias son preciosas. ¿Dónde _____ compras?
   —Generalmente _____ en una tienda de la calle Independencia.
   —Yo nunca uso _____ .

4. —¿Cuándo hay clases de español?
   —Todos _____ martes y jueves a _____ diez de _____ mañana.
   —A ver...hoy _____ . Tienes clase mañana... ¿Hay _____ clases de francés también?
   —Sí, _____ hay, pero yo no sé a qué hora son.

5. —¿Cuándo vuelves a _____ ?
   —Bueno, yo pienso visitarlos otra vez _____ año próximo, si Uds. no están cansados de mí...

6. —¿De quién es _____ bolsa que está aquí? ¿Es tuya?
   —No es _____ . Creo que es _____ de Alicia.
   —No, _____ es verde, y ésta es roja.

7. —¡Juancito! ¿Por qué te quitas _____ ?
   —Me duelen _____ pies, mamá.
   —¡Ay! ¡Qué trabajo dan _____ !

**c.** Palabras y más palabras

Complete las siguientes oraciones, usando el vocabulario de esta lección:

1. Vamos a dar la _____ al mundo en ochenta días.
2. Yo siempre me _____ el cinturón de seguridad cuando viajo en automóvil.
3. _____ que estamos en la agencia de viajes, podemos reservar los pasajes.
4. Por el _____ se oye: "Pasajeros del _____ 234 con _____ a Buenos Aires, favor de _____ el avión."
5. No quiero ir lejos; prefiero ir a un lugar _____ .
6. Las _____ de Iguazú están en Brasil, Argentina y Paraguay.
7. Tenemos que darle la tarjeta de _____ a la _____ de vuelo.
8. Si vas a _____ el sol, vas a necesitar el _____ y los _____ de sol.
9. Este año no podemos _____ en Copacabana porque no tenemos vacaciones en el verano.
10. _____ suerte, no tengo que _____ una decisión hoy mismo.

**d.** Vamos a conversar

1. ¿En qué época es una buena idea reservar pasajes y hoteles antes de viajar? ¿Por qué?
2. ¿Qué cosas debo saber para planear mis vacaciones?
3. Tengo cinco mil dólares para gastar en mis vacaciones. ¿Qué puedo hacer? ¿Tiene algunas ideas?
4. Si vuelo de Los Ángeles a Río de Janeiro, ¿dónde puedo hacer escala?
5. Mañana voy a ir a la playa. ¿Qué necesito llevar?
6. ¿Qué debemos darle al auxiliar de vuelo al abordar el avión?
7. ¿Qué deben hacer los pasajeros cuando despega y aterriza el avión?
8. ¿Puede nombrar algunos lugares que son buenos para veranear?
9. ¿Cuánto dinero crees tú que una persona necesita para dar la vuelta al mundo?
10. Si usted está en un hotel, ¿prefiere tener un cuarto arriba o abajo?
11. ¿Cuál cree Ud. que es una ciudad extraordinaria? ¿Por qué?
12. ¿Qué debemos hacer antes de tomar una decisión importante?

**e.** Ahora el profesor (la profesora) va a dividir la clase en grupos de dos. Ud. y un(a) compañero(a) van a conversar. Háganse las siguientes preguntas, usando la forma tú. Lo que desean saber sobre la persona con quien están hablando es lo siguiente:

1. ...a dónde quiere ir de vacaciones.
2. ...si prefiere ir a algún lugar cercano o hacer una gira por Europa.
3. ...si quiere hacer un crucero por el Caribe.
4. ...si tiene su pasaporte en regla.
5. ...si conoce las ruinas de Machu Picchu.
6. ...si prefiere viajar por tren o por avión. ¿Por qué?
7. ...qué hace antes de decidir a dónde va a ir a veranear.
8. ...si siempre se abrocha el cinturón cuando va en coche.
9. ...si prefiere un asiento de ventanilla o un asiento de pasillo.
10. ...si prefiere veranear en la playa o en la montaña. ¿Por qué?

**Turismo y Transportes, S. A.**

**Autobuses de Gijón a Irún - Frontera Francesa**

**BILLETE** Nº 002584 -G- **clase única**

# CARTA DE UNA VIAJERA

21 de septiembre de 19 . .

Queridos amigos:

Acabo de regresar de una excursión a Machu Picchu, la antigua ciudad fundada por los incas, que está situada en medio de la Cordillera de los Andes.

La civilización inca era una de las más avanzadas de Hispanoamérica, y una prueba de ello es la construcción de la muralla° que rodea° Machu Picchu. En la construcción de la muralla, de unos 1.500 pies de largo y 60 pies de alto y en la de las paredes de los edificios usaron piedras° enormes de más de cien toneladas, sin poner ningún cemento entre ellas. ¡Es imposible introducir un cuchillo entre las piedras!

Al entrar en Machu Picchu llaman la atención las grandes terrazas construidas en las laderas° de las montañas, donde todavía hoy se cultivan maíz y papas. Machu Picchu es una ciudad fortaleza° que ocupa un área de trece kilómetros cuadrados.° En ella se encuentran las ruinas de un templo, el palacio real y un mausoleo. Todavía está la gran piedra que usaban los incas para observar la salida del sol,° pues ellos adoraban al sol y por eso su imperio es conocido con el nombre de Imperio del Sol.

El viaje es maravilloso y vale la pena° hacerlo, pero es necesario tener cuidado, pues a muchas personas les afecta la altura; por eso los guías recomiendan descansar antes de iniciar el ascenso.

Si alguna vez tienen la oportunidad de visitar Machu Picchu, no deben dejar de hacerlo.

Dentro de unos días voy a ir a Paraguay. Desde allí les escribo.

Cariños,

wall
surrounds

stones

slopes
fortress
square

sunrise

it is worth

Después de leer la carta, díganos:

1. ¿Por quiénes fue fundada la ciudad de Machu Picchu?
2. ¿Qué cosa interesante dice Carol sobre la muralla que rodea Machu Picchu?
3. ¿Qué llama la atención al entrar a Machu Picchu?
4. ¿Qué sabe Ud. sobre la ciudad de Machu Picchu?
5. ¿Por qué se conoce el imperio inca con el nombre de Imperio del Sol?

6. ¿Qué recomiendan los guías antes de subir a Machu Picchu?
7. ¿Qué recomienda Carol?
8. ¿Qué país va a visitar Carol dentro de unos días?

Vista de Machu Picchu, la ciudad construida por los incas en los picos más elevados de la cordillera de los Andes. No fue descubierta hasta el año 1911.

# 3

# La artesanía de Latinoamérica

En "La Perla," una pequeña tienda de objetos de regalo, conversan dos muchachas: Marisol y Rebeca. Rebeca, que hizo un viaje por Latinoamérica, habla con Marisol, la dueña de la tienda, de todas las cosas que le trajo.

MARISOL —¡Qué contenta estoy con todo lo que me trajiste!

REBECA —Creo que te traje todo lo que me encargaste, aunque los precios estaban por las nubes.

MARISOL —Sí, pero todo es muy bonito, especialmente estas sobrecamas de ñandutí que compraste en Asunción. ¡Qué diseños tan hermosos!

REBECA —Sí, en este tipo de encaje hay más de cien diseños diferentes.

MARISOL —Cuando estuve en México y en Guatemala encontré blusas y vestidos bordados muy bonitos. ¿Viste algunos en Asunción?

REBECA —Sí, también los hay allá, y están hechos de telas especiales fabricadas allí mismo. En Paraguay fabrican tejidos de algodón de varios tipos y de muy buena calidad.

MARISOL —Sí, por eso cuando supe que ibas a ir a Paraguay y a México me puse muy contenta.

REBECA —Cuando yo era chica, mi familia y yo siempre íbamos a México. Mi padre importaba de allá objetos de cerámica y alfarería, y también cestas y sombreros de paja.

MARISOL —Nosotros también íbamos mucho a México. Yo, por supuesto, quería todas las cosas que veía; pero sólo me compraban collares de cuentas y de semillas porque no disponíamos de mucho dinero. ¡Oye!; ¿de dónde son estos floreros y estas placas?

59

REBECA — Son de Ecuador. Allá fabrican adornos muy bonitos.

MARISOL — Veo que estás muy entusiasmada con todo lo que viste en tu viaje.

REBECA — ¡Ay, sí! Fue un viaje magnífico, aunque corto. A lo mejor la próxima vez puedes ir conmigo.

## La Perla

VISÍTENOS Y ENCONTRARÁ LOS MEJORES
ARTÍCULOS DE ARTESANÍA IMPORTADOS
DE LATINOAMÉRICA

Cerámicas y Figuras de Madera Tallada de México

Billeteras, Bolsos, Portafolios y Cinturones
de Cuero de Argentina

Manteles y Sobrecamas de Encaje de Ñandutí
de Paraguay

Vestidos Bordados de Guatemala y México

Aretes y Pulseras de Filigrana de Paraguay

Joyas de Oro y Plata de Perú y Bolivia

HORAS: Lunes a viernes de 10–6; Sábados de 12–5; Domingos: Cerrado

## Charlemos

1. ¿Qué artículos de artesanía importa Marisol de Argentina? (¿De Bolivia?) (¿De México?)
2. ¿De dónde son los encajes de ñandutí?
3. ¿De qué países son las joyas que venden en la tienda "La Perla"?
4. ¿Dónde están Marisol y Rebeca y que están haciendo?
5. ¿Qué dice Rebeca de los precios?
6. ¿Qué vio Marisol cuando estuvo en México y en Guatemala?
7. ¿Qué tipo de tela fabrican en Paraguay?
8. ¿Qué traía el padre de Rebeca cuando iba con su familia a México?
9. ¿Qué quería Marisol cuando iba a México con sus padres?
10. ¿Por qué le compraban solamente collares de cuentas y de semillas?
11. ¿De dónde son los floreros y las placas que trajo Rebeca?
12. ¿Cómo sabemos que Rebeca está muy entusiasmada con su viaje?

# VOCABULARIO

NOMBRES

el **adorno** ornament
la **alfarería** pottery
el **algodón** cotton
los **aretes** earrings
la **artesanía** arts and crafts
la **billetera** wallet
el **bolso**, la **cartera** purse
la **calidad** quality
la **cesta** basket
el **cinturón** belt
el **collar** necklace
la **cuenta** bead
el **cuero** leather
el **diseño** design
el (la) **dueño(a)** owner
el **encaje** lace
la **filigrana** filigree
el **florero** vase

la **joya** jewelry
la **paja** straw
la **placa** plaque
el **portafolio** briefcase
la **pulsera**, el **brazalete** bracelet
la **semilla** seed, pit
la **sobrecama** bedspread
la **tela**, el **tejido** fabric, material, cloth

VERBOS

**disponer (de)** to have available
**fabricar** to manufacture, to make
**importar** to import

ADJETIVOS

**bordado(a)** embroidered
**entusiasmado(a)** enthused, excited
**fabricado(a)**, **hecho(a)** made
**tallado(a)** carved

---

*Expresiones idiomáticas*

**a lo mejor** *maybe*
**allí mismo** *right there*
**ponerse contento(a)** *to be happy*

**por eso** *that's why*
**por las nubes** *sky high*
**salir de viaje** *to go on a trip*

---

## PALABRAS PROBLEMÁTICAS

**a. Bajo, corto** como equivalentes de *short*

1. **Bajo** es el opuesto de alto; equivale a *short* cuando se refiere a estatura (*height*):

   Mi hermana sólo mide cuatro pies; es muy **baja.**

2. **Corto** es lo opuesto de largo; equivale a *short* cuando se refiere a longitud (*length*):

   Ese vestido no te queda muy bien. Es muy **corto.**
   La distancia entre tu casa y la de mis padres es muy **corta.**

**b.** **Encargar, pedir, ordenar** como equivalentes de *to order*

1. **Pedir** es equivalente de *to order* en un restaurante o en un café:

Voy a **pedir** pollo asado. ¿Qué vas a **pedir** tú?

2. **Ordenar** es el equivalente de *to order* o *to command:*

El jefe me **ordenó** terminar el trabajo hoy mismo.

3. **Encargar** es el equivalente de *to order* refiriéndose a mercancías:

Voy a **encargar** cortinas para el cuarto.

### Práctica

Complete las siguientes oraciones con las "palabras problemáticas" correspondientes:

1. ¿Qué vas a _____ de postre?
2. Ayer el profesor nos _____ terminar el trabajo para mañana.
3. No me gusta el pelo largo; prefiero el pelo _____ .
4. ¿Tiene dieciocho años? ¡Es muy _____ para su edad!
5. Voy a _____ una sobrecama para tu cuarto.
6. Hicimos el viaje en media hora. Fue un viaje muy _____ .

## ESTRUCTURAS GRAMATICALES

## 1. Usos de los verbos *ser* y *estar*

### PRIMER PASO

Both **ser** and **estar** correspond to the English verb *to be*. However as you will see, they are *not* interchangeable.

*Usos del verbo ser*

The verb **ser** is used in the following instances:[1]

1. To identify the subject:

—¿Quién **es** ese muchacho?　　　*Who is that boy?*
—**Es** Luis, el hermano de Ana.　　*It's Luis, Ana's brother.*

---

[1]The use of **ser** in the passive voice will be studied in Lesson 12.

2. With adjectives, to express permanent characteristics of the subject; for example, personal descriptions such as **alto, bajo, guapo,** (including **feliz, viejo, rico, pobre**). Also with adjectives of color, shape, size, nationality, religion, etc., and nouns that indicate profession:

—¿Cómo **es** tu novia? — *What is your girlfriend like?*
—**Es** baja, delgada y muy — *She's short, slim, and very*
   simpática.    *charming.*

—Juan **es** arquitecto, ¿no? — *John is an architect, isn't he?*
—No, **es** ingeniero. — *No, he's an engineer.*

3. With the preposition **de** to indicate origin, material, possession, and relationship:

—¿La mesa **es** de madera? — *Is the table (made) of wood?*
—No, **es** de formica. — *No, it's (made) of formica.*
—¿De quién **es?** — *Whose is it?*
—**Es** de la mamá de Antonio. — *It's Anthony's mother's.*

4. With the time and the date:

—¿Qué fecha **es** hoy? — *What's the date today?*
—Hoy **es** el cuatro de abril. — *Today is April fourth.*

—¿Qué hora **es?** — *What time is it?*
—**Son** las diez y media. — *It's ten thirty.*

5. With impersonal expressions:

—¿Tenemos la reunión hoy? — *Are we having the meeting today?*
—No, **es** mejor tenerla mañana. — *No, it's better to have it*
   *tomorrow.*

6. With the preposition **para** to indicate for whom or what something is destined:

—¿Para quién **es** este cinturón? — *Who is this belt for?*
—**Es** para mí. — *It's for me.*

7. To indicate where an event is taking place, when *to be* is the equivalent of *to take place:*

—¿En qué aula **es** la conferencia? — *In which classroom is the lecture?*
—En el aula 222. — *In classroom 222.*

*Usos del verbo* estar

The verb **estar** is used in the following instances:

1. To indicate location:

   —¿Dónde **está** el dueño de la        *Where is the store owner?*
   tienda?
   —**Está** en el banco.                 *He's at the bank.*

2. To indicate a current condition or state:

   —¿Cómo **está** Antonio hoy?           *How's Anthony today?*
   —**Está** mucho mejor.                 *He's much better.*

3. With the past participle, to indicate the result of a previous action. In this case, the past participle is used as an adjective and agrees with the subject in gender and number:

   —¿No puedes leer las cartas?           *Can't you read the letters?*
   —No, **están** escritas en italiano.   *No, they're written in Italian.*

4. With the forms **-ando** and **-iendo** (*gerund*), to form the progressive forms:

   —¿Qué **estás** haciendo?              *What are you doing?*
   —**Estoy** haciendo una sobrecama.     *I'm making a bedspread.*

5. In the following idiomatic expressions:

   a. **estar de acuerdo**   *to agree*

      Ella quiere empezar más temprano, pero yo no **estoy de acuerdo.**

   b. **estar de buen (mal) humor**   *to be in a good (bad) mood*

      Hoy **estoy de buen humor** porque no hay clases.

   c. **estar de vacaciones**   *to be on vacation*

      Mis padres **están de vacaciones** en Río de Janeiro.

   d. **estar de prisa**   *to be in a hurry*

      No puedo quedarme hasta las cinco. **Estoy de prisa.**

   e. **estar en cama**   *to be sick in bed*

      Mi hermano **está en cama.** Tiene fiebre.

   f. **estar de viaje**   *to be (away) on a trip*

      El dueño de la tienda **está de viaje** por Sudamérica.

## Práctica

**a.** Forme oraciones con las siguientes palabras o frases, usando **ser** o **estar**, según corresponda. Añada todos los elementos necesarios, siguiendo el modelo.

MODELO:     cartera / cuero
               La cartera de Julia *es* de cuero.

1. fiesta / a las ocho
2. novia / de Buenos Aires
3. de acuerdo / con mis padres
4. vestido / encaje
5. Rodolfo / muy bajo
6. Elsa / de mal humor
7. concierto / mañana
8. precios / por las nubes
9. sobrecama / en el dormitorio
10. nosotros / de prisa
11. hermana / ingeniera
12. mejor / comer poco
13. Elena / entusiasmada
14. mañana / ocho de diciembre
15. yo / muy cansado
16. las joyas / Sonia
17. el pobre gato / muerto
18. adornos / muy bonitos
19. profesor / corrigiendo los exámenes
20. dónde / tu portafolio

**b.** Dime algo de ti:

1. ¿Quién eres? ¿Cómo eres?
2. ¿De dónde eres?
3. ¿Cuál es la profesión de tu padre?
4. ¿Cómo estás?
5. ¿Qué estás haciendo? ¿Dónde estás ahora?
6. ¿Estás sentado(a) o parado(a)?
7. ¿Cuándo es tu cumpleaños?
8. ¿Qué días son tus clases de español?
9. ¿A dónde vas cuando estás de vacaciones?
10. ¿Generalmente estás de buen humor o de mal humor?

CONTINUEMOS...

## Adjetivos que cambian de significado

Some adjectives change meaning depending on whether they are used with **ser** or **estar:**

|  | *With* ser | *With* estar |
|---|---|---|
| **aburrido**(a) | *boring* | *bored* |
| **verde** | *green (color)* | *green (not ripe)* |
| **malo**(a) | *bad* | *sick* |
| **listo**(a) | *smart, clever* | *ready* |

Los estudiantes **están aburridos.** Eso es porque el profesor **es** muy **aburrido.**

Estas manzanas no **están verdes. Son** manzanas **verdes.**

Rosa no puede ir a la reunión porque todavía **está mala.** Tiene mucha fiebre.

No quiero ir a ver a ese médico porque dicen que **es** muy **malo.**

**¿Estás lista?** Ya son las cuatro.

Mis estudiantes **son** muy **listos.** Todo lo entienden en seguida.

Notice that used with **ser** these adjectives express a quality or a permanent condition. Used with **estar** they express a state or a current, transitory condition.

## Práctica

Necesitamos un(a) intérprete. Traduzca lo siguiente:

1. "Where is the meeting?"
   "It is here. Dr. Vega is speaking about the arts and crafts of Ecuador."
   "I don't want to go. She's very boring."
2. "I'm bored! What can we do?"
   "We can go to the movies."
3. "Is he sick in bed?"
   "Yes, the poor boy is very sick."
4. "I'm in a hurry. We should be back at five o'clock. Are you ready?"
   "Not yet."
5. "David is on vacation."
   "He's on vacation? Again? That boy is very smart. He never works!"

## 2. Formas pronominales en función de complemento indirecto

PRIMER PASO

### Complemento indirecto de la oración

Many Spanish sentences have, in addition to a subject and direct object, an indirect object.

1. Él compra el libro (para José).
     S    V    D.O.    I.O.

   *What does he buy?* (**el libro**)
   *For whom does he buy it?*
     (**para José**)

2. Ella da el dinero (a los muchachos).
     S   V   D.O.     I.O.

   *What does she give?* (**el dinero**)
   *To whom does she give it?*
     (**a los muchachos**)

- In sentence #1 above, the subject (**él**) performs the action, the direct object **el libro**, directly receives the action of the verb, and **para José** is the final recipient of the action expressed by the verb.

- In sentence #2, **Ella** is the subject that performs the action, **el dinero** is the direct object, and the phrase **a los muchachos** is the final recipient of the action expressed by the verb.

- Notice that indirect object nouns are for the most part preceded by the prepositions **a** or **para**.

- An indirect object usually tells *to whom* or *for whom* something is done.

### Formas y posición

A. The forms of the indirect object pronouns are as follows:

| | *Singular* | | *Plural* |
|---|---|---|---|
| **me** | (to, for) me | **nos** | (to, for) us |
| **te** | (to, for) you (*fam.*) | **os** | (to, for) you (**vosotros** form) |
| **le** | (to, for) you, him, her, it | **les** | (to, for) you, them |

B. The indirect object pronouns occupy the same position in a sentence as direct object pronouns do, that is, before the verb.

—¿Qué **te** dice tu hermana en la carta?

*What does your sister say (to you) in the letter?*

—**Me** dice que quiere una pulsera.

*She tells me that she wants a bracelet.*

However, when used with an infinitive or a gerund (**-ando** and **-iendo** forms) the indirect object pronoun may be placed either in front of the conjugated verb or attached to the infinitive:

> **Le** voy a traer una billetera.
> Voy a traer**le** una billetera.

> **¿Les** está leyendo la lección?
> ¿Está leyéndo**les** la lección?

Notice that the third person singular and plural pronouns **le, les** are used for both masculine and feminine forms.

| | |
|---|---|
| —¿Qué **le** vas a traer a él de México? | *What are you going to bring him (for him) from Mexico?* |
| —Voy a traer**le** una billetera. | *I'm going to bring him a wallet.* |

If the meaning of the pronouns **le** or **les** is ambiguous, the preposition **a** plus the corresponding personal pronoun or noun may be used for clarification:

> **Le** doy la cesta de paja…(**¿a quién?**)

> **Le** doy la cesta de paja
> - a **Ud.**
> - a **él.**
> - a **ella.**
> - a **María.**

**A mí, a ti, a él,** etc. may also be used for emphasis:

> Ella quiere dar**me** el brazalete **a mí.** (Y a nadie más.)

ATENCIÓN:   These prepositional forms *are not* substitutes for the indirect object pronouns. While the prepositional forms may be omitted, the indirect object pronouns *must* always be used.

## Práctica

**a.** Cambie las siguientes oraciones usando las formas pronominales de complemento indirecto. Siga el modelo.

MODELO:   Traigo la billetera.   (*a él*)
        *Le* traigo la billetera.

1. Doy la blusa bordada.   (*a ella*)
2. Pido un bolso.   (*a ti*)
3. Dice que el examen de mediados de curso es mañana.   (*a nosotros*)
4. Quiere traer los anillos de filigrana.   (*a ellos*)   (dos formas)
5. ¿Por qué no compras ese vestido de algodón?   (*para mí*)
6. Mi cuñado quiere hablar.   (*a Ud.*)   (dos formas)
7. El jefe no piensa pagar el sueldo.   (*a Ud.*)   (dos formas)

8. Tu yerno repite la pregunta.  (*a ti*)
9. Nosotros estamos diciendo que la casa es de ellos.  (*a él*)  (dos formas)
10. Estoy comprando unas placas talladas en madera.  (*para ellas*)  (dos formas)

**b.** Conteste las siguientes preguntas usando en sus respuestas las palabras que aparecen entre paréntesis:

1. ¿Qué quieres llevarle a tu padre?  (un cinturón de cuero)
2. ¿Qué te van a regalar tus padres?  (un portafolio de cuero)
3. ¿Qué me traes de México?  (un collar de cuentas)
4. ¿Qué quieren preguntarnos Uds.?  (cuáles son los requisitos)
5. ¿Qué les va a enseñar él a Uds.?  (a hacer objetos de alfarería)
6. ¿Qué te está diciendo Marcos?  (que su casa queda allí mismo)
7. ¿Qué quieres darle a mi novio?  (una invitación)
8. ¿Cuándo quieres enviarnos las joyas?  (el lunes próximo)
9. ¿Quién les explica a Uds. esa asignatura?  (el profesor Pérez)
10. ¿Qué me está diciendo la secretaria?  (que el curso es obligatorio)

CONTINUEMOS...

### *Otros usos de las formas pronominales de complemento indirecto*

A. Remember that in Spanish, the definite article, not the possessive adjective, is used when referring to parts of the body or personal belongings. The indirect object pronouns may be used in such sentences to indicate the possessor:

| | |
|---|---|
| —¿Quién **te** corta el pelo? | *Who cuts your hair?* |
| —Alberto. | *Alberto.* |
| —¿Qué vestido quieres poner**le** a la niña? | *Which dress do you want to put on the girl?* |
| —Quiero poner**le** el vestido rosado. | *I want to put her pink dress on her.* |

B. The indirect object pronouns are also used to indicate the person for whom an action is performed:

| | |
|---|---|
| —¿Puedes abrir**me** la puerta, por favor? | *Can you open the door for me, please?* |
| —Bueno, ahora voy. | *Okay, I'm coming.* |
| —¿Qué estás haciendo? | *What are you doing?* |
| —**Le** estoy arreglando el coche a mamá. | *I'm fixing my mother's car (for her).* |

## Práctica

Lo necesitamos como intérprete. Traduzca lo siguiente:

1. "What are you doing?"
   "I'm putting the child's dress on (her)."
2. "Who fixes your car (for you), Mr. Vera?"
   "My father."
3. "I want to cut your hair, dear."
   "Okay, maybe you can do it this afternoon."
4. "Who makes your daughter's dresses (for her), Mrs. Soto?"
   "My friend Rosa."
5. "Can you bring me Anita's blouse?"
   "I can't. I'm washing her hands."

## 3. El pretérito

### El pasado en español

There are two past tenses in Spanish: the preterit and the imperfect. Each tense expresses a distinct way of viewing a past action. The preterit narrates in the past and refers to a completed action in the past. The imperfect describes in the past; it also refers to a customary, repeated, or continued action in the past, without indicating the beginning or the end of the action.

PRIMER PASO

### Formas y usos de los pretéritos regulares

A. The preterit of regular verbs is formed as follows:

| -ar verbs | -er and -ir verbs | |
|---|---|---|
| **hablar** | **comer** | **vivir** |
| hablé | comí | viví |
| hablaste | comiste | viviste |
| habló | comió | vivió |
| hablamos | comimos | vivimos |
| hablasteis | comisteis | vivisteis |
| hablaron | comieron | vivieron |

❧ Note that the endings for -er and -ir verbs are the same.

B. The preterit is used in the following instances:

1. To refer to actions or states that the speaker views as completed in the past:

—¿**Compraste** algo ayer?      *Did you buy anything yesterday?*

—Sí, **compré** unas blusas hechas      *Yes, I bought some blouses made*
   en México.      *in Mexico.*

2. To sum up a past action or a physical or mental condition or state in the past:

—¿Por qué no **asististe** a las clases      *Why didn't you attend classes*
   ayer?      *yesterday?*

—Porque me **dolió** la cabeza todo      *Because my head ached all day*
   el día.      *long.*

—¿Es verdad que Daniel viene la      *Is it true that Dan is coming*
   semana próxima?      *next week?*

—Sí. Nos **alegramos** mucho cuando      *Yes. We were very happy when*
   **recibimos** la noticia.      *we got the news.*

## Práctica

a. En las siguientes oraciones, expresamos "lo que hacemos siempre." Cambie las oraciones para expresar "lo que hicimos ayer."

1. Yo salgo de mi casa a las siete.
2. Mi hermana estudia y trabaja hasta las nueve.
3. Mis hermanos asisten a la escuela secundaria.
4. Nosotros planeamos nuestras actividades juntos.
5. Mi papá y yo comemos y bebemos en la cafetería.
6. Mis amigos corren por la mañana.
7. Tú les escribes a tus padres.
8. Mi mamá importa objetos de alfarería de México.

b. Complete y lea lo siguiente, usando verbos en el pretérito:

Ayer yo ＿＿ en la biblioteca hasta las tres. Después ＿＿ a casa y ＿＿ una ensalada y ＿＿ un vaso de leche. Mi compañera de cuarto y yo ＿＿ televisión y después ella ＿＿ por teléfono a sus padres y yo ＿＿ unas cartas. Por lo general yo preparo la cena, pero anoche la ＿＿ Gloria porque por fin ＿＿ a cocinar. Después de cenar nos ＿＿ unos amigos. Gloria ＿＿ con ellos hasta muy tarde, porque a ellos les encanta conversar. Yo ＿＿ volver a la biblioteca para seguir estudiando.

▰▰▰▰▰▰▰ CONTINUEMOS...

*Verbos irregulares en el pretérito*

A. The verbs **ser, ir** and **dar** are irregular in the preterit:

| ser | ir | dar |
|---|---|---|
| fui | fui | di |
| fuiste | fuiste | diste |
| fue | fue | dio |
| fuimos | fuimos | dimos |
| fuisteis | fuisteis | disteis |
| fueron | fueron | dieron |

  **Ser** and **ir** have the same forms in the preterit. However, the meaning is made clear by the context of each sentence:

    Anoche Rosa **fue** al cine con Miguel. (ir)

    Jorge Washington **fue** el primer presidente. (ser)

B. The following verbs have irregular stems and endings in the preterit:

| | | | |
|---|---|---|---|
| tener | **tuv-** | | |
| estar | **estuv-** | | |
| andar | **anduv-** | | |
| poder | **pud-** | | |
| poner | **pus-** | -e | -imos |
| saber | **sup-** | -iste | -isteis |
| caber | **cup-** | -o | -ieron |
| hacer | **hic-** | | |
| venir | **vin-** | | |
| querer | **quis-** | | |
| decir | **dij-** | | |
| traer | **traj-** | -e | -imos |
| conducir | **conduj-** | -iste | -isteis |
| traducir | **traduj-** | -o | -eron |
| producir | **produj-** | | |

  The **c** changes to **z** in the third person singular of the verb **hacer** to maintain the soft sound of the **c: él hizo.**

 &#10087;  All the verbs in the second group in the chart above (**decir, traer,** etc.) omit the **i** in the third person plural ending.

| | |
|---|---|
| —¿Qué **hiciste** ayer? | *What did you do yesterday?* |
| —Fui al cine. ¿Y tú? | *I went to the movies. And you?* |
| —Yo **estuve** en la universidad con unos amigos. | *I was at the university with some friends.* |
| —¿Quién **trajo** el coche? | *Who brought the car?* |
| —Lo **trajeron** mis padres. | *My parents brought it.* |

## Práctica

Vuelva a escribir las siguientes oraciones, sustituyendo los verbos en cursiva con el pretérito de los verbos entre paréntesis:

1. Ellos *compraron* los objetos de artesanía.   (traer)
2. Ella *firmó* la carta.   (traducir)
3. Ellos *asistieron* también.   (conducir)
4. Nosotros no le *ordenamos* nada.   (decir)
5. Yo *escribí* el informe.   (hacer)
6. ¿*Organizaron* Uds. una fiesta?   (tener)
7. ¿Tú *hablaste* con tus padres?   (estar)
8. Jorge lo *vio* ayer.   (saber)
9. Ellos *prefirieron* venir con nosotros.   (querer)
10. *Caminamos* por el campo.   (andar)
11. Mi compañero de cuarto *llegó* tarde.   (venir)
12. ¿*Dejaron* las pulseras allí?   (poner)
13. No *quiso* comprar los aretes.   (poder)
14. Los niños no *estuvieron* en el coche.   (caber)

### CUEROS DE CORDOBA
ALEJANDRO Y CARLOS LOPEZ · OBRERO

# 4. El imperfecto

PRIMER PASO

## *Formas del imperfecto*

A. The imperfect of regular verbs is formed as follows:

| -ar verbs | -er and -ir verbs | |
|:---:|:---:|:---:|
| jugar | tener | vivir |
| jugaba | tenía | vivía |
| jugabas | tenías | vivías |
| jugaba | tenía | vivía |
| jugábamos | teníamos | vivíamos |
| jugabais | teníais | vivíais |
| jugaban | tenían | vivían |

❧ Note that the endings for **-er** and **-ir** verbs are the same, and that there is a written accent mark on the **i**.

B. There are only three irregular verbs in the imperfect:

| ser | ir | ver |
|:---:|:---:|:---:|
| era | iba | veía |
| eras | ibas | veías |
| era | iba | veía |
| éramos | íbamos | veíamos |
| erais | ibais | veíais |
| eran | iban | veían |

## Práctica

Cambie los verbos de las siguientes oraciones al imperfecto:

1. Ellos nunca disponen de mucho tiempo.
2. Yo mantengo un promedio de "A".
3. Él es mi profesor de matemáticas.
4. El sueldo no me conviene.
5. Siempre importamos las cestas de México.
6. Con razón no vienes nunca.
7. Nunca lo veo por aquí.
8. Yo nunca paso por su casa.
9. Llama por teléfono a sus hijos todos los días.

10. ¿Uds. no creen en Santa Claus?
11. Nunca intervengo en sus problemas.
12. Cada vez que vamos de viaje gastamos mucho dinero.

CONTINUEMOS...

## Usos del imperfecto

The imperfect tense in Spanish is equivalent to the following three forms in English:

Yo **jugaba** al tenis. $\begin{cases} I \text{ used to (would) play tennis.} \\ I \text{ was playing tennis.} \\ I \text{ played tennis.} \end{cases}$

The imperfect tense is used:

1. To refer to habitual or repeated actions in the past, with no reference to when they began or ended.

    Cuando **vivía** en México, **iba** al cine todos los sábados.

    **Veíamos** a nuestros amigos dos veces por semana.

    Expressions such as **todas las noches, a menudo, de vez en cuando,** etc., often accompany the verb.

2. To describe actions, states or events that the speaker views as being in the process of happening in the past, again with no reference to when they began or ended:

    Cuando **íbamos** al cine, pasamos por un parque muy bello.

3. To set the stage upon which another action took place:

    **Era** un hermoso día....

4. To describe a physical, mental or emotional state in the past:

    El niño lloraba porque **tenía** frío.

5. To tell time in the past:

    **Eran** las once y media cuando salimos de casa.

6. In indirect discourse, when the verb of the main clause is in the past:

    JUAN —Las joyas están en el banco. (*direct discourse*)
    PEDRO —Juan dijo que las joyas **estaban** en el banco. (*indirect discourse*)

7. To describe a physical condition or characteristic:

    **Era** rubia y **tenía** el pelo largo.

### Práctica

**a.** Complete las siguientes oraciones, empleando el imperfecto de los verbos que aparecen entre paréntesis. En cada oración, indique la razón por la cual se usa el imperfecto:

1. _____ (ser) las cinco de la mañana cuando llegó mi compañera de cuarto.
2. Cuando nosotros _____ (ser) pequeños, siempre _____ (hablar) en español con nuestros padres.
3. _____ (Hacer) mucho frío, y _____ (llover).
4. Dijo que tú no _____ (ir) a clase con él.
5. Cuando nosotros _____ (ir) caminando por la calle Magnolia, vimos a Luis.
6. A Sara le _____ (doler) la cabeza y por eso no fue a la fiesta.
7. Ella _____ (usar) anteojos porque no _____ (ver) bien.
8. En esa época Mariana _____ (tener) unos veinte años.
9. Rosa _____ (tener) el pelo corto.
10. Los chicos no _____ (estar) contentos, sino tristes.

**b.** Dime algo de tu niñez:

1. ¿Dónde vivías cuando eras niño(a)?
2. ¿A qué escuela ibas?
3. ¿Estudiabas mucho?
4. ¿Qué hacías en la escuela?
5. ¿Qué hacías los fines de semana?
6. ¿A dónde ibas de vacaciones?
7. ¿Quién era tu mejor amigo(a)?
8. ¿Veías a tus abuelos a menudo?
9. ¿Cuál era tu programa de televisión favorito?
10. ¿Qué querías ser?

## ¿CUÁNTO SABE USTED AHORA?

**a.** Ud. está en una reunión en casa de una amiga, y oye los siguientes fragmentos de conversaciones. ¿Qué palabras faltan?

1. —¿Qué hora _____?
   —_____ ocho.
   —¿Ya _____ lista la cena?
   —Todavía no. Va a _____ lista _____ una hora.
2. —¿Dónde _____ Marisa y Rafael?
   —_____ vacaciones en Miami.
   —¿Cuándo _____ de vuelta?
   —Regresan _____ jueves.

3. —¿Esa manzana ____ verde o madura?

—Está madura, pero ____ verde. Ése ____ su color.

4. —¿Qué me vas ____ traer ____ México?

—____ un vestido bordado.

—¿Por qué no ____ una cartera de cuero? Allá fabrican unas ____ muy bonitas.

5. —¿A dónde fuiste anoche?

—____ al teatro.

—¿Qué ____ ?

—Vi ____ drama ____ interesante.

b. Complete el siguiente párrafo, usando las formas correctas del presente de **ser** o **estar**, según corresponda:

____ las cinco de la tarde y Alicia y Fernando ____ conversando en un café de la avenida 18 de Julio. Alicia ____ una muchacha inteligente y simpática. ____ ingeniera y ahora ____ trabajando para una compañía norteamericana. Fernando ____ moreno, alto y muy guapo. Los chicos ____ muy buenos amigos. Alicia ____ argentina y Fernando ____ de Venezuela, pero ahora los dos ____ viviendo en Montevideo.

Hoy Alicia ____ de muy buen humor porque su familia ____ de vuelta de un viaje a España, y dentro de unos días comienzan sus vacaciones. Escuchemos lo que ____ diciendo:

FERNANDO —Oye, hoy ____ más bonita que nunca. Esta noche sales con Nicolás, ¿verdad?

ALICIA —¡Ay, no! El pobre ____ muy aburrido y además no ____ muy listo.

FERNANDO —Pero, ¿no ____ tu novio?

ALICIA —¿ ____ loco? Para mí lo más importante en un hombre ____ la inteligencia, y él no tiene ninguna.

FERNANDO —¡Qué mala ____ (tú)! Siempre te ____ riendo del pobre chico.

ALICIA —Yo no ____ mala; ____ sincera. Oye, ¿dónde ____ la fiesta de Nora?

FERNANDO —____ en el hotel "Madrid". ¿Vamos juntos? Paso por ti a las ocho.

ALICIA —¡Buena idea! A las ocho en punto ____ lista.

**c.** Una pequeña conversación: pregúntele a un(a) compañero(a) lo que hizo durante el fin de semana. Siga el modelo.

MODELO:   ir / a dónde    ¿A dónde fuiste?
Fui al cine.

1. visitar / a quién
2. cenar / dónde
3. estudiar / qué
4. estar / dónde
5. hacer / qué

6. mirar / qué programa
7. dormir / cuántas horas
8. comprar / qué
9. salir / con quién
10. volver / a qué hora

**d.** Palabras y más palabras

¿Qué palabra o palabras corresponden a lo siguiente?

1. alegrarse
2. pulsera, collar, anillos
3. bolso
4. tejido
5. fabricado
6. opuesto de "exportar"
7. carísimos
8. objeto que se usa para poner flores
9. propietario
10. lo que se usa en la cintura
11. joya que se usa en las orejas
12. material que se usa para hacer sombreros, cestas, etc.
13. brazalete
14. maleta pequeña que se usa para llevar papeles, documentos, etc.
15. fibra que se usa para hacer tela

**e.** Vamos a conversar

1. La última vez que Ud. fue de viaje, ¿qué cosas trajo?
2. ¿Qué objetos de artesanía tiene Ud. en su casa?
3. ¿Qué artesanía típica hay en los Estados Unidos?
4. ¿Qué le recomienda Ud. a un extranjero que quiere llevar algunos recuerdos (*souvenirs*) de los Estados Unidos?
5. ¿Qué objetos de cuero tiene Ud.?
6. ¿A dónde iban Ud. y su familia cuando Ud. era niño(a)?
7. Cuando Ud. estaba en la escuela secundaria, ¿disponía de mucho dinero?
8. Cuando Ud. era pequeño(a), ¿les pedía a sus padres todo lo que veía?

**f.** Imagínese que Ud. se encuentra en las siguientes situaciones. ¿Qué diría Ud.?

1. Ud. tiene un amigo que va a viajar a Latinoamérica. Déle una lista de las cosas que Ud. quiere que le traiga de allá.
2. Ud. y un amigo se ven después de muchos años. Recuérdele las experiencias que tuvieron juntos. (¿Recuerdas cuando…?)
3. Alguien quiere ir de viaje y le pide a Ud. ideas sobre lugares que visitar. Ud. le sugiere un lugar y le cuenta lo que Ud. hizo y vio allí.

**g.** Ahora el profesor (la profesora) va a dividir la clase en grupos de a dos, para conversar. Con su compañero(a) planee Ud. un viaje. Hablen de lo siguiente, usando la forma **tú.**

1. País que desean visitar.
2. Medios (*means*) de transporte.
3. Puntos de interés que pueden visitar en ese país.
4. Cuánto dinero necesitan para el viaje.
5. De cuánto tiempo disponen. Fecha conveniente para ambos.
6. Cosas que quieren comprar, especialmente objetos típicos del país.

Después de terminar, informen al resto de la clase sobre sus planes.

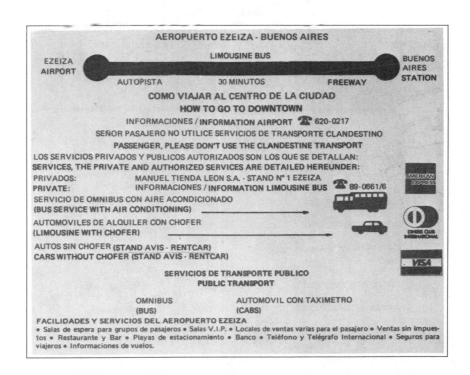

# CARTA DE UNA VIAJERA

8 de diciembre de 19 . .

Queridos amigos:

La semana pasada llegué a Asunción, la capital paraguaya. ¡No sé de qué hablarles primero! ¡Hay tanto que ver y que hacer! Ayer, por ejemplo, cámara en mano, fui a caminar por el centro. Eran las siete de la mañana cuando salí del hotel, y ya había muchísima gente por todas partes.

Desayuné en un café de la calle Palma—tan frecuentada los sábados que los asuncenos[1] inventaron el verbo "palmear", que quiere decir caminar por esta calle, charlando con amigos y haciendo compras.

Hablando de compras…fui a varias tiendas que venden objetos de recuerdo° y compré un montón° de cosas: blusas típicas bordadas a mano°, una cartera de cuero, figuras talladas en madera y un hermoso mantel de ñandutí, un tipo de encaje que hacen en este país.

Por la noche fui con unos amigos a cenar en un restaurante. La comida de aquí es sabrosísima. Comí sopa paraguaya (que no es sopa, sino un tipo de pan hecho con maíz y mucho queso), carne asada y mandioca°.

Estábamos en una terraza enorme, rodeada de° plantas llenas de flores y de árboles de mango. Escuchamos canciones paraguayas, y vimos la famosa danza de la botella, en la que una muchacha baila con diez botellas sobre la cabeza. ¡Fue increíble!

Bueno, los dejo por hoy. Dentro de un rato salgo para Caacupé, un pueblo que está cerca de Asunción. Hoy tienen grandes celebraciones allí, pues es el Día de la Virgen de Caacupé, la patrona del Paraguay.

Hasta pronto.

Abrazos,

*Carol*

P.D. Aprendí varias palabras en guaraní, un idioma indio que hablan los paraguayos.

*souvenirs / a lot
by hand*

*edible root
surrounded by*

---

[1]Los habitantes de **Asunción** se llaman **asuncenos**.

Después de leer la carta, díganos:

1. ¿Por qué es importante el 8 de diciembre en Paraguay?
2. ¿Qué hora era cuando Carol salió del hotel y qué le llamó la atención?
3. ¿Qué significa el verbo "palmear" para los asuncenos?
4. ¿Qué cosas compró Carol en las tiendas de recuerdos?
5. ¿Qué cenó Carol en el restaurante?
6. ¿Qué característica especial tiene la sopa paraguaya?
7. ¿Qué cosa vio Carol que le resultó increíble? Describa la danza.
8. Además del español, ¿qué otro idioma hablan en el Paraguay?

# Compruebe cuanto sabe (LECCIONES 1–3)

Tome este examen para ver cuánto material ha aprendido. Las respuestas correctas aparecen en el Apéndice E.

## LECCIÓN 1

**a.** *Verbos irregulares en la primera persona del singular*

Complete las siguientes oraciones con el equivalente español de los verbos que aparecen entre paréntesis:

1. Yo ___ el sábado y no ___ hasta el lunes.   (*disappear / appear*)
2. Yo ___ que yo no ___ hacer eso.   (*admit / know*)
3. Yo ___ que yo no ___ aquí.   (*see / fit*)
4. Yo ___ el desayuno, ___ los libros en el coche y ___ .   (*make / put / leave*)
5. Yo ___ muy bien.   (*drive*)

**b.** *Saber vs. conocer*

¿Cómo se dice lo siguiente en español?

1. "Do you know Peter? He attends the University of Asunción."
   "Yes, I know Peter. He and I chat every day. Do you know that his father is an engineer?"
   "Yes."
2. "Does John (know how to) play tennis?"
   "I'll say! He plays very well."

**c.** *El presente de indicativo de verbos de cambios radicales*

Complete las siguientes oraciones, usando el equivalente español de los verbos que aparecen entre paréntesis:

1. ¿Tú nunca ___ lo que ___ ?   (*remember / dream*)
2. Cuando él ___ las pruebas, siempre ___ modificaciones.   (*corrects / suggests*)
3. Yo le ___ que ese perro ___ .   (*warn / bites*)
4. Nosotros siempre ___ a los niños.   (*wake . . . up*)
5. ¿Uds. ___ su carrera este año?   (*begin*)
6. Yo les ___ que no ___ nada en este curso.   (*confess / understand*)
7. Él no ___ que no le gusta esa materia.   (*deny*)
8. Ellos ___ que su jefe ___ a los empleados sin motivo.   (*say / fires*)

**d.** *Pedir vs. preguntar*

Use **pedir** o **preguntar** en las siguientes oraciones, según convenga:

1. Los estudiantes siempre me _____ si la asistencia a clase es obligatoria.
2. ¿A quién le _____ (yo) la lista de los requisitos?
3. Yo voy a _____ flan de postre.
4. ¡Oye! Rosa siempre me _____ por ti.
5. Le voy a _____ si va a llevar a Inés a la fiesta.

**e.** *La a personal*

¿Cómo se dice lo siguiente en español?

1. I want to take my dog with me.
2. Don't you love your country, Mr. Medina?
3. I don't have (any) brothers.
4. We don't need to see anybody.
5. I'm looking for a secretary.

**f.** *Adjetivos posesivos*

Conteste las siguientes preguntas, usando en sus respuestas los adjetivos posesivos correspondientes y las palabras que aparecen entre paréntesis:

1. ¿Dónde están los libros de Uds.? (en el aula)
2. ¿De dónde son tus padres? (Lima)
3. ¿De dónde es el título de él? (de la Universidad de La Habana)
4. ¿Dónde está mi libro de español? (en la mesa)
5. ¿Quién es una buena amiga tuya? (Rosa)

# LECCIÓN 2

**a.** *Pronombres posesivos*

Conteste las siguientes preguntas en forma negativa, usando en sus respuestas los pronombres posesivos correspondientes:

1. ¿Éstas son tus cosas?
2. Mi abuelo es mexicano. ¿El tuyo es norteamericano?
3. Yo cuido a mis hermanos. ¿Tú cuidas a los tuyos?
4. Nuestro secretario es muy capacitado. ¿El de Uds. también?
5. ¿Esta camisa es de Carlos?

**b.** *Usos y omisiones de los artículos definidos e indefinidos*

¿Cómo se dice lo siguiente en español?

1. Dr. Vera says that education is important, and I agree.
2. My composition has a thousand words, and Ana's has only a hundred.

3. My son is a doctor. He's a very good doctor!
4. He has a class on Mondays at four o'clock.
5. I need another job because I have financial problems.
6. Mr. Soto never wears a hat.

**c.** *Formas pronominales en función de complemento directo*

Conteste las siguientes preguntas en forma afirmativa, reemplazando las palabras en cursiva por los pronombres de complemento directo correspondientes:

1. ¿Conoces *a mi* hermana?
2. ¿Hay *muchos* problemas en esta ciudad?
3. ¿*Me* llamas mañana?   (Use la forma *tú*)
4. ¿Tus padres *te* visitan todos los días?
5. ¿Tú tienes *los folletos?*
6. ¿Sabes *que él tiene* la tarjeta de embarque?
7. ¿Mi tía *los* conoce *a Uds.?*
8. ¿Pueden Uds. hacer *ese trabajo?*

**d.** *El presente progresivo*

Complete las siguientes oraciones, usando el equivalente español de las palabras que aparecen entre paréntesis:

1. Roberto _____ español.   (*continues to study*)
2. Mi suegra _____ a los hijos de mi hermano.   (*is raising*)
3. Ellos _____ en el balneario.   (*continue to work*)
4. El avión _____ ahora.   (*is landing*)
5. ¿Tú _____ los asientos?   (*are reserving*)
6. Yo _____ con varios estudiantes universitarios al mismo tiempo.   (*am working*)
7. Nosotros _____ sobre los problemas económicos.   (*continue to speak*)
8. Mi hijo _____ a qué hora sirven la comida.   (*is asking*)

## LECCIÓN 3

**a.** *Usos de los verbos* **ser** *y* **estar**

Complete las siguientes oraciones, usando **ser** o **estar**, según corresponda:

1. ¿De quién _____ esta cesta de paja? ¡ _____ muy bonita!
2. Esos collares _____ de semillas.
3. El dueño de esa tienda _____ de vacaciones.

4. El florero ____ allí mismo.
5. Las ventanas ____ abiertas.
6. Él sabe más que nadie. ____ muy listo.
7. ¿Quién ____ ese hombre que ____ hablando con Teresa? ¡ ____ tan aburrido que me da sueño oírle hablar!
8. Beto ____ enfermo y por eso no podemos salir de viaje.
9. Yo ____ muy aburrido. No tengo nada que hacer.
10. Mi hija ____ en cama porque ____ mala.
11. ¿Dónde ____ la reunión y a qué hora ____ ? Yo ya ____ lista para salir.
12. ¿Para quién ____ estos aretes de filigrana?
13. ____ mejor importar los objetos de cuero de Argentina porque ____ mejores.
14. No debes comer esas manzanas. ____ verdes.
15. David ____ norteamericano, pero no ____ de California.

**b.** *Formas pronominales en función de complemento indirecto*

¿Cómo se dice lo siguiente en español?

1. I want to bring him a briefcase from Paraguay.
2. Who cuts your hair, dear?
3. I always buy my daughter cotton dresses.
4. They write to us every time they go on a trip.
5. He's going to bring me a lace bedspread.
6. I'm going to speak to them about the arts and crafts of Ecuador.

**c.** *El pretérito*

Cambie las siguientes oraciones al pretérito:

1. Yo *compro* billeteras de buena calidad.
2. Ellos *traen* adornos de México y después los *venden*.
3. ¿Tú les *das* las joyas?
4. Ella lo *sabe*, pero no *dice* nada.
5. Ella *es* la que *trae* las placas.
6. *Piden* fruta y no la *comen*.
7. *Viene* muy entusiasmado del viaje.
8. ¿Dónde *pones* las carteras?
9. No *puedo* encontrar otro diseño como ése.
10. Jorge y yo *tenemos* que planear la reunión.
11. ¿*Van* a la tienda para encargar la pulsera?
12. Yo no *quepo* en el coche y por eso no *voy*.
13. ¿Qué *dicen* Uds.?
14. ¿Dónde *estás*?
15. ¿Quién lo *hace*?

Muchos restaurantes españoles, como éste en Sevilla, estan llenos de vida, conversaciones, ruido y alegría.

**d.** *El imperfecto*

Complete las siguientes oraciones, usando el imperfecto de los verbos que aparecen en la lista, según convenga:

| | | | | |
|---|---|---|---|---|
| comprar | ir | ser | hacer | llevar |
| disponer | ver | salir | asistir | |

1. Yo no lo compré porque no ____ de dinero.
2. En esa época yo ____ a la Universidad de Salamanca.
3. Yo siempre ____ a casa de ellos, pero nunca ____ a sus abuelos.
4. Ella ____ collares de cuentas para sus nietas.
5. ¿No me dijiste que ____ mucho frío? ¿Dónde está tu abrigo?
6. ____ las seis cuando ellos llegaron.
7. Andrés ____ puesta una camisa blanca.
8. Ellos ____ de la casa cuando sonó el teléfono.

**e.** *¿Recuerda el vocabulario?*

Elija la palabra o frase que mejor complete cada oración:

1. El avión va a (facturar, despegar, reservar).
2. Me dieron un (altavoz, folleto, descuento). Me cobraron treinta dólares menos.
3. Mi vestido es de tela (tallada, bordada, de madera).
4. Tengo clases dos (tiempos, meses, veces) por semana.
5. Lo opuesto de "alto" es (gordo, bajo, corto).
6. Compré un cinturón de (papel, cemento, cuero).
7. Sus invitaciones siempre son (de última hora, al mismo tiempo, por las nubes).
8. Hoy vamos al cine porque (fabrican tela, importan artesanía, pasan una película) muy buena.
9. Necesito el bronceador porque quiero (hacer escala, dar la vuelta al mundo, tomar el sol).
10. En la época actual, para comprar un buen coche (basta, agarra, coge) con diez mil dólares.
11. Cuando llamo a mi hijo, siempre me dice ("paso por ti", "ahora voy", "día y noche"), pero nunca viene.
12. Yo (amo, ordeno, mantengo) a mi país.
13. Estamos tomando clases (propias, económicas, actuales) de nuestra carrera.
14. Vamos a ir a veranear a (un balneario, una gira, una tarifa).
15. Compré un (cinturón, portafolio, adorno) para la sala.

# 4

# Hablando de arte

Irma, Diego, Pablo y Ester, cuatro estudiantes latinoamericanos que están estudiando en Madrid, planean varias actividades para el fin de semana. El sábado piensan ir primero a un museo de arte y por la noche a un club nocturno donde están presentando varios grupos folklóricos internacionales. El domingo por la mañana piensan ir a escuchar un concierto de música clásica por la Orquesta Sinfónica de Madrid; por la noche quieren ver una zarzuela[1] y después ir a dar una vuelta por la Gran Vía.[2]

IRMA —Pablo, la última vez que estuvimos en el museo no tuvimos tiempo de verlo todo. Tú que sabes tanto de arte, ¿por qué no nos dices cuáles son las pinturas que no debemos dejar de ver?

PABLO —Me parece que debemos empezar con los cuadros de Velázquez. Después la obra de Murillo, la de Goya y la de El Greco.

DIEGO —¿Qué piensas tú de las obras de pintores como Dalí, Picasso y Miró?

PABLO —Bueno, antes no me gustaba la pintura moderna, sobre todo la abstracta; sin embargo, cuando comencé a tomar clases de arte, aprendí a apreciarla. Ahora me encanta.

ESTER —A mí me interesan mucho los muralistas. ¿Viste los murales de Rivera, Orozco y Siqueiros cuando fuiste a México?

PABLO —Sí, cuando estuve allí, aproveché la ocasión para verlos. ¡Son magníficos!

---

[1]Una obra musical donde se alternan la música y el diálogo y en la que casi siempre se presentan cuadros de costumbres del pueblo español.

[2]Una de las calles principales del centro de Madrid.

IRMA —Ester, me dijeron que tú pintabas muy bien. ¿Usas óleo o acuarela?

ESTER —Antes pintaba solamente a la acuarela, pero ahora estoy haciendo un retrato al óleo.

IRMA —Cuando yo era chica, tomaba clases de dibujo, pero nunca aprendí a dibujar. El año pasado empecé otra vez. Pagué muchísimo dinero por las clases, pero no adelanté mucho.

Irma y Ester siguen conversando sobre pintura, mientras Diego hace reservaciones para ver los bailes folklóricos y Pablo va hacia el tocadiscos para ver la colección de discos y cintas de Irma.

PABLO —A mí me interesa mucho la música folklórica. Anoche, en una fiesta, toqué varias canciones chilenas y a todo el mundo le gustaron. Ahora quiero aprender otras canciones suramericanas.

IRMA —Yo sé muchas de varios países. Puedo enseñártelas.

PABLO —¿En serio? Actualmente hay una nueva ola de músicos que está tratando de difundir la música autóctona de los países latinoamericanos. ¿Tienes algunos discos de esos grupos?

IRMA —¡Claro que sí! Tengo unos veinte…y te los puedo prestar todos.

DIEGO —Bueno, ya hice las reservaciones para mañana. Tenemos que estar allí a las nueve y media.

## Charlemos

1. ¿Qué están planeando los cuatro muchachos?
2. ¿A dónde piensan ir el sábado?
3. ¿Qué van a presentar en el club nocturno?
4. ¿A dónde planean ir el domingo por la mañana y por la noche?
5. Según Pablo, ¿cuáles son las pinturas que el grupo no debe dejar de ver?
6. ¿Qué pasó la última vez que los jóvenes estuvieron en el museo?
7. ¿Cuándo aprendió Pablo a apreciar la pintura abstracta?
8. ¿Cuáles son los mejores muralistas mexicanos?
9. ¿Qué está haciendo Ester ahora?
10. ¿Qué hizo Irma el año pasado?
11. ¿Qué hacen Pablo y Diego mientras Irma y Ester conversan?
12. ¿Qué tipo de música le interesa a Pablo y qué quiere aprender ahora?
13. ¿Qué puede enseñarle Irma a Pablo?
14. ¿Qué dice Pablo que está tratando de hacer la nueva ola de artistas?
15. ¿Qué le va a prestar Irma a Pablo?

**CENTRO CULTURAL
DE LA VILLA DE MADRID**

## VOCABULARIO

NOMBRES

la **acuarela**   watercolor
la **cinta**   tape
el **concierto**   concert
el **cuadro**   painting, picture
el **dibujo**   drawing
el **disco**   record
el **músico**   musician
la **obra**   work
la **ola**   wave
el **óleo**   oil
el (la) **pintor(a)**   painter
la **pintura**   painting, paint
el **pueblo**   town, people
el **retrato**   portrait
el **tocadiscos**   record player

VERBOS

**adelantar**   to progress
**dibujar**   to draw
**difundir**   to spread
**encantar**   to enchant, to delight
**interesar**   to interest
**pintar**   to paint

ADJETIVOS

**autóctono(a)**   native
**folklórico(a)**   folklore, related to folklore
**nocturno(a)**   night, related to night
**sudamericano(a), suramericano(a)**
   South American

---

*Expresiones idiomáticas*

**actualmente, en la actualidad**   *at the present time*
**aprovechar la ocasión**   *to take advantage of the opportunity*
**dar una vuelta**   *to go for a walk (ride)*

**dejar de** + infinitive   *to fail (to say or do something)*
**en serio**   *seriously*
**sin embargo**   *however*

---

## PALABRAS PROBLEMÁTICAS

**a.** **Pensar, pensar** (en), **pensar** (de) como equivalentes de *to think* (*of* )

1. **Pensar** se usa en los siguientes casos:

   a. Cuando se quiere expresar un proceso mental:

   Debes **pensar** mucho para resolver los problemas.

   b. Cuando se habla de planear algo:

   El sábado **piensan** ir a un museo.

2. **Pensar** (en) se usa cuando *to think of* (*about*) indica sólo proceso mental, y no se expresa opinión:

   Estoy **pensando en** los exámenes.

3. **Pensar** (**de**) es el equivalente español de *to think of* (*about*) cuando se pide opinión:

> ¿Qué **piensas** tú **de** la pintura de Picasso y de Miró?

**b.** **Obra, trabajo, labor** como equivalentes de *work*

1. **Obra** se utiliza principalmente para referirse a un trabajo de tipo artístico o intelectual:

> El profesor de arte siempre nos habla de la **obra** de Velázquez.

2. **Trabajo** es equivalente de *work* o *task:*

> Hoy tengo mucho **trabajo.**

3. **Labor** se usa generalmente al referirse a un trabajo o esfuerzo pero en un sentido poético o figurado:

> Al ayudar a los pobres, realiza una gran **labor.**

**Práctica**

Complete las siguientes oraciones, usando las "palabras problemáticas" correspondientes:

1. El profesor de arte nos habló ayer de la _____ de Siqueiros.
2. La Cruz Roja realiza una gran _____ .
3. Ellos _____ ir a dar una vuelta por el centro.
4. Esta tarde quiero aprovechar la ocasión para terminar el _____ en la oficina.
5. Voy a preguntarles a mis padres lo que _____ él.
6. ¿ _____ quién estás _____ ?

---

## ESTRUCTURAS GRAMATICALES

### 1. Verbos que sufren cambios en el pretérito

PRIMER PASO

*Verbos de cambios ortográficos*

A. Verbs ending in **-car** and **-gar** change the **c** to **qu** and the **g** to **gu** before the final **-e** of the first person singular of the preterit:[1]

| | -car *verbs* | | -gar *verbs* |
|---|---|---|---|
| sacar | yo saqué | llegar | yo llegué |
| tocar | yo toqué | jugar | yo jugué |
| buscar | yo busqué | pegar | yo pegué |
| pescar | yo pesqué | pagar | yo pagué |
| chocar | yo choqué (*I collided*) | negar | yo negué |
| | | apagar | yo apagué (*I turned off*) |

| | |
|---|---|
| —¿Tocaste en el concierto anoche? | *Did you play in the concert last night?* |
| —Sí, **toqué**. ¿No me oíste? | *Yes, I did (played). Didn't you hear me?* |
| —No, porque **llegué** tarde. | *No, because I was (arrived) late.* |

---

[1]This change is orthographic and occurs whenever these conditions exist, that is to say, whenever an -e ending is added to one of these verbs. This is done to conserve the sound of the infinitive.

B. Verbs ending in **-zar** change the **z** to **c** before the **-é** of the first person singular of the preterit:

| -zar *verbs* | |
|---|---|
| empe**zar** | yo empe**cé** |
| go**zar** | yo go**cé** |
| comen**zar** | yo comen**cé** |
| ca**zar** | yo ca**cé** (*I hunted*) |
| re**zar** | yo re**cé** (*I prayed*) |

—¿Cuándo empezaste a enseñar música?    *When did you start teaching music?*

—**Empecé** cuando tenía 18 años.    *I started when I was eighteen years old.*

—¿En serio? ¿Tan joven?    *Seriously? So young?*

—Es que **comencé** a estudiar música a los siete años.    *The fact is I started studying music when I was seven.*

C. Verbs whose stem ends in a strong vowel change the unaccented **i** of the preterit ending to **y** in the third person singular and plural. Verbs ending in **-uir** undergo the same change:

| *Infinitive* | *Third person singular* | *Third person plural* |
|---|---|---|
| leer | leyó | leyeron |
| creer | creyó | creyeron |
| caer | cayó | cayeron |
| oír | oyó | oyeron |
| construir | construyó | construyeron |
| sustituir | sustituyó | sustituyeron |
| contribuir | contribuyó | contribuyeron |
| huir | huyó | huyeron |

—Dice Aníbal que anoche **huyeron** diez criminales.    *Anibal says that ten criminals escaped last night.*

—¿Lo **oyó** en la radio?    *Did he hear it on the radio?*

—No, lo **leyó** en el periódico.    *No, he read it in the paper.*

## Práctica

Complete los siguientes diálogos usando el pretérito de los verbos que aparecen entre paréntesis. Léalos en voz alta:

1. —Ayer (yo) ____ (sacar) las entradas para el concierto; ____ (pagar) mil pesetas por cada entrada. ¿Qué hiciste tú?

—____ (buscar) los discos de música clásica que tú querías pero no los encontré.

2. —¿Con cuánto ＿＿ (contribuir) ellos para la Orquesta Sinfónica?
   —Con 100.000 pesetas. ¿No lo ＿＿ (leer) Ud. en el periódico?
   —No, pero leí que (ellos) ＿＿ (sustituir) al director de la orquesta.
3. —¿Qué hiciste antes de acostarte?
   —＿＿ (Apagar) la luz y ＿＿ (rezar).
4. —¿Arrestaron al ladrón?
   —No, ＿＿ (huir) cuando ＿＿ (oír) a los policías.
5. —¿A qué hora empezaste a tocar el piano?
   —＿＿ (Empezar) a las nueve y ＿＿ (tocar) hasta las doce.

CONTINUEMOS...

## Verbos de cambios radicales

All **-ir** verbs that are stem-changing in the present tense change the **e** to **i** and the **o** to **u** in the third person singular and plural of the preterit:

| e > i | | o > u | |
|---|---|---|---|
| pedir | pidió, pidieron | dormir | durmió, durmieron |
| servir | sirvió, sirvieron | morir | murió, murieron |
| conseguir | consiguió, consiguieron | | |
| competir | compitió, compitieron | | |
| elegir | eligió, eligieron | | |
| advertir | advirtió, advirtieron | | |
| despedir | despidió, despidieron | | |
| repetir | repitió, repitieron | | |
| divertir | divirtió, divirtieron | | |
| vestir | vistió, vistieron | | |

—¿Qué **pidieron** los chicos en el restaurante?
*What did the children order at the restaurant?*

—Tomás **pidió** sopa de pollo y pescado y Teresa **pidió** biftec con verduras.
*Tom ordered chicken soup and fish and Teresa ordered steak with vegetables.*

—¿Cómo **durmieron** Uds. anoche?
*How did you sleep last night?*

—Yo dormí bien, pero Carlos no **durmió** nada.
*I slept well, but Charles didn't sleep at all.*

—¿Por qué?
*Why?*

—Ayer **murió** un amigo suyo y estuvo muy triste toda la noche.
*A friend of his died yesterday and he was very sad all night long.*

—¿**Consiguieron** ellos la acuarela?
*Did they get the watercolor?*

—No, me la **pidieron** a mí, pero yo no la tenía.
*No, they asked me for it, but I didn't have it.*

### Práctica

**a.** Complete las siguientes oraciones, usando el pretérito de los verbos que aparecen en la lista:

| conseguir | dormir | repetir | servir |
|-----------|--------|---------|--------|
| morir | vestir | pedir | elegir |

1. Ellos ____ solamente tres horas anoche.
2. Ayer las chicas ____ unas cestas muy bonitas hechas en México.
3. ¿Tú le ____ el tocadiscos a Ramón, o se lo ____ Marta?
4. Marcos me ____ la misma pregunta tres veces.
5. ¿A qué hora ____ ellos la merienda?
6. Todos ____ en el accidente.
7. Yo ____ a Martita, pero Carolina se ____ sola.
8. Ellos ____ el cuadro con el paisaje de mar.

**b.** Hágale las siguientes preguntas a un compañero, utilizando la información dada. Use los verbos en el pretérito. Siga el modelo, usando siempre la forma **Ud.**

MODELO: empezar a estudiar español   (cuándo)
¿Cuándo *empezó Ud.* a estudiar español?

1. sacar el libro de la biblioteca   (cuándo)
2. servir en su fiesta   (qué)
3. pagar por su tocadiscos   (cuánto)
4. dormir anoche   (cuántas horas)
5. comenzar a estudiar en esta universidad   (cuándo)
6. leer el semestre pasado   (qué)
7. morir el presidente Kennedy   (dónde)
8. elegir esta clase   (por qué)
9. llegar a la universidad   (a qué hora)
10. pedir en el restaurante   (qué)

## 2. El pretérito contrastado con el imperfecto

### PRIMER PASO

#### El pretérito y el imperfecto

The difference between the preterit and the imperfect may be visualized thus:

The continuous moving line of the imperfect represents an action or event as it is taking place in the past. There is no reference to when the action started or ended. The vertical line of the preterit represents the speaker's views of another event as a completed unit in the past.

In many instances, the choice between the preterit and the imperfect depends on how the speaker views the action or the event. The following table summarizes some of the most important uses of both tenses.

| *Preterit* | *Imperfect* |
|---|---|
| 1. Reports past actions or events that the speaker views as finished and completed, regardless of how long they lasted.<br><br>Anoche él **tocó** el piano por largo rato. | 1. Describes past actions in the process of happening with no reference to their beginning or end.<br><br>¿Viste a Ana cuando **ibas** para el concierto? |
| 2. Sums up a condition or a physical or mental state, viewed as a whole:<br><br>**Estuve** enfermo toda la noche. | 2. Describes a physical, mental or emotional condition in the past:<br><br>No fui porque me **dolía** la cabeza. |
|  | 3. Refers to repeated or habitual actions in the past:<br><br>Siempre **dibujábamos** con Ana. |
|  | 4. Sets the stage upon which another action took place:<br><br>**Era** un hermoso día… |
|  | 5. Expresses time in the past:<br><br>**Eran** las once cuando llegué. |
|  | 6. Is used in indirect discourse:<br><br>Ella dijo que no **conocía** la obra de Orozco. |
|  | 7. Describes characteristics or physical condition:<br><br>**Era** delgada y **tenía** el pelo largo. |

### Práctica

**a.** Complete el siguiente diálogo, usando el pretérito o el imperfecto de los verbos que aparecen entre paréntesis. Después de completarlo, lea el diálogo con un compañero:

VÍCTOR —¡Oye! ¿Qué hora ____ (ser) cuando tú ____ (llegar) anoche?

ANDRÉS —____ (ser) las doce y media. Gloria y yo ____ (ir) a una fiesta en casa de Cleo. ¿Qué ____ (hacer) tú ayer?

VÍCTOR —Como el día ____ (estar) muy hermoso y ____ (hacer) calor, Rita y yo ____ (ir) a la playa, pero ____ (volver) temprano porque ella ____ (decir) que le ____ (doler) mucho la cabeza.

ANDRÉS —Ayer a eso de las cuatro ____ (venir) a buscarte un muchacho. ____ (Decir) que ____ (llamarse) John Taylor.

VÍCTOR —¿John Taylor…? No sé quién es… ¿Cómo ____ (ser)?

ANDRÉS —____ (ser) rubio, de estatura mediana y ____ (tener) unos veinticinco años… ____ (Hablar) muy mal el español.

VÍCTOR —¡Ah, ya recuerdo! Cuando yo ____ (estar) en la escuela secundaria, él y yo muchas veces ____ (estudiar) juntos en la biblioteca.

ANDRÉS —Él ____ (decir) que ____ (ir) a volver el sábado por la tarde.

VÍCTOR —Oye, ¿tú ____ (ver) a Marta en la fiesta?

ANDRÉS —Sólo por un momento, porque al llegar nosotros ella ____ (salir). ¿Tú y Rita no ____ (ir) al cine anoche?

VÍCTOR —No, porque la pobre Rita ____ (estar) enferma toda la noche.

**b.** ¿Qué pasó? ¿Qué hora era? ¿Qué hacían las personas? ¿Cómo eran? ¿Qué dijeron? ¿Cómo se sentían? Dígalo usted, usando la imaginación.

1. ____ cuando mi hermano llegó a casa anoche. ¡Mi papá ____!
2. Cuando nosotros éramos pequeños…
3. ¿Cómo era mi primer novio (mi primera novia)? Bueno…
4. Anoche, cuando las chicas caminaban por el parque…
5. Cuando tú tenías seis años…
6. Ayer yo…
7. No me quedé en la fiesta porque…
8. Mi papá me dijo que yo…
9. El verano pasado, mi familia y yo…
10. Cuando mi padre era joven…
11. El sábado pasado, mis amigos y yo…
12. Yo le dije a mi profesor que la clase…

CONTINUEMOS...

## Cambios de significado con el pretérito y el imperfecto

With certain verbs, there are essential differences in meaning when used in the preterit and in the imperfect. Compare:

| Imperfect | | Preterit | |
|---|---|---|---|
| yo **conocía** | I knew | yo **conocí** | I met |
| **costaba** | It was priced | **costó** | It cost (was purchased) |
| yo **podía** | I was able (capable) | yo **pude** | I managed, succeeded |
| yo no **quería** | I didn't want to | yo no **quise** | I refused |
| yo **tenía** (que) | I was supposed to | yo **tuve** (que) | I had to |
| yo **sabía** | I knew | yo **supe** | I found out, learned |

—¿Tú no **conocías** al Dr. Vega?
—No, lo **conocí** anoche.

*Didn't you know Dr. Vega?*
*No, I met him last night.*

—Estos zapatos me **costaron** $40.
—Los que yo quería **costaban** $60, y por eso no los compré.

*These shoes cost me $40.*
*The ones I wanted cost (were priced at) $60, and that's why I didn't buy them.*

—Por fin **pude** hacer los ejercicios de matemáticas ayer.
—Al principio yo tampoco **podía** entenderlos, pero no son tan difíciles.

*I finally managed to do the Math exercises yesterday.*
*At first I couldn't understand them either, but they aren't so difficult.*

—Elena **no quiso** ir a la fiesta de Rita.
—Yo tampoco **quería** ir, pero al fin fui.

*Helen refused to go to Rita's party.*
*I didn't want to go either, but at the end I went.*

—¿**Tuviste** que estudiar anoche?
—Bueno, **tenía** que estudiar, pero fui al cine.

*Did you have to study last night?*
*Well, I was supposed to study, but I went to the movies.*

—¿**Sabías** que teníamos un examen mañana?
—No, lo **supe** ayer.

*Did you know we had an exam tomorrow?*
*No, I found out yesterday.*

### Práctica

**a.** Complete las frases, usando el pretérito o el imperfecto de los verbos estudiados, según corresponda:

1. Elena no _____ venir a la fiesta, pero cuando _____ que Juan iba a estar, decidió asistir.
2. No compré el abrigo porque _____ demasiado.
3. Yo no _____ a la mamá de Marisol. La _____ anoche.
4. Al principio Teresa no _____ entender al profesor.
5. Los zapatos me _____ cincuenta dólares. Como no tenía más dinero, no _____ comprar el vestido.
6. Yo no _____ que ella siempre _____ que quedarse con su tía.
7. Ellos _____ que estudiar toda la noche para el examen de hoy.
8. Lo invité pero no _____ venir. Prefirió quedarse en casa.

**b.** Necesito saber lo siguiente. Contesten mis preguntas, por favor:

1. ¿Me conocían Uds. antes de tomar esta clase?
2. ¿Cuándo me conocieron Uds.?
3. ¿Sabías español antes de tomar esta clase?
4. ¿Cuándo supiste quién iba a ser tu profesor de español?
5. ¿Cuánto te costó el libro de español?
6. Yo vi una casa que costaba un millón de dólares. ¿Por qué crees tú que no la compré?
7. ¿Qué tuviste que hacer ayer?
8. ¿Tenías que estudiar mucho cuando estabas en la escuela secundaria?
9. ¿Pudiste terminar la tarea antes de venir a clase?
10. ¿Podías hablar español cuando eras niño?
11. Yo no quería venir hoy a clase. ¿Tú querías venir?
12. Ayer hubo una fiesta en mi casa y tú no viniste. ¿No pudiste o no quisiste venir?

## 3. Verbos que requieren una construcción especial

PRIMER PASO

### El verbo *gustar*

The verb **gustar** means *to like (something or somebody)*. Note the difference between the Spanish and the English constructions:

| **Me** | gusta | **este libro** |
|--------|-------|----------------|
| i.o. | verb | subject |

| **I** | like | **this book** |
|-------|------|---------------|
| subject | verb | d.o. |

In this construction, the subject in English becomes the indirect object in Spanish (the person who does the liking), and the direct object in English becomes the subject in Spanish (the thing or person liked).

🕭 Two forms of **gustar** are used most often: the third person singular **gusta**, if the subject is singular, or the third person plural **gustan**, if the subject is plural. Remember that the subject in English becomes the indirect object in Spanish:

*Indirect object pronouns*

Me ⎞
Te ⎟ gusta ⟨ bailar.
Le ⎟ ⟨ comer y beber.
Nos ⎟ ⟨ ese **bolso.**
Os ⎟ gustan ⟨ los **dibujos.**
Les ⎠ ⟨ las **chicas rubias.**

🕭 The preposition **a** is used with a noun or a pronoun to clarify the meaning or to emphasize the indirect object pronoun:

—**A Juan** no **le** gusta ese profesor.          *John doesn't like that teacher.*
—Pues yo no estoy de acuerdo. **A          *Well, I don't agree. I like him*
mí me** gusta mucho.          *very much.*

—Me gustan mucho estas cintas.          *I like these tapes very much.*
—**A nosotros nos** gustan más las          *We like the other ones better.*
otras.

Note that the word **mucho** is placed immediately after **gustar.** Note also that the equivalent in Spanish of *to like . . . better* is **gustar más...**

### Práctica

**a.** Vuelva a escribir las siguientes oraciones, sustituyendo **preferir** por **gustar más.** Haga todos los cambios necesarios. Siga el modelo.

MODELO:     *Yo prefiero asistir* a la clase de español.
                    *A mí me gusta más asistir* a la clase de español.

1. *Ellos prefieren* los diseños modernos.
2. *Nosotros preferimos* las telas de algodón.
3. *Oscar prefiere* enseñar en la escuela secundaria.
4. *¿Prefieres* los pintores modernos?
5. *Marisa prefiere* los manteles bordados.
6. Según ella, *Carlos prefiere* la carrera de médico.

7. *Tú prefieres* estas joyas, ¿verdad?
8. Creo que *ellos prefieren* salir de viaje en el verano.
9. *Mi profesor prefiere* pintar con acuarela.
10. *Yo prefiero* tocar la guitarra.
11. David dice que *usted prefiere* la música clásica.
12. *El pueblo prefiere* la música autóctona.
13. *Yo prefiero* los murales de Orozco.
14. *Ellos prefieren* estudiar por su cuenta.

**b.** Esta actividad tiene dos partes: En la primera, díganos lo que a estas personas les gusta *hacer;* en la segunda, díganos que cosas les *gusta(n)*:

1. Los fines de semana,

| | |
|---|---|
| a mi papá | a nosotros |
| a mí | a Ud. |
| a ti | a ti |
| a mis amigos | |

2. Éstas son las comidas, las bebidas, la ropa, los lugares, etc. que les gusta(n):

| | |
|---|---|
| a mí | a mis parientes |
| a mi mamá | a Ud. |
| a ti | a Uds. |
| a nosotros | a mi novio(a) |

CONTINUEMOS...

### *Otros verbos que siguen el mismo patrón*

The following common verbs have the same construction as **gustar.** Note the use of the indirect object pronouns:

1. **doler**   *to hurt*

   —¡**Me duele** mucho la espalda!          *My back hurts a lot!*
   —¿Por qué no tomas una aspirina?          *Why don't you take an aspirin?*

2. **faltar**   *to lack, to be missing*

   —¿Cuánto **te falta** para poder          *How much do you need (lack) to*
       comprar el regalo?                         *be able to buy the present?*
   —**Me faltan** veinte dólares.            *I need (lack) twenty dollars.*

3. **quedar**   *to have (something) left*

   —Quiero comprar ese florero.              *I want to buy that vase. How*
       ¿Cuánto dinero **nos queda?**              *much money do we have left?*
   —Solamente **nos quedan** diez            *We only have ten dollars left.*
       dólares.

4. **importar** *to matter, to concern, to care*

—Sus estudiantes no están
adelantando mucho.

—No, y lo peor es que a él no **le
importa.**

*His students aren't progressing
much.*

*No, and the worst thing is that
it doesn't matter to him. (He
doesn't care.)*

5. **parecer** *to seem*

—**Me parece** que nuestro sistema
educativo es el mejor.

—¡Ya lo creo!

*It seems to me that our educa-
tional system is the best.*

*I'll say!*

6. **interesar** *to interest*

—¿Por qué no tomas una clase de
historia en vez de español?

—Porque la historia no **me
interesa.**

*Why don't you take a history
class instead of Spanish?*

*Because history doesn't interest
me.*

7. **encantar** *to delight, to love (a thing)*

—Hoy pasan una película de
Libertad Lamarque. ¿Vamos?

—Sí, **me encantan** las películas de
Libertad Lamarque.

*Today they're showing a Liber-
tad Lamarque movie. Shall
we go?*

*Yes, I love Libertad Lamarque
movies.*

## Práctica

Complete el siguiente diálogo, usando los verbos de la lista con los pronombres indirectos correspondientes:

|  |  |  |  |
|---|---|---|---|
| doler | parecer | interesar | faltar |
| quedar | encantar | importar | |

MARTA —¿Quieres ir a la tienda conmigo? Necesito un vestido nuevo para la fiesta de Carlos.

INÉS —Yo también quiero un vestido, pero sólo ____ treinta dólares, y el vestido que quiero cuesta ochenta dólares. ____ cincuenta dólares.

MARTA —¿Por qué no usas tu tarjeta de crédito?

INÉS —¡Buena idea! ¡Oye! ____ que Delia quiere ir a la fiesta también.

MARTA —Sí, a ella ____ las fiestas, y además creo que ____ mucho Carlos.

INÉS —¡Ya lo creo! ¿La invitamos entonces?

MARTA —Sí, pues aunque es una persona más, estoy segura de que a Carlos no ____ .

INÉS —¡Perfecto! Oye, ¿tienes una aspirina? ____ mucho la cabeza.

MARTA —¿A ti ____ la cabeza? ¡Pues a mí ____ los pies!

## 4. Pronombres personales en función de complementos directo e indirecto usados juntos

PRIMER PASO

### Usos y posición

When a direct and an indirect object pronoun are used together, the indirect object pronoun always precedes the direct object pronoun:

Ella **me los** compra.

The indirect object pronouns **le** and **les** change to **se** when used with the direct object pronouns **lo, los, la, las.**

| | |
|---|---|
| **Le** digo la verdad (a mi padre). | ~~Le~~ la digo. |
|     d.o.         i.o. | **Se** la digo. |
| **Les** leo el poema (a los niños). | ~~Les~~ lo leo. |
|     d.o.         i.o. | **Se** lo leo. |

ATENCIÓN: In the examples above, the meaning of **se** may be ambiguous, since it may refer to **Ud., él, ella, Uds., ellos,** and **ellas.** The following prepositional phrases may be added to avoid confusion:

Ella **se** los compra
$\begin{cases} \text{a Ud.} \\ \text{a él.} \\ \text{a ella.} \\ \text{a Uds.} \\ \text{a ellos.} \\ \text{a ellas.} \\ \text{a Roberto.} \\ \text{a los niños.} \end{cases}$

When two object pronouns are used together, the following combinations are possible:

| me $\begin{cases} \text{lo, la} \\ \text{los, las} \end{cases}$ | te $\begin{cases} \text{lo, la} \\ \text{los, las} \end{cases}$ | se $\begin{cases} \text{lo, la} \\ \text{los, las} \end{cases}$ | nos $\begin{cases} \text{lo, la} \\ \text{los, las} \end{cases}$ |
|---|---|---|---|

❧ Both object pronouns must always appear together, either *before* the conjugated verb or *after* the infinitive or gerund. When attached to the infinitive or to the gerund, a written accent mark must be added to both verb forms:

—¿Quién te trajo los brazaletes de plata?
—**Me los** trajo Alfredo.

*Who brought you the silver bracelets?*
*Alfred brought them to me.*

| | |
|---|---|
| —¿A quién quieres darle ese cuadro? | *To whom do you want to give that picture?* |
| —Quiero **dárselo** a Diego. | *I want to give it to Diego.* |
| —¿Por qué **se lo** quieres dar a él? | *Why do you want to give it to him?* |
| —Porque es su cumpleaños. | *Because it is his birthday.* |

## Práctica

**a.** Vuelva a escribir las siguientes oraciones, sustituyendo los complementos directos por los pronombres correspondientes. Siga los modelos.

MODELOS:   *Me* trae *los anillos de filigrana.*
*Me los* trae.

Aquí no *le* aceptan *el título de médico.*
Aquí no *se lo* aceptan.

1. Nos cambiaron *el dinero.*
2. No le dieron *el empleo.*
3. Me trajeron *la entrada.*
4. No quisieron darle *el préstamo.*   (dos formas)
5. Le pintan *un retrato al óleo.*
6. Te estoy comprando *otras cintas.*   (dos formas)
7. Siempre nos traen *discos de su país.*
8. Me pidieron *una lista de los requisitos.*
9. Ahora mismo te traigo *la guitarra.*
10. No deben dejar de comprarle *las acuarelas.*

**b.** Conteste las siguientes preguntas en forma afirmativa, sustituyendo los complementos directos e indirectos por los pronombres correspondientes. Siga el modelo.

MODELO:   *¿Me dices la verdad?*
Sí, *te la digo.*

1. *¿Me das las cartas?*
2. *¿Nos traen Uds. el tocadiscos hoy?*
3. *¿Quieres pedirle los libros a papá?*
4. *¿Le estás comprando la pintura?*
5. *¿Él te da su dirección?*
6. *¿Ellos les quieren vender la casa a Uds.?*
7. *¿Tú le envías las cartas por avión?*
8. *¿Tú puedes prestarme el coche?*
9. *¿Puede él pagarte el dinero este fin de semana?*
10. *¿Quieres escribirle la carta en inglés?*

CONTINUEMOS...

## Usos especiales

With the verbs **decir, pedir,** and **preguntar,** the indirect object pronoun must be used even when the sentence has an expressed indirect object noun. The direct object pronoun **lo** is used to complete the idea of the sentence when a direct object noun is not present. When used with these verbs, the direct and indirect object pronouns are not always expressed in English:

| | |
|---|---|
| —Oye, el concierto de música suramericana es esta noche. | *Listen, the South American music concert is tonight.* |
| —¿**Se lo** digo a Roberto? | *Shall I tell Robert?* |
| —No, ya **lo** sabe. | *No, he already knows.* |
| —Yo no tengo dinero para ir al cine. | *I don't have (any) money to go to the movies.* |
| —¿Por qué no **se lo** pides **a tu papá?** | *Why don't you ask your dad (for it)?* |
| —Buena idea. ¿Sabes si Julio viene con nosotros? | *Good idea. Do you know if Julio is coming with us?* |
| —No, pero puedo preguntár**selo a él.** | *No, but I can ask him.* |

## Práctica

Necesitamos un(a) intérprete. Traduzca lo siguiente:

1. "Where are you going, John?"
   "I can't tell you."
2. "Does she want to have a party at her house?"
   "I can ask her tonight."
3. "I need your English books."
   "If you ask me tomorrow, I can give them to you."
4. "When is the exam? Can you tell me?"
   "It's tomorrow afternoon."
5. "How old is he?"
   "I don't know, and I don't want to ask him."

## ¿CUÁNTO SABE USTED AHORA?

**a.** En una fiesta, Ud. oye los siguientes fragmentos de conversaciones. ¿Qué palabras faltan?

1. —¿Qué ____ haciendo Lola cuando tú llegaste?
   —____ dibujando.

2. —Me ____ diez dólares para completar el dinero que necesito. ¿ ____ dar?

   —Lo siento. Sólo ____ cinco dólares.

3. —¿Carmen fue ____ anoche?

   —Sí, al principio ella no ____ , pero cuando ____ que Juan Carlos iba a estar en la fiesta, fue.

4. —¡Qué bonita es tu blusa! Me ____ mucho.

   —____ regaló mamá el día de mi cumpleaños.

5. —Anoche conocí a la mamá de Sandra.

   —Yo creí que tú ya ____ .

**b.** ¿Qué hiciste…? ¿Qué hacías…?

Complete cada oración de acuerdo con sus propias experiencias. Compárelas luego con las de un compañero:

1. Cuando era niño(a), yo siempre…
2. Ayer, cuando volví a casa…
3. Eran las dos de la tarde cuando yo…
4. Era un hermoso día y yo decidí…
5. Yo tenía diez años cuando…
6. No pude asistir a clase porque…
7. En esa época, yo vivía…
8. Cuando era pequeño(a), me gustaba…
9. Ayer yo fui a…
10. Cuando yo estaba en la escuela secundaria, yo…
11. Anoche yo…
12. Ayer yo tenía puesto…
13. Yo creía que el español…
14. El año pasado yo conocí…
15. Yo quería…

**c.** Vuelva a escribir lo siguiente, comenzando cada oración con las palabras que aparecen entre paréntesis y haciendo todos los cambios necesarios. Siga el modelo.

MODELO:   "No me gusta hablarte en inglés."   (Tú dijiste que…)
          (Tú dijiste que no te gustaba hablarme en inglés.)

1. "Eso no me importa."   (Ella dijo que…)
2. "No quieren dárnoslo."   (Ellos dijeron que…)
3. "Esa colección me parece magnífica."   (Tú dijiste que…)
4. "No nos quieren decir cuándo nos lo van a dar."   (Uds. dijeron que…)
5. "No me interesan tus problemas."   (Él me dijo que…)

6. "Me faltan veinte dólares para poder comprártelo." (Tú me dijiste que…)
7. "Nos encantan los bailes españoles." (Ellos dijeron que…)
8. "No puedo ir contigo porque me duele la cabeza." (Tú me dijiste que…)
9. "No podemos comprárselo (a Uds.) porque sólo nos quedan diez dólares." (Uds. nos dijeron que…)
10. "No me gusta llamarla a Ud. por teléfono." (Ud. me dijo que…)

**d.** En esta narración faltan los verbos en pretérito y en imperfecto. Complétela Ud., teniendo en cuenta los usos de ambos tiempos verbales:

_____ (ser) las once de la noche y como yo no _____ (poder) dormir porque me _____ (doler) mucho la cabeza _____ (salir) a caminar. Todo _____ (estar) oscuro y _____ (hacer) mucho frío. No se _____ (ver) casi nada y no _____ (haber) nadie en la calle. Yo _____ (ir) caminando por el parque cuando _____ (oír) un grito (*scream*) y _____ (ver) a un hombre que _____ (salir) corriendo de una casa. El hombre _____ (ser) alto, delgado y _____ (llevar) unos pantalones azules y una camisa blanca. Detrás de él _____ (venir) una mujer con un cuchillo en la mano; cuando la _____ (ver), me _____ (dar) cuenta de que yo la _____ (conocer); _____ (ser) Ada, la hermana de Raúl. Yo _____ (correr) hacia ella y le _____ (decir) que no _____ (deber) matar a ese pobre hombre. Ella me _____ (mirar) pero no me _____ (reconocer) y _____ (seguir) corriendo.

Yo _____ (conocer) a Ada hace mucho tiempo; cuando _____ (ser) niños, _____ (vivir) en el mismo pueblo y _____ (jugar) juntos. Yo no _____ (saber) qué hacer, pero _____ (saber) que _____ (tener) que hacer algo. En eso _____ (ver) a un policía que _____ (venir) hacia el parque. Cuando _____ (ir) a contarle lo que _____ (pasar), _____ (oír) la voz de mamá que me _____ (llamar) y me _____ (despertar).

**e.** Palabras y más palabras

Complete las siguientes oraciones usando el vocabulario de esta lección:

1. No podemos escuchar los discos porque el _____ no funciona.
2. En esa orquesta hay treinta _____ .
3. No pinto con acuarelas; pinto al _____ .
4. Si vas al museo no debes _____ de ver los cuadros de Dalí.
5. ¿Quieres venir a dar una _____ por la playa?
6. Los músicos de la nueva _____ tratan de _____ la música autóctona de su país.
7. Jorge es un gran pintor y sin _____ nadie compra sus _____ .
8. No estaba bromeando. Lo dijo en _____ .
9. Vamos a un _____ de música folklórica.
10. Me encanta la _____ de ese pintor. ¡Es muy buena!
11. No tengo _____ de Julio Iglesias pero tengo varios discos.
12. Luis dibuja muy bien. ¡Me encantan sus _____ !

**f.** Vamos a conversar

1. ¿Hay muralistas famosos entre los pintores norteamericanos?
2. ¿Hay un buen museo de arte en la ciudad donde Ud. vive?
3. Si una persona visita tu ciudad y no tiene tiempo de verlo todo, ¿qué lugares no debe dejar de ver?
4. ¿Le interesa a Ud. la pintura abstracta?
5. ¿Conoces la obra de los muralistas mexicanos?
6. ¿Qué talentos tiene Ud.?
7. ¿Les gusta a Uds. la música folklórica?
8. ¿Quiénes son los músicos norteamericanos de la nueva ola?
9. ¿Quiénes son algunos de los músicos que difunden la música autóctona de los Estados Unidos?
10. ¿Prefiere tener su música favorita en discos o en cintas?
11. ¿Qué grupo musical le gusta más?
12. ¿Hay estudiantes sudamericanos en esta clase?

**g.** Ahora el profesor (la profesora) va a dividir la clase en grupos de dos. Ud. y un compañero van a conversar. Háganse las siguientes preguntas uno al otro. Usen la forma **tú.**

Lo que desean saber sobre la persona con quien están conversando es lo siguiente:

1. ...qué actividades planea para este fin de semana.
2. ...qué tipo de música prefiere: la música clásica o la música popular.
3. ...si tiene muchos discos y cuáles prefiere.
4. ...qué instrumentos musicales sabe tocar.
5. ...si le gusta cantar.
6. ...si sabe canciones en español y cuáles son.
7. ...qué tipo de música está de moda en la actualidad.
8. ...si puede enseñarle a bailar.
9. ...si le gusta o no ir a los museos y por qué.
10. ...cuáles son sus pintores favoritos.
11. ...si le gusta pintar.
12. ...que le parecen los cuadros de Picasso.
13. ...si está adelantando en la clase de español.
14. ...si planea seguir estudiando español y por qué.
15. ...que está haciendo actualmente.

STA. IGLESIA CATEDRAL DE SANTIAGO

**Tesoro y Museos**

Nº 048336      100 PESETAS

15 de enero de 19. .

Queridos amigos:

Llegué a Madrid el ocho de enero. ¡Qué ciudad tan hermosa! Hoy pasé todo el día en el Museo del Prado, que está considerado como uno de los mejores del mundo en pintura.

En el museo podemos pasar horas enteras contemplando las obras de pintores muy famosos. Vi cuadros magníficos, pero las pinturas que más me gustaron fueron "Las meninas" y "Las lanzas" de Diego Velázquez y "Las dos majas" de Francisco de Goya ("La maja desnuda" y "La maja vestida").

Este fin de semana planeo visitar la antigua ciudad de Toledo, donde me interesa ver el famoso cuadro "El entierro del Conde de Orgaz", que pintó El Greco. Aunque este pintor no nació en España sino en la Isla de Creta, Grecia, se le considera español porque la mayor parte de su obra la hizo en España.

Ahora aquí en Madrid es la temporada de la zarzuela, y esta noche pienso ir a ver "Fuenteovejuna". Como Uds. deben saber, la zarzuela es una obra musical donde se alternan la música y el diálogo y en la que casi siempre se presentan cuadros de costumbre del pueblo español.

Madrid es una ciudad donde se mezclan lo moderno con lo antiguo, pero es en los barrios antiguos donde encontramos el verdadero sabor español de la ciudad. En las tabernas y cafés encontramos las famosas tapas° que nos permiten probar muchas de las comidas típicas.

Madrid es una ciudad que me encanta y los madrileños son personas muy simpáticas.

Pienso viajar por diferentes ciudades de España y voy a escribirles de nuevo° desde Sevilla.

Hasta pronto.

Saludos,

*Carol*

appetizers

again

Después de leer la carta, díganos:

1. ¿En qué fecha llegó Carol a Madrid y qué le parece la ciudad?
2. ¿Le gustó a Carol el Museo del Prado?
3. ¿Cuáles fueron las pinturas que más le gustaron a nuestra amiga?
4. ¿Qué le interesa ver en Toledo?
5. ¿Qué es una zarzuela y cuál va a ir a ver Carol?
6. Según Carol, ¿dónde encontramos el verdadero sabor español de Madrid?
7. ¿Qué podemos probar en los cafés y en las tabernas de Madrid?
8. ¿Le gusta a Carol la gente de Madrid? ¿Qué dice de los madrileños?

El Museo del Prado, en Madrid, posee una de las más grandes colecciones de pinturas en el mundo, incluyendo las famosas Meninas de Velázquez.

1. Construcciones reflexivas: Repaso de los pronombres personales
2. Comparativos de igualdad y desigualdad
3. El imperativo: **Ud.** y **Uds.**
4. Usos de las preposiciones **por** y **para**

# 5

## *Fin de semana*

Antonio es un muchacho andaluz de veinte y tres años que vive en Sevilla con su familia y trabaja en la compañía de electricidad. Es moreno, de estatura mediana y muy simpático. Hoy está de buen humor porque es viernes y tiene muchos planes para el fin de semana. Al llegar a su casa, se afeita, se baña y se viste para salir a cenar con sus amigos.

ANTONIO —Mamá, hoy no ceno en casa. Tengo una reunión del sindicato y después voy a cenar con los muchachos.

LA MAMÁ —De vez en cuando podías quedarte en casa…Yo hice una cena muy rica: biftec con patatas fritas y legumbres y, de postre, arroz con leche.

ANTONIO —Lo siento, pero tengo que irme…

Después de la reunión, Antonio y sus amigos se encuentran en el restaurante.

ANTONIO —¡Mozo! Tráiganos tres cervezas bien frías.

PACO —No, no. Para mí un vaso de vino blanco. A mí no me gusta la cerveza.

MANUEL —Y traiga también unas aceitunas y unos pedazos de tortilla.

ANTONIO —A mí déme un poco de jamón y queso y unas patatas muy picantes.

MOZO —¿Y qué desean cenar los señores?

ANTONIO —Espere un momento, por favor. Vamos a ver lo que hay en el menú.

MOZO —Muy bien, decidan Uds. lo que van a comer y llámenme después.

113

Los muchachos se quedan charlando por un rato.

ANTONIO —Paco, ¿cuándo sales tú para Barcelona?

PACO —Salgo el viernes por la noche para poder pasar allí el fin de semana.

MANUEL —¿Vas en tren?

PACO —No, voy por avión porque tengo que estar de vuelta para el lunes. ¡Oye, Antonio! ¿Tienes una cita con Carmen mañana?

ANTONIO —Sí, mañana voy de excursión a La Alhambra con la chica más guapa de Sevilla.

MANUEL —¡Eres un tipo con suerte! ¿Tiene una hermana tan bonita como ella?

ANTONIO —Pues sí…tiene una hermana mayor que es simpatiquísima y es aún más bonita que ella…pero es casada.

MANUEL —¡Por Dios! ¡Qué mala suerte la mía! ¡Mozo! Venga, por favor. Ya estamos listos para pedir.

PACO —Tráiganos caldo de pollo y paella para tres. Y una botella de vino blanco de buena marca.

Después de la cena.

ANTONIO —¡Uy, qué tarde es! Tengo que estar en casa dentro de una hora. ¡Manuel! Hoy te toca pagar a ti.

MANUEL —(*Mete la mano en el bolsillo*) ¡Caramba! ¿Puedes pagar tú? Se me olvidó la billetera.

ANTONIO —Excusas, excusas…Tú siempre te las arreglas para no pagar.

## Charlemos

1. ¿Dónde trabaja Antonio?
2. ¿Puede Ud. describir a Antonio?
3. ¿Por qué está de buen humor Antonio?
4. ¿Qué hace Antonio al llegar a su casa?
5. ¿Qué preparó la mamá de Antonio para cenar?
6. ¿Qué van a tomar los muchachos?
7. ¿A dónde va a ir Paco?
8. ¿Por qué va a viajar por avión?
9. ¿Qué planes tienen Antonio y Carmen para el fin de semana?
10. ¿Le gusta mucho Carmen a Antonio? ¿Cómo lo saben?
11. ¿Cómo es la hermana mayor de Carmen?
12. ¿Por qué dice Manuel que tiene mala suerte?
13. ¿Qué van a cenar los muchachos?
14. ¿A quién le toca pagar hoy?

# VOCABULARIO

NOMBRES

la **aceituna**   olive
el **arroz con leche**   rice pudding
el **biftec**   steak
el **bolsillo**   pocket
el **caldo**   broth
la **estatura**   height
las **legumbres**, los
   **vegetales**   vegetables
la **marca**   brand
las **patatas (papas) fritas**   French fries
el **pedazo, trozo**   piece
la **reunión, junta**   meeting

el **sindicato**   labor union
el **tipo**   guy, fellow
la **tortilla**   omelet

VERBOS

**encontrarse (o>ue)**   to meet
**meter**   to put, to insert

ADJETIVOS

**mediano(a)**   medium
**picante**   hot, spicy
**rico(a)**   tasty, delicious

---

### Expresiones idiomáticas

**al llegar**   *upon arriving*
**arreglárselas (para)**   *to manage (to)*
**bien picante**   *nice and hot*
**de postre**   *for dessert*

**de vez en cuando**   *once in a while*
**dentro de**   *within*
**ir de excursión**   *to go on an outing*
**tocarle a uno(a)**   *to be one's turn*

---

## PALABRAS PROBLEMÁTICAS

**a. Picante, caliente, cálido** como equivalentes de *hot*

1. **Picante** es el equivalente de *hot (spicy)* cuando hablamos de comida:

   La carne está muy **picante**. Tiene mucha pimienta.

2. **Caliente** se usa cuando queremos referirnos a la temperatura de las cosas:

   El caldo está muy **caliente**.

3. **Cálido** equivale a *hot* cuando hablamos de clima:

   El clima de Hawai es muy **cálido**.

**b. Pequeño, poco, un poco de**

1. **Pequeño** significa **chico**, y se refiere al tamaño de algo o de alguien:

   Mi hermana es muy **pequeña** para su edad.

2. **Poco** significa **no mucho:**

> Tengo **poco** dinero. Necesito conseguir más.

3. **Un poco de** significa **una pequeña cantidad de:**

> ¿Quieres **un poco de** pescado?

**c. Cita, fecha** como equivalentes de *date*

1. **Cita** significa **arreglo para encontrarse con alguien** (en cierto lugar y a cierta hora):

> Antonio tiene una **cita** con su novia.

2. **Fecha** significa **día y mes:**

> ¿Qué **fecha** es hoy? El tres de septiembre, ¿verdad?

### Práctica

Complete las siguientes oraciones, usando las "palabras problemáticas" correspondientes:

1. La comida mexicana es muy _____ .
2. ¿Qué _____ es hoy? ¿El 3 de julio? Entonces tengo una _____ con el dentista.
3. ¿Por qué no tomas un _____ de caldo? ¿Está muy _____ ?
4. El clima de la Florida es muy _____ .
5. Me serviste muy _____ comida. ¡Quiero más!
6. Este cuarto es muy _____ . No podemos poner muchos muebles aquí.

## ESTRUCTURAS GRAMATICALES

## 1. Construcciones reflexivas

PRIMER PASO

### Usos y formas

A. The use of the reflexive construction is much more common in Spanish than in English. A verb is reflexive when the subject performs and receives the action of the verb; the subject may be a person, a thing, or a personal pronoun. In Spanish, most transitive verbs[1] may be used as reflexive verbs.

---

[1]Remember that transitive verbs need a direct object to complete the action of the verb: Luis compró **una casa.** Without **una casa,** the sentence would have no meaning.

When a Spanish verb is used as reflexive, the following reflexive pronouns must be used:

REFLEXIVE PRONOUNS

| | Singular | | | Plural |
|---|---|---|---|---|
| me | myself | nos | ourselves |
| te | yourself (**tú** form) | os | yourselves (**vosotros** form) |
| se | yourself (**Ud.** form) <br> himself <br> herself | se | yourselves (**Uds.** form) <br> themselves |

- Note that, except for the third person **se**, the reflexive pronouns have the same forms as the direct and indirect object pronouns.

- Reflexive pronouns may be used as either direct or indirect objects; they occupy the same position in a sentence as object pronouns do.

- When a reflexive pronoun is used with a direct object pronoun, the reflexive pronoun always precedes the direct object pronoun:

Yo **me** lavo.
   d.o

Yo **me** lavo **las manos.**
   i.o.        d.o.

Yo **me las** lavo.
   r.p. d.o.

| vestirse (e>i)  to dress (oneself), get dressed | |
|---|---|
| Yo me visto. | I dress (myself). I get dressed |
| Tú te vistes. | You dress (yourself) (tú form). You get dressed. |
| Ud. se viste. | You dress (yourself) (Ud. form). You get dressed. |
| Él se viste. | He dresses (himself). He gets dressed. |
| Ella se viste. | She dresses (herself). She gets dressed. |
| Nosotros nos vestimos. | We dress (ourselves). We get dressed. |
| Uds. se visten. | You dress (yourselves) (Uds. form). You get dressed. |
| Ellos se visten. | They (m) dress (themselves). They get dressed. |
| Ellas se visten. | They (f) dress (themselves). They get dressed. |

—¿A qué hora **se levantan Uds.?**

—**Nosotros nos levantamos** muy temprano. **Jorge se levanta** a las cinco y **yo me levanto** a las seis. ¿A qué hora **te levantas tú?**

—**Yo no me levanto** hasta las ocho, pero **los niños se levantan** temprano también.

*What time do you get up?*

*We get up very early. George gets up at five and I get up at six. What time do you get up?*

*I don't get up until eight, but the children get up early also.*

ATENCIÓN: Note that the reflexive pronouns always agree with the subject.

B. Some verbs change their meanings when used as reflexive verbs:

| | |
|---|---|
| **acostar** *to put to bed* | **acostarse**[1] *to go to bed* |
| **dormir** *to sleep* | **dormirse** *to fall asleep* |
| **levantar** *to raise, to lift* | **levantarse** *to get up* |
| **llevar** *to take* | **llevarse** *to carry off* |
| **probar (o>ue)** *to taste, to try* | **probarse (o>ue)** *to try on* |
| **poner** *to put, to place* | **ponerse** *to put on* |
| **quitar** *to take away* | **quitarse** *to take off* |
| **ir** *to go* | **irse** *to leave, to go away* |
| **parecer** *to seem, to appear* | **parecerse** *to look like* |

—¿Quieres **acostarte** ahora?    *Do you want to go to bed now?*
—Sí, pero primero quiero **acostar**    *Yes, but first I want to put the*
   a los niños.    *children to bed.*

C. Some verbs are always used with a reflexive construction:

| | |
|---|---|
| **acordarse (o>ue) (de)** *to remember* | **atreverse (a)** *to dare* |
| **arrepentirse (e>ie) (de)** *to repent* | **burlarse (de)** *to make fun of* |
| **arrodillarse** *to kneel down* | **quejarse (de)** *to complain* |
| | **suicidarse** *to commit suicide* |

ATENCIÓN: The use of the reflexive pronouns does not necessarily mean that the action is reflexive.

## Práctica

**a.** Complete las frases, usando el presente de indicativo de los verbos de la siguiente lista, según corresponda. Use cada verbo una vez:

| | | | | |
|---|---|---|---|---|
| acordarse | bañarse | arrodillarse | sentarse | acostarse |
| olvidarse | burlarse | levantarse | quejarse | lavarse |

1. Yo ____ a las seis de la mañana.
2. Cada vez que tenemos un examen, Uds. ____ de traer los libros.
3. Todas las noches, ellos ____ a las once y media.
4. Ella nunca ____ con agua caliente.
5. ¿Tú ____ la cabeza en la peluquería o en tu casa?
6. Los estudiantes siempre ____ cuando el profesor les da un examen.
7. Nosotros siempre ____ en la iglesia.
8. Todos los niños ____ del pobre Pedro porque él no sabe nadar.
9. Ud. nunca ____ del aniversario de sus padres.
10. ¿Por qué no ____ (tú) en esta silla?

---

[1]When a verb is reflexive, the infinitive always ends in **-se**.

**b.** Conteste las siguientes preguntas, seleccionando la forma reflexiva o no reflexiva de los verbos dados entre paréntesis, según corresponda:

1. ¿Qué hacen Uds. cuando tienen mucho sueño?  (acostar, acostarse)
2. Si le duelen los pies, ¿qué puede hacer Ud. con los zapatos?  (quitar, quitarse)
3. Para saber si la comida está picante o no, ¿qué hacen Uds.?  (probar, probarse)
4. Si Ud. es muy similar a su padre, ¿qué le dice la gente?  (parecer, parecerse)
5. ¿Qué debe hacer Ud. por la noche para no estar cansado(a) al otro día? (dormir, dormirse)
6. ¿Qué hace el profesor cuando termina la clase?  (ir, irse)
7. Antes de comprar una chaqueta, ¿qué hace Ud.?  (probar, probarse)
8. Si hace mucho frío, ¿qué haces tú con el abrigo?  (poner, ponerse)
9. ¿Qué hace Ud. si la clase es muy aburrida?  (dormir, dormirse)
10. ¿Qué hacen Uds. después de despertarse?  (levantar, levantarse)

CONTINUEMOS...

### El reflexivo recíproco

The reflexive pronouns **nos, os** and **se** may be used to express reciprocal action. In these cases, two or more subjects are performing the action to each other:

—Tú y Marcos ya no **se ven,** ¿verdad?

*You and Mark no longer see each other, right?*

—No, pero **nos escribimos** todas las semanas.

*No, but we write to each other every week.*

—¿Por qué **se pelean** tanto Anita y Oscar? ¿No **se quieren?**

*Why do Anita and Oscar fight so much? Don't they love each other?*

—Sí, pero no **se comprenden.**

*Yes, but they don't understand each other.*

## Práctica

Vuelva a escribir estas oraciones, usando el reflexivo recíproco:

1. Yo le escribo a Mario. Mario me escribe a mí.
2. Jorge se parece a su padre. Su padre se parece a él.
3. Yo no entiendo a Roque. Roque no me entiende a mí.
4. Roberto no escucha a Amalia. Amalia no escucha a Roberto.
5. Yo quiero ver a Teresa. Teresa quiere verme a mí.
6. El perro muerde al gato. El gato muerde al perro.

SUMMARY OF PERSONAL PRONOUNS

| Subject | Direct object | Indirect object | Reflexive | Object of Preposition |
|---|---|---|---|---|
| yo | me | me | me | mí |
| tú | te | te | te | ti |
| usted (*f.*) | la | | | usted (*f.*) |
| usted (*m.*) | lo[1] | le | se | usted (*m.*) |
| él | lo | | | él |
| ella | la | | | ella |
| nosotros(as) | nos | nos | nos | nosotros(as) |
| vosotros(as) | os | os | os | vosotros(as) |
| ustedes (*f.*) | las | | | ustedes (*f.*) |
| ustedes (*m.*) | los | les | se | ustedes (*m.*) |
| ellos | los | | | ellos |
| ellas | las | | | ellas |

## 2. Comparativos de igualdad y desigualdad

### PRIMER PASO

### Comparativos de igualdad

To form equal comparisons of nouns, adjectives, adverbs, and verbs in Spanish, use the adjectives **tanto, -a, -os, -as,** or the adverbs **tan, tanto... + como:**

| When comparing nouns: | When comparing adjectives or adverbs: | When comparing verbs: |
|---|---|---|
| **tanto** (dinero) **tanta** (plata) (*as much*) | | |
| | **tan** (*as*) ⟨ bonita / tarde | bebo **tanto** (*as much*) |
| **tantos** (libros) **tantas** (plumas) (*as many*) | | |

—¡Tengo mucho trabajo!      *I have a lot of work!*
—Yo tengo **tanto** trabajo **como** tú      *I have as much work as you (do)*
   y no me quejo.      *and I don't complain.*

---

[1]In Spain, the forms **le** and **les** are frequently used as direct object pronouns when referring to masculine people.

| —Jaime no es **nada** puntual. Siempre llega tarde. | *Jim is not punctual at all. He's always late.* |
| —Es verdad. No es **tan puntual como** nosotros. | *It's true. He is not as punctual as we are.* |
| —Actualmente no camino **tan rápido como** antes. | *Nowadays I don't walk as fast as I used to (before).* |
| —Estás viejo. | *You're old.* |
| —Cada vez que haces algo, protestas. | *Every time you do something, you complain.* |
| —Tú protestas **tanto como** (protesto) yo y nunca haces nada. | *You complain as much as I (do) and you never do anything.* |

## Comparativos de desigualdad

1. In Spanish, the comparative of adjectives, adverbs, and nouns is formed by placing **más** or **menos** before the adjective, adverb, or noun. *Than* is expressed by **que.** Use the following formula:

| **más** o **menos** | + | adjetivo adverbio sustantivo | + | **que** | *more* or *less* | + | adjective adverb noun | + | *than* |
|---|---|---|---|---|---|---|---|---|---|

| —Eva tiene un papel muy importante en esa obra. | *Eve has a very important role in that play.* |
| —Sí, su papel es mucho **más importante que** el mío. | *Yes, her role is much more important than mine.* |

2. When a comparison includes a numerical expression, the preposition **de** is used as the equivalent of *than:*

| —¿Por qué no te compras ese sombrero de paja? | *Why don't you buy yourself that straw hat?* |
| —Porque cuesta **más de quince** dólares y a mí me quedan **menos de doce.** | *Because it costs more than fifteen dollars and I have less than twelve left.* |

3. In negative sentences, **más que** (*only*) is used when referring to an exact or maximum amount:

| —¿Por qué no me das un retrato de tu hijo? | *Why don't you give me a portrait of your son?* |
| —No puedo, porque no tengo **más que uno.** | *I can't, because I have only one.* |

### El superlativo

1. The superlative of adjectives is expressed in English by adding the suffix *-est* to the adjective or by placing *most* or *least* before the adjective. In Spanish, the superlative of adjectives is formed by placing the definite article before the comparative form. Use the following formula:

| el<br>la<br>los<br>las | + | {  más<br>o<br>menos | + | adjetivo |  | *the* | + | {  *most*<br>*or*<br>*least* | + | *adjective* |
|---|---|---|---|---|---|---|---|---|---|---|

—Estos tejidos de algodón cuestan demasiado.     *These cotton fabrics cost too much.*

—¡Pues son **los menos caros** que tienen aquí!     *Well, they're the least expensive they have here!*

—Elena no es muy inteligente, ¿verdad?     *Helen isn't very intelligent, right?*

—Al contrario. Es **la más inteligente** de la clase.     *On the contrary. She's the most intelligent in the class.*

ATENCIÓN: In the last example above, note that after a superlative *in* is expressed by **de** in Spanish.

2. The absolute superlative in Spanish is equivalent to *extremely, very,* or *most* before an adjective in English. This superlative may be expressed in Spanish by modifying the adjective with an adverb (**muy, sumamente, extremadamente**) or by adding the suffix **-ísimo** (**-a, -os, -as**) to the adjective:

| | |
|---|---|
| **muy** mala | malísima* |
| **sumamente** difícil | dificilísimo |
| **extremadamente** rico | riquísimo** |

ATENCIÓN:    *If the word ends in a vowel, the vowel is dropped before adding the suffix **-ísimo(-a)**.

**    Words ending in **-ca** or **-co** change the **c** to **qu** before adding the suffix **-ísimo(-a)** to conserve the sound.

| | |
|---|---|
| —¿No te parece que estos bolsillos son muy grandes? | *Don't you think that these pockets are very big?* |
| —Sí, son **grandísimos.** No me gustan. | *Yes, they are extremely big. I don't like them.* |

### Formas irregulares para el comparativo y el superlativo

Six adjectives and four adverbs have irregular comparative and superlative forms in Spanish:

| Adjectives | Adverbs | Comparative | Superlative |
|---|---|---|---|
| bueno | bien | **mejor** | **el (la) mejor** |
| malo | mal | **peor** | **el (la) peor** |
| mucho | mucho | **más** | **el (la) más** |
| poco | poco | **menos** | **el (la) menos** |
| grande | | **mayor** | **el (la) mayor** |
| pequeño | | **menor** | **el (la) menor** |

🍃 When the adjectives **grande** and **pequeño** refer to size, the regular forms are generally used:

| | |
|---|---|
| —¿Tu casa es **más pequeña que** la mía? | *Is your house smaller than mine?* |
| —No...yo creo que es **más grande.** | *No . . . I think it's bigger.* |

🍃 When these adjectives refer to age, the irregular forms are used:

| | |
|---|---|
| —Felipe es **mayor** que tú, ¿no? | *Phil is older than you, isn't he?* |
| —No, es **menor.** Yo tengo dos años más que él. | *No, he's younger. I am two years older than he is.* |

🕊 When **bueno** and **malo** refer to a person's character, the regular forms are used:

—Tus hijos son buenísimos. *Your children are very good (kind).*

—Sí, pero Diana es la **más buena** de todos. *Yes, but Diana is the kindest of all.*

## Práctica

**a.** Responda a las siguientes afirmaciones, usando los comparativos de igualdad y las palabras que aparecen entre paréntesis.

MODELO: Uds. tienen muchas excusas. *(tú)*
¡*Tú* tienes *tantas* excusas *como* nosotros!

1. El biftec está muy picante. *(el pollo)*
2. Yo tengo muchos libros de arte. *(nosotros)*
3. Nosotros trabajamos mucho. *(yo)*
4. Yo enseño muchas horas al día. *(los otros profesores)*
5. Ella habla muy bien el inglés. *(Ud.)*
6. Me falta mucho dinero. *(a nosotros)*
7. Carlos es muy inteligente. *(Rosa)*
8. ¡Tú tienes mucha libertad! *(él)*

**b.** Escriba oraciones estableciendo comparaciones entre los siguientes pares. Compare siempre el primer elemento con el segundo.

MODELO: Yo tengo cinco cuadros en la sala. / María tiene tres cuadros.
Yo tengo *más* cuadros *que* María.

1. Nosotros escribimos muy rápido. / Ellos no escriben muy rápido.
2. Marta tiene dos hijos. / Daniel tiene cuatro hijos.
3. Mi hijo es alto. / Mi hija es baja.
4. En mi pueblo hay dos discotecas. / En su pueblo hay cinco discotecas.
5. Carlota escribe muy bien. / Rosaura escribe mal.
6. Yo tengo poco dinero. / Mis padres tienen mucho dinero.
7. Paco tiene treinta años. / Raquel tiene veinticinco años.
8. Mi casa tiene tres cuartos. / Tu casa tiene cinco cuartos.

**c.** Escriba el superlativo absoluto de las siguientes palabras y después utilícelo en oraciones originales:

1. entusiasmadas
2. simpática
3. feo
4. fácil
5. grande
6. pequeños
7. rápido
8. rico
9. tarde
10. lenta

**d.** Lea cuidadosamente y después conteste las siguientes preguntas:

1. Mario tiene una "A" en español, José tiene una "B" y Juan una "F".
   ¿Quién es el mejor estudiante?
   ¿Quién es el peor estudiante?
2. Juan tiene veinte años, Raúl tiene quince y David dieciocho.
   ¿Quién es el mayor?
   ¿Quién es el menor?
3. La casa de Elena tiene tres cuartos, la de Marta tiene ocho cuartos y la de Rosa tiene dos cuartos.
   ¿Quién tiene la casa más grande?
   ¿Quién tiene la casa más pequeña?
4. Alicia mide (*is*) cinco pies, cuatro pulgadas (*inches*). Ana mide cinco pies, nueve pulgadas y Ester mide cinco pies, dos pulgadas.
   ¿Quién es la más alta?
   ¿Quién es la más baja?

CONTINUEMOS...

*Otras construcciones comparativas*

When a comparison is made between two ideas or elements and one of them is not mentioned in the comparison, the following are used in Spanish:

1. **del que, de la que, de los que, de las que** when comparing nouns:

   —¡Cuánta ropa tiene Elena!
   —Sí, siempre se las arregla para comprar más ropa **de la que** necesita.

   *Helen has so many clothes!*
   *Yes, she always manages to buy more clothes than she needs.*

2. **de lo que** when comparing adjectives, adverbs or ideas:

   —¡Qué cansada te ves, Leila!
   —Pues estoy más cansada **de lo que** parezco.

   *How tired you look, Leila!*
   *Well, I'm more tired than I seem.*

   —Pero tú no trabajas mucho.
   —Trabajo más **de lo que** tú crees.

   *But you don't work very much.*
   *I work harder (more) than you think.*

### Práctica

**a.** Complete las siguientes oraciones usando **de lo que** o **de (el, la, los, las) que**, según corresponda:

1. Mi asistencia a clase es mejor ＿＿ tú piensas.
2. Hay más cursos electivos ＿＿ aparecen en el catálogo.
3. Esta chaqueta tiene más bolsillos ＿＿ necesito.

4. Tengo más maletas ____ puedo meter en el maletero.
5. Tenemos más responsabilidades ____ podemos cumplir.
6. Este dinero no basta. Es menos ____ necesitamos.
7. El promedio de Carmen es menos alto ____ ella dice.
8. Hay más comida ____ necesitamos.

**b.** Establezca una relación entre cada serie de elementos, usando comparativos de igualdad, desigualdad o el superlativo, según corresponda:

1. la ciudad donde Ud. vive / San Francisco / Nueva York
2. su edad / la edad de su padre
3. lo que Ud. sabe de español / lo que sabe su profesor(a)
4. la cantidad de dinero que tiene Rockefeller / la que tiene Ud.
5. lo que come un canario / lo que come un elefante
6. su estatura / la estatura del profesor (de la profesora)
7. el río Missouri / el río Mississippi
8. los días que tiene diciembre / los días que tiene enero
9. su nota en español / la nota del mejor estudiante
10. su casa / el Empire State / la torre de Sears en Chicago

Tablao
Gitano Flamenco

Duende Andaluz
Extracto del Sacromonte

Gráficas Zoldín

NUEVA DIRECCION

TELFS. Tablao 27 82 28
Mañana 20 20 06
20 12 11 - 00

PRECIO 1.000 ptas.

## 3. El imperativo: *Ud.* y *Uds.*

PRIMER PASO

*Formas*

A. The commands for **Ud.** and **Uds.**[1] (except for five irregular verbs) are formed by dropping the **-o** of the first person singular of the present indicative and adding **-e** and **-en** for **-ar** verbs and **-a** and **-an** for **-er** and **-ir** verbs.

The following table describes the formation of **Ud.** and **Uds.** commands:

| *Infinitive* | *1st Pers. Sing. Pres. Indic.* | *Stem* | *Commands* | |
| --- | --- | --- | --- | --- |
| | | | *Ud.* | *Uds.* |
| hablar | yo hablo | **habl-** | hable | hablen |
| comer | yo como | **com-** | coma | coman |
| abrir | yo abro | **abr-** | abra | abran |
| cerrar | yo cierro | **cierr-** | cierre | cierren |
| volver | yo vuelvo | **vuelv-** | vuelva | vuelvan |
| pedir | yo pido | **pid-** | pida | pidan |
| decir | yo digo | **dig-** | diga | digan |
| traducir | yo traduzco | **traduzc-** | traduzca | traduzcan |

—¿Qué marca de vino compro?      *What brand of wine shall I buy?*
—**Compre** Almadén, Srta. Paz.      *Buy Almadén, Miss Paz.*

—**Cierre** la ventana, por favor.      *Close the window, please.*
—En seguida, señor.      *Right away, sir.*

—¿Qué hago ahora?      *What shall I do now?*
—**Traduzca** estas cartas.      *Translate these letters.*

B. The command forms of the following verbs are irregular:

| | dar | estar | ser | ir | saber |
| --- | --- | --- | --- | --- | --- |
| **Ud.** | dé | esté | sea | vaya | sepa |
| **Uds.** | den | estén | sean | vayan | sepan |

—¿A dónde tengo que ir mañana?      *Where do I have to go tomorrow?*
—**Vaya** a la oficina del sindicato.      *Go to the union office. Be there*
    **Esté** allí a las ocho.      *at eight.*

---

[1]Commands forms for **tú** and **vosotros** will be studied in Lesson 10.

## Práctica

Exprese lo siguiente, usando el imperativo. Siga el modelo.

MODELO:   Ud. *tiene que hablar* con el Sr. Peña.
          *Hable* con el Sr. Peña.

1. Ud. tiene que ir a la reunión.
2. Uds. tienen que traer el arroz con leche.
3. Ud. tiene que preparar el caldo.
4. Uds. tienen que hacer las papas fritas.
5. Ud. tiene que dar más dinero.
6. Uds. tienen que saber todos los verbos irregulares para mañana.
7. Uds. tienen que ser puntuales.
8. Ud. tiene que dormir ocho horas.
9. Ud. tiene que servir la tortilla ahora.
10. Uds. tienen que estar aquí a las ocho.
11. Ud. tiene que venir dentro de dos semanas.
12. Uds. tienen que cerrar la puerta al llegar a clase.

CONTINUEMOS...

### *Posición de las formas pronominales con el imperativo*

With *affirmative commands*, the direct and indirect object pronouns and the reflexive pronouns are placed *after the verb* and are attached to it, thus forming only one word:

—¿Le traigo las aceitunas?          *Shall I bring you the olives?*
—Sí, **tráigamelas.**               *Yes, bring them to me.*

With *negative commands*, the pronouns are placed *before the verb*:

—¿Tenemos otro examen?              *We're having another exam?*
—No **se quejen.**                  *Don't complain.*

## Práctica

a. Conteste lo siguiente, siguiendo el modelo:

MODELO:   ¿Le doy el abrigo a María?   (No, a Rosa)
          No, no se lo dé a María; déselo a Rosa.

1. ¿Servimos las legumbres ahora?   (No, después)
2. ¿Le traemos los discos a Paco?   (No, a mí)
3. ¿Me pongo el suéter amarillo?   (No, el verde)
4. ¿Les compramos (a Uds.) el cuadro de Picasso?   (No, el de Dalí)

5. ¿Le mando las joyas a Diana?   (No, a Pilar)
6. ¿Les damos la tela de algodón?   (No, el encaje)
7. ¿Nos sentamos en el patio?   (No, aquí)
8. ¿Le traigo (a Ud.) papas fritas?   (No, tortilla)

**b.** Ud. tiene una secretaria que encuentra toda clase de excusas para no hacer lo que Ud. le dice. Escriba las órdenes que Ud. le da, usando el imperativo:

1. _____
   —Ahora no puedo escribir las cartas a máquina porque no tengo mucho tiempo.
2. _____
   —Tampoco puedo traducirlas al español porque no tengo suficiente vocabulario.
3. _____
   —Ahora no puedo ir al correo porque me duelen los pies.
4. _____
   —No puedo llevarle los documentos al Sr. Díaz porque él está de vacaciones en España.
5. _____
   —Ahora no puedo traerle el café porque todavía no está listo.
6. _____
   —Raúl y yo no podemos preparar todos los informes para esta tarde porque tenemos que ir a almorzar.
7. _____
   —Raúl y yo no podemos estar aquí mañana temprano porque vivimos muy lejos.
8. _____
   —Bueno…Raúl y yo podemos encontrar otro empleo fácilmente…

# 4. Usos de las preposiciones *por* y *para*

### PRIMER PASO

*La preposición* por

A. The preposition **por** is used:

1. To indicate the period of time during which an action takes place ("during," "in," "for"):

   Estuvimos en la junta **por** dos horas.

2. To indicate agency, means, manner, unit of measure ("by," "for," "per"):

Le hablé **por** teléfono.
Vinieron **por**[1] avión.

3. As the equivalent of *for* ("to take for"):

Habla tan bien el inglés que la toman **por** norteamericana.

4. To express cause or motive of an action ("because of," "on account of," "in behalf of"):

No pudieron venir **por** la lluvia.
Lo hice **por** ellos.

5. To indicate "in search of" or "for":

Vayan **por** el médico.

6. To express exchange ("in exchange for"):

Pagué cien dólares **por** el brazalete.

7. To indicate motion ("through," "around," "along" or "by"):

El ladrón huyó **por** la ventana.
Caminamos **por** la avenida Magnolia.

8. With an infinitive, to refer to an unfinished state ("yet"):

El trabajo está **por** hacer.

9. With the passive voice ("by"):

Este libro fue escrito **por** Mark Twain.

## *La preposición* para

B. The preposition **para** is used:

1. To indicate destination in space:

A las ocho salí **para** la universidad.

2. To indicate direction in time, often meaning "by" or "for" (a certain date in the future):

Necesito el vestido **para** mañana.

3. To indicate direction toward a recipient:

Estos vegetales son **para** los niños.

4. As the equivalent of "in order to":

Necesitamos dinero **para** ir de excursión.

---

[1]The preposition **en** is also used to refer to means of transportation.

5. To indicate comparison ("by the standard of," "considering"):

Elenita es muy alta **para** su edad.

6. To indicate objective or goal:

Nora y yo estudiamos **para** ingenieros.

## Práctica

Escriba oraciones con los elementos dados, usando la preposición **por** o **para**, según corresponda:

1. necesitar / la cartera / el sábado
2. pagar / ochenta dólares / regalos
3. estar / en Sevilla / dos semanas
4. darme dinero / comprar / pasajes
5. llegar tarde / la lluvia
6. caldo de pollo / Roberto
7. hablar bien / español / tomarme / hispano
8. ir / mi sobrino / a las tres
9. salir / Nueva York / mañana
10. Marisa / estudiar / abogada
11. caminar / centro / con Alberto
12. novela / escrita / Cervantes
13. norteamericano / hablar muy bien / español
14. todo el trabajo / estar / hacer / todavía
15. ¿gustarte / viajar / avión?

CONTINUEMOS...

*Usos de por y para en expresiones idiomáticas*

A. The following idiomatic expressions are used with **por:**

| | | | |
|---|---|---|---|
| **por aquí** | *around here, this way* | **por falta de** | *for lack of* |
| **por cierto** | *certainly* | **por favor** | *please* |
| **por completo** | *completely* | **por fin** | *at last, finally* |
| **por desgracia** | *unfortunately* | **por lo menos** | *at least* |
| **¡por Dios!** | *for heaven's sake!* | **por lo tanto** | *therefore* |
| **por ejemplo** | *for example* | **por medio de** | *through* |
| **por eso** | *for that reason, that's why* | **por suerte** | *luckily* |

—¿Terminaste tu informe **por completo?**

*Did you finish your report completely?*

—**Por desgracia** no, pero **por suerte** es para el viernes.

*Unfortunately not, but luckily it's for Friday.*

B. The following idiomatic expressions are used with **para:**

> **para siempre**   *for ever*
> **para siempre jamás**   *for ever and ever*
> **sin qué ni para qué**   *without rhyme or reason*
> **¿para qué?**   *what for?*
> **para eso**   *for that* (used in contempt)
> **no ser para tanto**   *not to be that important*

—Papá se puso furioso conmigo **sin qué ni para qué...**   *Dad was furious with me, without rhyme or reason . . .*

—Es que no apagaste las luces del coche.   *Well, you didn't turn off the car lights.*

—¡Por Dios! **¡No era para tanto!**   *For heaven's sake! It wasn't that important!*

### Práctica

Complete las siguientes oraciones, usando las expresiones con **por** o **para**, según corresponda:

1. Ayer conocí a Tere; ____ que es una chica hermosísima.
2. Trataron de salvarlos, pero ____ murieron todos.
3. Me llevó a ver una clase suya. ¡ ____ me puse un vestido tan elegante!
4. Llovió muchísimo y ____ no pudieron llegar a tiempo.
5. Lincoln tendrá la admiración del pueblo americano ____ .
6. ¿ ____ necesitas ir a la reunión del sindicato?
7. Los niños de ____ no creen en los Reyes Magos.
8. ____ terminé este informe. ¡Yo creí que no lo haría nunca!
9. ¡Me encanta Madrid! Yo me quedaría allí ____ .
10. No tienes que hacerlo ____ , pero ____ tienes que hacer una parte.
11. Necesitamos telas de diferentes colores; ____ verde, azul, etc.
12. Se puso furioso porque le dijeron un piropo a Ana. ¡No era ____ !

## ¿CUÁNTO SABE USTED AHORA?

**a.** Vuelva a escribir los siguientes párrafos, cambiando las palabras en letra cursiva al plural:

*Yo me levanto* todos los días a las seis, pero *tú* no *te levantas* hasta las ocho. Después de *afeitarme* y *bañarme, me visto.* Todo lo *hago* en veinte minutos, pero *tú* siempre *necesitas* como dos horas, y nunca *estás listo* a tiempo, y por eso *nuestro padre* siempre *se queja*. ¿Por qué no *te acuestas* más temprano para poder *despertarte* antes?

*Nuestro padre* siempre *está* de mal humor porque *tú* nunca *te acuerdas* de limpiar *tu* cuarto ni de hacer *tu cama* ni aún de *quitarte* los zapatos antes de *acostarte*. *Dice* que no *te pareces* a él en nada, y *yo estoy* de acuerdo con *él*.

**b.** Conteste lo siguiente, usando el imperativo (**Ud.** o **Uds.**)

MODELO:  —¿Con quién tengo que hablar?   (con el doctor Soto)
—Hable con el doctor Soto.

1. ¿A qué hora tenemos que venir mañana?   (a las siete)
2. ¿A quién tenemos que entregarle los documentos?   (a la señorita Ortega)
3. ¿A dónde tengo que ir yo después?   (a la biblioteca)
4. ¿Qué tengo que hacer allí?   (buscar datos sobre la I.B.M.)
5. ¿Qué tengo que hacer con los datos?   (traérmelos a mí)
6. ¿A quién tengo que darle toda la información?   (a la profesora Vega)
7. ¿Tenemos que quedarnos aquí?   (no)
8. ¿A qué hora tenemos que volver al apartamento?   (a las doce)
9. ¿A quién tenemos que pedirle la llave?   (al gerente)
10. ¿Cuándo tengo que devolvérsela?   (el domingo)
11. ¿No tengo que traérsela a Ud.?   (no)
12. ¿A qué hora tengo que llamarla el viernes?   (a la una y media)

**c.** Necesitamos su ayuda. ¿Qué me (nos) aconseja hacer en los siguientes casos? Use las formas del imperativo **Ud.** o **Uds.** siguiendo el modelo.

MODELO:  Tenemos dolor de cabeza.
Tomen aspirinas.

1. Queremos servir algo rico de postre.
2. Necesitamos un poco de azúcar.
3. Mi hijo quiere un pedazo de torta y no hay torta.
4. Me duelen los pies.
5. A mi esposo le gusta la comida bien picante.
6. Hoy me toca pagar a mí y no tengo dinero.
7. Manuel nos invitó al cine y nosotros no queremos salir con él.
8. Estoy muy gordo.
9. Tenemos mucho sueño.
10. Tengo muchísimo frío.

**d.** Lea Ud. la siguiente historia, llenando los espacios en blanco con las preposiciones **por** o **para,** según corresponda:

Helen y John planean irse de vacaciones. _____ fin, después de mucho pensarlo, deciden ir de viaje _____ Europa. Piensan estar allí _____ tres meses y van a viajar _____ avión y _____ tren. Van a salir _____ España el día 10 de junio y piensan estar de vuelta _____ mediados de agosto. _____ suerte este año John va a tener dos meses de vacaciones.

El viaje va a costarles mucho dinero. Van a pagar _____ él casi tres mil dólares, y _____ desgracia eso no incluye más que los pasajes y el hotel. John piensa que en España van a tomar a Helen _____ española porque ella habla muy bien el español, pero ella no lo cree. John no habla español y _____ eso Helen se preocupa un poco _____ él.

_____ cierto que Helen se olvidó _____ completo de que _____ estar en Europa tanto tiempo, va a necesitar dejar a alguien en su tienda. Cuando van a comprar los billetes, se da cuenta del problema y dice que va a tener que cancelar el viaje. John no está de acuerdo con ella y le dice que no es _____ tanto porque su hermana puede trabajar en la tienda _____ ella.

**e.** Palabras y más palabras

Diga lo siguiente de otra manera, usando el vocabulario de esta lección:

1. fruto del olivo
2. trozo
3. junta
4. ni grande ni pequeño
5. vegetales
6. hombre
7. con mucha pimienta
8. en el momento en que llega
9. a veces
10. poner adentro
11. reunirse
12. ser el turno de uno

**f.** Vamos a conversar

1. ¿Qué haces tú desde el momento en que te levantas hasta el momento de salir de tu casa?
2. ¿Puede Ud. bañarse, vestirse y peinarse en diez minutos?
3. ¿Qué hace Ud. al llegar a casa?
4. ¿Tiene Ud. alguna reunión esta semana?
5. Si Ud. tiene una cita, ¿es puntual?
6. ¿Va a encontrarse Ud. con sus amigos para cenar?
7. ¿Es Ud. de estatura mediana?
8. ¿Es cálido o frío el clima del lugar donde Ud. vive?
9. ¿Qué tipo de comida te gusta más?
10. Si hoy vamos todos a un restaurante y le toca pagar a Ud., ¿tiene suficiente dinero?
11. ¿Qué cosas tiene Ud. en el bolsillo? (en la bolsa)
12. ¿Quieres un poco de carne? ¡Está riquísima!

13. ¿Puede describir Ud. a su mejor amigo(a)?
14. ¿Qué fecha es hoy?
15. ¿A quién considera Ud. un tipo con suerte? ¿Por qué?

**g.** Ahora el profesor (la profesora) va a dividir la clase en grupos de dos para conversar. Háganse las siguientes preguntas uno al otro, usando la forma **tú.** Lo que quieren saber es:

1. ...si le gusta el biftec bien picante.
2. ...si come vegetales cada día.
3. ...si prefiere papas fritas o ensalada con el biftec.
4. ...qué prefiere de postre.
5. ...qué marca de café le gusta más.
6. ...si piensa estudiar español otra vez.
7. ...si habla español mejor que los otros estudiantes.
8. ...cuánto tiempo piensa quedarse en la universidad.
9. ...si piensa ir a alguna parte después de la clase. (¿a dónde?)
10. ...a dónde va directamente cuando llega a su casa.
11. ...si piensa ir de excursión este fin de semana. (¿a dónde?)
12. ...quién es el más listo de su familia.
13. ...de todos sus amigos quién es el que menos dinero tiene.
14. ...si él (ella) es más alto(a) que Ud.
15. ...si está de buen humor hoy. ¿Por qué? o ¿por qué no?

20 de abril de 19 . .

Queridos amigos:

¡Estoy enamorada!° El objeto de mis amores es Sevilla, la más hermosa de las ciudades andaluzas. Por todas partes vemos aquí la influencia árabe, sobre todo en La Giralda y la Torre del Oro. Una de las plazas más interesantes es la Plaza de España, donde está representada la historia española en grandes mosaicos pintados a mano.

Estoy pasando unos días con una familia muy simpática. Una cosa que me llamó la atención es que los hijos solteros generalmente viven con sus padres hasta que se casan. Ésa es una costumbre generalizada en el mundo hispánico.

Hoy probé el famoso gazpacho, que es una sopa fría hecha de legumbres. ¡Riquísima! ¡Ah, me estoy acostumbrando a tomar la merienda, pues como aquí no se cena hasta las nueve, es necesario comer algo por la tarde.

Casi todos los días me reúno en algún café con unos amigos. Aunque el ritmo de vida y las costumbres están cambiando, sobre todo en los grandes centros urbanos, todavía se acostumbra reunirse con los amigos en un café para tomar unas copas° y discutir de política, artes y diversiones. Los jóvenes en general forman parte de un grupo de amigos y amigas que van juntos a todas partes.

Bueno, los dejo. Prometo escribirles pronto.

Un abrazo,

*I'm in love*

*to have a few drinks*

Después de leer la carta, díganos:

1. ¿Cómo sabemos que a Carol le gusta mucho Sevilla?
2. ¿Qué influencia hay en Sevilla?
3. ¿Por qué es interesante la Plaza de España?
4. ¿Qué le llamó la atención a Carol?
5. ¿Qué es el gazpacho?
6. ¿Por qué se está acostumbrando Carol a tomar la merienda?
7. ¿Dónde se reúnen Carol y sus amigos casi todos los días?
8. ¿Qué hacen allí?
9. ¿Qué hacen los muchachos y las chicas en los cafés?
10. ¿Qué promete Carol?

# 6

# Supersticiones, costumbres y tradiciones

Ana, una chica puertorriqueña, acaba de romper un espejo; Karen, su compañera de cuarto, le dice que va a tener siete años de mala suerte.

ANA —(sorprendida) ¿Uds. los norteamericanos también creen en eso?

KAREN —Bueno, no te lo he dicho en serio. Todos repetimos supersticiones que hemos oído, pero no creemos en ellas. Claro que, por si acaso, yo siempre he evitado pasar cerca de un gato negro o por debajo de una escalera.

ANA —Yo siempre había pensado que solamente eran supersticiosos los pueblos atrasados, pero veo que no es así.

KAREN —¿Qué te ha hecho cambiar de idea?

ANA —Ver que aquí también la gente cree que una pata de conejo, un trébol de cuatro hojas o una herradura traen buena suerte.

KAREN —¿Uds. tienen supersticiones distintas en la cultura hispánica?

ANA —Hay algunas diferencias. Por ejemplo, para nosotros el día de mala suerte es el martes 13 y no el viernes 13. También existen supersticiones de origen indio. En el campo muchas personas creen que si una mujer embarazada mira la luna, el bebé va a nacer con una mancha en la cara.

KAREN —¡Oye! Me has dado una idea para el informe que tengo que escribir para mi clase de inglés. Voy a hacerlo sobre supersticiones, costumbres y tradiciones hispánicas.

ANA    —¡Hay tantas! Algunas están relacionadas con la religión católica y otras vienen de las culturas indias o africanas.

KAREN    —Yo he visto las procesiones de Semana Santa en México y en España. ¡Son interesantísimas!

ANA    —Otras celebraciones de origen religioso son las romerías, las ferias y las fiestas del santo patrón del pueblo.

KAREN    —El año pasado vi la feria de San Fermín en Pamplona. Yo nunca había creído que soltaban a los toros en las calles hasta que lo vi.

ANA    —Puedes escribir algunas cosas interesantes sobre nuestra Navidad. Por ejemplo, que el 24 de diciembre celebramos la Nochebuena y a la medianoche vamos a la Misa del Gallo. Son tradicionales de esta época las *posadas* de México y los *pesebres* de Paraguay.

KAREN    —¿Los niños creen en Santa Claus?

ANA    —No, creen en los Tres Reyes Magos, que les traen regalos la noche del cinco de enero. ¡Ah! Y en las Antillas, el 31 de diciembre a la medianoche tiran agua a la calle para *alejar los malos espíritus*. Esta superstición es de origen africano; y hablando de supersticiones, ¿ya has leído tu horóscopo?

KAREN    —¡Ana!, tú me habías dicho que no eras supersticiosa.

Ana y Karen se ponen a leer el horóscopo del día.

## Charlemos

1. ¿Qué le dice Karen a Ana? ¿Por qué?
2. ¿Cómo sabemos que Karen es un poco supersticiosa?
3. ¿Qué había pensado siempre Ana en relación con las supersticiones?
4. ¿Qué le ha hecho cambiar de idea?
5. En el país de Ana, ¿cuál es el día de mala suerte?
6. ¿De qué superstición de origen indio habla Ana?
7. ¿Sobre qué va a escribir Karen su informe?
8. ¿Qué celebraciones de origen religioso menciona Ana?
9. ¿Qué vio Karen en Pamplona?
10. ¿Qué tradiciones hispánicas relacionadas con la Navidad menciona Ana?
11. Los niños norteamericanos creen en Santa Claus. ¿En quiénes creen los niños hispanos?
12. ¿Qué hacen en las Antillas la noche del 31 de diciembre y qué origen tiene esta costumbre?

# SU HORÓSCOPO PARA HOY

### ARIES

**Marzo 21 - a - Abril 19**

No va a encontrar soluciones fáciles para sus problemas.

### TAURO

**Abril 20 - a - Mayo 20**

Va a recibir mucho dinero.

### GEMINIS

**Mayo 21 - a - Junio 21**

Va a conocer a alguien muy interesante.

### CÁNCER

**Junio 22 - a - Julio 22**

No debe gastar mucho dinero hoy.

### LEO

**Julio 23 - a - Agosto 22**

Sus problemas económicos van a desaparecer.

### VIRGO

**Agosto 23 - a - Septiembre 21**

Buenas posibilidades en el amor.

### LIBRA

**Septiembre 22 - a - Octubre 22**

No debe darse por vencido.

### ESCORPIÓN

**Octubre 23 - a - Noviembre 21**

Antes de tomar una decisión debe pensarlo muy bien.

### SAGITARIO

**Noviembre 22 - a - Diciembre 21**

Va a recibir buenas noticias.

### CAPRICORNIO

**Diciembre 22 - a - Enero 19**

Hoy no es buen día para hacer un viaje.

### ACUARIO

**Enero 20 - a - Febrero 19**

A fines de esta semana va a recibir una sorpresa.

### PISCIS

**Febrero 20 - a - Marzo 20**

Debe escribirles a sus amigos.

# VOCABULARIO

NOMBRES

el **campo**   country
el (la) **compañero(a) de cuarto**
    roommate
el **conejo**   rabbit
la **escalera (de mano)**   ladder
el **espejo**   mirror
la **feria**   fair
el **gato**   cat
la **herradura**   horseshoe
la **hoja**   leaf
el **informe**   report
la **luna**   moon
la **mancha**   birthmark, stain
la **misa**   mass
la **Misa del Gallo**   Midnight Mass
la **Nochebuena**   Christmas Eve
la **pata**   paw
el **pesebre, nacimiento**   manger

los **Reyes Magos**   the Three Wise Men
el (la) **santo(a)**   saint
el **toro**   bull
el **trébol**   clover

VERBOS

**alejar**   to remove, to separate
**celebrar**   to celebrate
**evitar**   to avoid
**nacer**   to be born

ADJETIVOS

**atrasado(a)**   backward, behind the
    times
**embarazada**   pregnant
**puertorriqueño(a)**   Puerto Rican
**santo(a)**   holy
**sorprendido(a)**   surprised

---

## Expresiones idiomáticas

**a fines de**   *at the end of*
**cambiar de idea**   *to change one's mind*

**darse por vencido**   *to give up*

**pasar por debajo**   *to go (pass) under*
**ponerse a** + **infinitivo**   *to start +*
    *infinitive*
**por si acaso**   *just in case*

---

## PALABRAS PROBLEMÁTICAS

**a. Pasado(a), último(a)** como equivalentes de *last*

1. **Pasado(a)** equivale a *last* cuando se usa con una unidad de tiempo:

   No viniste con nosotros la semana **pasada.**
   Fuimos de excursión a fines del mes **pasado.**

2. **Último(a)** significa *last (in a series)*:

   Éste es el **último** informe que debo escribir.
   Diciembre es el **último** mes del año.

**b. Sobre, de, acerca de, a eso de, unos** como equivalentes de *about*

1. **Sobre, de** y **acerca de** son equivalentes de *about* cuando nos referimos a un tema específico:

   Debo escribir un informe **sobre** las tradiciones hispánicas.
   Las chicas hablan **de** supersticiones y costumbres.
   Están hablando **acerca de** las procesiones de Semana Santa.

2. **A eso de** es equivalente de *about* cuando nos referimos a una hora del día:

   La misa empieza **a eso de** las diez de la mañana.

3. **Unos** es el equivalente de *about* cuando se usa con números. No se usa para hablar de la hora:

   Tiene **unos** treinta años.

### Práctica

Complete las siguientes oraciones usando las "palabras problemáticas" correspondientes:

1. Gasté ____ treinta dólares en comida la semana ____ .
2. El programa fue ____ de las supersticiones de origen indio.
3. Por si acaso venga a ____ de las cinco.
4. ¿Quién fue el ____ que llegó a la fiesta?
5. Hablaron ____ las tradiciones hispanas.

## ESTRUCTURAS GRAMATICALES

## 1. Posición de los adjetivos

### PRIMER PASO

*Adjetivos que van detrás y adjetivos que van delante del sustantivo*

In Spanish most adjectives may be placed before or after the noun. However, certain adjectives have a specific position.

A. Adjectives placed after the noun

Descriptive adjectives set the noun off from others of its kind and are placed *after* the noun. Adjectives of color, shape, nationality, religion, adjectives referring to ideologies and sciences, and past participles used as adjectives are included in this group:

| | |
|---|---|
| —¿Quieres **vino francés?** | *Do you want French wine?* |
| —No, prefiero los **vinos españoles.** | *No, I prefer Spanish wines.* |
| —¿Cuáles son los libros sobre **sociedades primitivas?** | *Which ones are the books on primitive societies?* |
| —Esos dos **libros rojos** y este **libro azul.** Son **tres libros muy interesantes.** | *These two red books and this blue book. They are three very interesting books.* |

ATENCIÓN:   Adjectives modified by adverbs are also placed after the noun.

libros **muy interesantes**

B.  Adjectives placed before the noun

1.  Adjectives indicating a quality or a fact that is generally known about the noun they modify are placed before the noun:

| | |
|---|---|
| —¿Qué ciudad van a visitar? | *Which city are you going to visit?* |
| —La **antigua ciudad** del Cuzco. | *The old city of Cuzco.* |

2.  Possessive (short forms), demonstrative, and indefinite adjectives and ordinal[1] and cardinal numbers are also placed before the noun:

| | |
|---|---|
| —¿Quiénes van a la feria? | *Who is going to the fair?* |
| —**Mis dos hermanos** y **algunos amigos.** | *My two brothers and some friends.* |

3.  Adjectives that are normally placed after the noun may precede it to give the noun a more emphatic or poetic meaning:

| | |
|---|---|
| —Leí un **hermoso poema** sobre la Nochebuena. | *I read a beautiful poem about Christmas Eve.* |
| —¿Por qué no me lo prestas para leerlo? | *Why don't you lend it to me so I can read it?* |

When two or more adjectives modify the same noun in a sentence, they are placed after the noun. The last two are joined by the conjunction **y**:

Es una mujer **hermosa y elegante.**
Era una casa **blanca, grande y bonita.**

---

[1]Except with personal titles (**Enrique octavo**) and with chapter titles (**Lección primera**)

## Práctica

Lo (la) necesitamos como intérprete. Traduzca lo siguiente:

1. "I always avoid going near a black cat or (going) under a ladder."
   "You are a very superstitious person."
2. "Who was your roommate when you were in college?"
   "Ana Torres, a Puerto Rican girl."
3. "Where did you go last summer?"
   "We visited the old city of Athens (**Atenas**)."
4. "Did you go to the fair, Ana?"
   "Yes, and I took my two North American friends with me."
5. "She is a very beautiful girl, isn't she?"
   "Yes, I love her beautiful eyes..." (*be poetic*)

CONTINUEMOS...

### *Adjetivos que cambian de significado según la posición*

Certain adjectives differ in meaning according to whether they are placed before or after the noun. Some common ones are:

| | | |
|---|---|---|
| **nuevo** | un coche **nuevo** | (*new, unused*) |
| | una **nueva** secretaria | (*new, different*) |
| **grande** | un hombre **grande** | (*big*) |
| | un **gran** hombre | (*great*) |
| **pobre** | el señor **pobre** | (*poor, not rich*) |
| | el **pobre** señor | (*poor, unfortunate*) |
| **único** | una mujer **única** | (*unique*) |
| | la **única** mujer | (*only*) |
| **viejo** | un amigo **viejo** | (*old, elderly*) |
| | un **viejo** amigo | (*long-lasting*) |
| **mismo** | la mujer **misma** | (*herself*) |
| | la **misma** mujer | (*the same*) |

## Práctica

Complete las oraciones usando los adjetivos de la siguiente lista (Algunos se usan dos veces). Coloque los adjetivos *antes* o *después* del nombre, según corresponda:

| | | |
|---|---|---|
| republicano | algunos | abierto |
| pobre | francés | muy interesante |
| único (*dos veces*) | antiguo | mismo (*dos veces*) |
| rojo | ningún | famoso |
| grande (*dos veces*) | nuevo (*dos veces*) | |

1. George Washington fue un _____ presidente _____ .
2. Carlos y María van a tomar la _____ clase _____ . _____ Carlos _____ me lo dijo.

3. Atenas, la ____ ciudad ____ griega, es una ____ ciudad ____ .
4. Necesito los ____ lápices ____ .
5. La organización de ____ mujeres ____ no está de acuerdo con el presidente.
6. Hablé con ____ agentes ____ de policía sobre el accidente.
7. Ella va a comprar un ____ perfume ____ .
8. La ____ ventana ____ es la de mi cuarto.
9. Es una ____ mujer ____ ; es gorda y muy alta.
10. No tiene ____ limitación ____ en su trabajo.
11. El ____ actor ____ norteamericano Robert Redford va a estar presente en la fiesta.
12. Solamente Marta enseña español. Es la ____ profesora ____ de español.
13. No tiene dinero; es un ____ hombre ____ .
14. La ____ secretaria ____ compró un ____ coche ____ .
15. No hay nadie como ella. ¡Es una ____ mujer ____ !

## 2. El participio pasado

### PRIMER PASO

*Formas*

A. The past participle is formed by adding the following endings to the stem of the verb:

PAST PARTICIPLE ENDINGS

| -ar verbs | -er verbs | -ir verbs |
| --- | --- | --- |
| alej -**ado** | nac -**ido** | recib -**ido** |

1. Verbs ending in -**er** have a written accent mark over the **i** of the -**ido** ending when the stem ends in -**a,** -**e** or -**o:**

| caer | ca-**ído** |
| --- | --- |
| traer | tra-**ído** |
| creer | cre-**ído** |
| leer | le-**ído** |

2. The past participle of verbs ending in -**uir** does not have a written accent mark:

| construir | constru-**ido** |
| --- | --- |
| contribuir | contribu-**ido** |

The past participle of the verb **ir** is **ido.**

B. The following verbs have irregular past participles:

abrir **abierto**          hacer **hecho**
cubrir **cubierto**        morir **muerto**
decir **dicho**            poner **puesto**
describir **descrito**     resolver **resuelto**
descubrir **descubierto**  romper **roto**
devolver **devuelto**      ver **visto**
envolver **envuelto**      volver **vuelto**
escribir **escrito**

## Práctica

Dé el participio pasado de los siguientes verbos:

1. apreciar       6. devolver      11. leer        16. poner
2. suponer        7. comentar      12. romper      17. huir
3. sustituir      8. parecer       13. hacer       18. decir
4. envolver       9. celebrar      14. evitar      19. caer
5. contribuir    10. morir         15. cubrir      20. escribir

CONTINUEMOS...

### El participio pasado usado como adjetivo

A. In Spanish, most past participles may be used as adjectives. As such, they must agree in gender and number with the nouns they modify:

—¿Qué compraste cuando fuiste a           *What did you buy when you*
   España?                                 *went to Spain?*
—Compré unas figuras **talladas** en       *I bought some figures carved in*
   madera, **hechas** en Toledo.            *wood, made in Toledo.*

B. A few verbs have two forms for the past participle. The regular form is used with the compound tenses,[1] and the irregular form is used as an adjective. The most common ones are:

| Infinitive | Regular form | Irregular form |
|---|---|---|
| confundir | confundido | confuso |
| corregir | corregido | correcto |
| despertar | despertado | despierto |
| elegir | elegido | electo |
| prender (*to arrest*) | prendido | preso |
| soltar | soltado | suelto |
| sustituir | sustituido | sustituto |

[1]See 3, p. 149 in this lesson.

### Práctica

Complete las siguientes oraciones, usando los participios pasados de los verbos que aparecen en la lista:

| | | | | |
|---|---|---|---|---|
| sustituir | elegir | romper | despertar | encender |
| confundir | escribir | prender | resolver | soltar |

1. El espejo de la sala está _____ .
2. Arrestaron al ladrón. Hace una semana que está _____ .
3. El presidente _____ dijo que iba a resolver los problemas económicos, pero hasta ahora los problemas no están _____ .
4. Todas las luces de la casa están _____ .
5. Nuestro profesor está enfermo y hoy tuvimos un profesor _____ .
6. Su informe ya está _____ , pero yo no lo entiendo porque está muy _____ .
7. Ellos durmieron muy poco. Están _____ desde las tres de la mañana.
8. Los toros estaban _____ y corrían por las calles.

## 3. El pretérito perfecto y el pluscuamperfecto

PRIMER PASO

### El pretérito perfecto

The present perfect tense is formed by using the present tense of the auxiliary verb **haber** with the past participle of the main verb.

PRESENT PERFECT TENSE

| Haber (present) | Past Participle | |
| --- | --- | --- |
| he | hablado | I have spoken |
| has | comido | you have eaten |
| ha | vuelto | he, she (has), you have returned |
| hemos | dicho | we have said |
| habéis | roto | you have broken |
| han | hecho | they, you have done, made |

—**Hemos comprado** una herradura y una pata de conejo para tener suerte.     *We have bought a horseshoe and a rabbit's foot to have luck.*

—Nunca **he conocido** personas tan supersticiosas como Uds.     *I have never known such superstitious people (as you).*

—¿Qué le **han comprado** a Bárbara para su cumpleaños?     *What have you bought Barbara for her birthday?*

—Le **hemos comprado** un anillo de oro.     *We have bought her a gold ring.*

ATENCIÓN: In Spanish, the auxiliary verb **haber** is never separated from the past participle in compound tenses as it is in English:

     Yo nunca **he visto** eso.      *I have* never *seen* that.

### Práctica

**a.** Complete los siguientes diálogos, usando el pretérito perfecto de los verbos dados:

1. terminar     —¿Ya ＿＿ Uds. el trabajo?
   hacer       —No, todavía no lo ＿＿ .
2. venir       —¿Ya ＿＿ los chicos?
   volver      —Sí, ya ＿＿ .
3. decir       —¿Qué le ＿＿ tú?
              —No le ＿＿ nada.

4. escribir    —Jorge te ___ una carta.
    leer        —Sí, pero yo todavía no la ___ .
5. ir          —¿Ya ___ ellos a México?
    traer      —Sí, y ___ unos collares muy bonitos.
6. poner     —¿Dónde ___ (tú) mi pata de conejo?
    ver        —¡Yo no la ___ !

**b.** Ud. ha estado ausente de su casa por mucho tiempo y quiere saber qué ha pasado durante su ausencia. Haga preguntas usando el pretérito perfecto y los elementos dados. Siga el modelo.

MODELO:    regalarte / collar de semillas / quién
             *¿Quién te ha regalado el collar de semillas?*

1. abrir / nuevo club nocturno / dónde
2. hacer / tú / durante / Semana Santa / qué
3. traerles / los Reyes Magos / qué
4. romper / el espejo / quién
5. escribir / él / el informe / acerca de qué
6. pagar / Uds. / por el coche nuevo / cuánto
7. pintar / mi cuarto / quién
8. poner / tú / todos mis libros / dónde
9. ir / ella / a la feria / con quién
10. devolver / mis cartas / César / por qué

CONTINUEMOS...

## El pluscuamperfecto

The past perfect or pluperfect tense is formed by using the imperfect tense of the auxiliary verb **haber** with the past participle of the main verb.

THE PAST PERFECT TENSE

| Haber (imperfect) | Past Participle | |
|---|---|---|
| había | hablado | I had spoken |
| habías | comido | you had eaten |
| había | vuelto | he, she, you had returned |
| habíamos | dicho | we had said |
| habíais | roto | you had broken |
| habían | hecho | they, you had done, made |

—¿Lavaste la camisa?       *Did you wash the shirt?*
—Sí, pero Berta ya **había quitado**    *Yes, but Bertha had already*
   la mancha.                    *removed the stain.*

—No sabía que **habían elegido**
  presidenta a María Estévez.
—Sí, ella es la presidenta electa.

*I didn't know they had chosen*
  *María Estévez president.*
*Yes, she is the president elect.*

## Práctica

**a.** Combine los siguientes pares de oraciones, usando el pluscuamperfecto para indicar que la acción de la primera oración es anterior a la de la segunda. Siga el modelo.

MODELO:   Roberto puso la mesa. / Yo llegué a casa.
             Cuando yo *llegué* a casa, Roberto ya *había puesto* la mesa.

1. Tú rompiste el florero. / Nosotros movimos los muebles.
2. Nosotros servimos la cena. / Tú llegaste a casa.
3. El bebé nació. / El médico llegó.
4. Todos murieron. / Llegaron los paramédicos.
5. Yo terminé el trabajo. / Tú viniste.
6. Nosotros preparamos el desayuno. / Uds. se levantaron.

**b.** Conteste mis preguntas, por favor.

1. Cuando Ud. llegó a casa anoche, ¿ya alguien había preparado la cena?
2. A las cinco de la mañana, ¿ya se había levantado Ud.?
3. Cuando sus padres se levantaron, ¿ya había hecho Ud. el desayuno?
4. Antes de venir a esta universidad, ¿había asistido Ud. a otra?
5. ¿Habías estudiado tú algún otro idioma antes de empezar a estudiar español?
6. ¿Habían tomado Uds. otra clase de español antes de tomar ésta?
7. Cuando empezaron las clases, ¿ya habías comprado todos los libros que necesitabas?
8. El año pasado para esta fecha, ¿ya habían terminado Uds. sus exámenes?
9. Cuando Ud. llegó a clase, ¿ya había llegado yo?
10. Para el quince de septiembre, ¿ya habían vuelto Uds. de sus vacaciones?

Los restaurantes al aire libre son muy populares en España.

## 4. El infinitivo

PRIMER PASO

*Algunos usos del infinitivo*

In Spanish, the infinitive may be used:

A. As a noun. As such, it may be the:

    1. Subject of the sentence:

        —Fue un viaje horrible. Volví       *It was a horrible trip. I came*
           cansadísima.                  *back exhausted.*
        —¡Y dicen que **viajar** calma los    *And they say traveling calms*
           nervios!                     *the nerves!*

    2. Object of a verb, when the infinitive is dependent on another verb:

        —¿A dónde **quieren ir?**        *Where do you want to go?*
        —**Queremos ir** a la Misa del Gallo.  *We want to go to Midnight Mass.*

3. Object of a preposition (In Spanish, the infinitive, not the gerund, is used after a preposition):

| | |
|---|---|
| —¿Qué hiciste **antes de salir** de casa? | *What did you do before leaving home?* |
| —Preparé el desayuno. | *I fixed breakfast.* |

B. As the object of the verbs **oír, ver** and **escuchar:**

| | |
|---|---|
| —¿A qué hora llegaste anoche? No te **oí llegar.** | *What time did you arrive last night? I didn't hear you come in.* |
| —A eso de las doce. | *Around twelve.* |

C. As a substitute for the imperative, to give instructions or directions:

| | |
|---|---|
| NO FUMAR | *No smoking.* |
| SALIR POR LA DERECHA | *Exit on the right.* |

D. After the preposition **sin**, to indicate that an action has not been completed, or that it hasn't taken place yet.[1] It is equivalent to the use of the past participle and the prefix *un* in English:

| | |
|---|---|
| —¿Vas a servir vino con la cena? | *Are you going to serve wine with dinner?* |
| —Sí, tengo una botella **sin abrir.** | *Yes, I have an unopened bottle.* |

## Práctica

Vuelva a escribir las siguientes frases, cambiando las palabras en cursiva por una construcción con el infinitivo:

1. No *use* el ascensor en caso de incendio.
2. Tengo varios poemas *que no he publicado.*
3. Los oímos *que hablaban* en inglés.
4. *Entren* por la izquierda.
5. *El trabajo* es necesario.
6. Los vi *cuando salían.*
7. Me gusta escucharla *cuando ella canta.*
8. Todavía tengo dos regalos *que no he abierto.*
9. *Agregue* una taza de agua.
10. No *fumen* aquí.
11. Oímos *que sonaba* el teléfono.
12. *El estudio* es importante para mí.

---

[1]One exception is the verb **parar. Sin parar** means *without stopping:* Ana habla **sin parar**, Ana talks *without stopping.*

▰▰▰▰▰▰▰ / CONTINUEMOS...

*Frases verbales con el infinitivo*

A. **Acabar** + **de** + *infinitive*

**Acabar** (conjugated in the present tense) + **de** + *infinitive* is used in Spanish to express that something *has just happened* at the moment of speaking:

| **Nosotros** | **acabamos de** | **comer.** |
|---|---|---|
| *We* | *have just* | *eaten.* |

| —¿Dónde están los niños? | *Where are the children?* |
|---|---|
| —**Acaban de llegar** de la escuela. | *They have just arrived from school.* |

| —¿Quieres una taza de café? | *Do you want a cup of coffee?* |
|---|---|
| —No, gracias. **Acabo de tomar** té. | *No, thanks. I've just had (drunk) tea.* |

ATENCIÓN: When **acabar** is conjugated in the imperfect tense, the expression means that something *had just happened:*

Yo **acababa de llegar** cuando tú me llamaste.
I *had just arrived* when you called me.

B. **Volver** + **a** + *infinitive*

**Volver** + **a** + *infinitive* is used in Spanish to indicate the repetition of an action. In English, it means *to do something over* or *again:*

| —No lavaste bien el coche. Tu padre se va a poner furioso. | *You didn't wash the car well. Your father is going to be furious.* |
|---|---|
| —Bueno...puedo **volver a lavarlo.** | *Well . . . I can wash it again.* |

| —Carmela y Jorge **volvieron a salir** juntos ayer. | *Carmela and George went out together again yesterday.* |
|---|---|
| —Sí, ya lo sé. | *Yes, I know.* |

C. **Ponerse** + **a** + *infinitive*

**Ponerse** + **a** + *infinitive* is used in Spanish to indicate that an action is beginning to take place. In English, it means *to start* or *to begin to do something:*

| —Tengo que terminar este informe para mañana. | *I have to finish this report for tomorrow.* |
|---|---|
| —Entonces tienes que **ponerte a escribir** ahora mismo. | *In that case, you have to start writing right away.* |

—¿Qué hiciste anoche después que yo me fui?

*What did you do last night after I left?*

—**Me puse a estudiar.**

*I started studying.*

## Práctica

**a.** Lo (la) necesitamos como intérprete. Traduzca lo siguiente, usando las expresiones estudiadas:

1. "The teacher gave you an 'F' again?"
   "Yes, I'm going to start studying right now!"
2. "Did she do it over (again)?"
   "Yes, and she even had time to prepare dinner."
3. "What did she do when she came back?"
   "She started working right away."
4. "Last night, after you left, I started cleaning the house."
   "You cleaned the house again? It wasn't dirty!"
5. "I am very surprised. I have just seen Raquel and Luis together."
   "Does his wife know?"
   "Yes; I have just told her."

**b.** Complete lo siguiente, usando las frases verbales estudiadas:

1. _____ y por eso no tengo hambre.
2. Yo _____ comprar el coche cuando tuve el accidente.
3. Como no estaba bien hecho, tuve que _____ .
4. Si tienes que terminar el informe para mañana, ¿por qué no _____ ?
5. Ayer mis padres _____ que no debía salir con Carlos.

# ¿CUÁNTO SABE USTED AHORA?

**a.** Vuelva a escribir el siguiente anuncio para hacerlo más atractivo, modificando las palabras en cursiva con un adjetivo de la siguiente lista. Úselos en el género y número correspondiente. Recuerde las reglas sobre la posición de los adjetivos:

| | | | |
|---|---|---|---|
| americano | blanco | mucho | alto |
| numeroso | tranquilo | moderno | hermoso |
| francés | fantástico | rojo y amarillo | bello |

Si Ud. quiere tener unas *vacaciones*, debe visitar las islas del Mar del Sur. Allí va a encontrar *atracciones*: *playas* donde los *turistas* pasan los días al sol y *hoteles* cerca de la playa. Los hoteles están rodeados de *flores* y sirven *comida* de varios tipos. No hay *montañas* cubiertas de *nieve*, pero hay *lugares* para descansar.

**b.** Conteste las preguntas usando todos los adjetivos de la lista dos veces cada uno. Recuerde que estos adjetivos tienen diferentes significados según la posición.

MODELO:   ¿No tienes otros profesores excepto el doctor Ávila?
No, él es _____ .
No, él es mi *único* profesor.

mismo      grande      único      viejo      pobre      nuevo

1. Él es un hombre muy alto y gordo, ¿verdad?
   Sí, es un _____ .
2. ¿Uds. ya eran amigos cuando eran niños?
   Sí, somos _____ .
3. ¿No puedes hablar con la secretaria en vez de hablar con el director?
   No, necesito hablar con _____ .
4. ¿Dices que ese hombre gana solamente mil pesos al mes y tiene diez hijos?
   Sí, es un _____ .
5. No hay otra mujer como Sofía, ¿verdad?
   No, Sofía es una _____ .
6. ¿No quieres cambiar el libro?
   No, quiero usar el _____ .
7. ¿Dices que ese hombre tiene 98 años?
   Sí, es un _____ .
8. ¿Ese coche es usado (*used*)?
   No, es un _____ .
9. La niña no tiene padres.
   ¡_____ !
10. ¿No tienes otras sandalias?
    No, son mis _____ .
11. ¿Es la misma secretaria que tenía antes?
    No, es una _____ .
12. Es un actor magnífico, ¿verdad?
    Sí, es un _____ .

**c.** Complete el siguiente diálogo, usando su imaginación para suplir lo que falta:

RUBÉN:    —_____
DELIA     —No, los chicos no han vuelto todavía.
RUBÉN:    —_____
DELIA     —No sé adónde han ido, porque nunca me lo dicen.
RUBÉN:    —_____
DELIA     —Yo he estado trabajando todo el día. Hoy fue un día terrible en la oficina.
RUBÉN:    —_____
DELIA     —Tuvimos que enviar todas las cuentas de fin de mes.

RUBÉN: — _____

DELIA —No, no las habíamos enviado todavía.

RUBÉN: — _____

DELIA —Mañana tenemos que preparar los anuncios para los nuevos puestos.

RUBÉN: — _____

DELIA —Ya sé que está rota. La han roto los niños jugando a la pelota.

RUBÉN: — _____

DELIA —Sí, la cena ya está preparada. Si quieres, podemos comer ahora.

RUBÉN: — _____

DELIA —¡Es verdad! Todavía no han venido. ¡Por Dios, qué paciencia hay que tener con ellos!

**d.** Conteste las siguientes preguntas, usando **volver a, acabar de** o **ponerse a,** según corresponda:

1. ¿Por qué no quieres comer nada?
2. ¿Piensan Uds. tomar español otra vez?
3. Uds. tienen un examen mañana y todavía no han estudiado. ¿Qué tienen que hacer?
4. ¿Ya vinieron los estudiantes?
5. Yo había traducido las cartas y estaban mal traducidas. ¿Qué cree Ud. que hice yo?

# HOSTAL BAHIA

№ 9964

San Martín 54 - 1.° - Teléfono 41-44-41

**SAN SEBASTIAN**

Habitación n.° _205_

| 2 | | |

S͜D. FURIO

**A - S E R V I C I O S   O R D I N A R I O S**

| Mes de ____ 19 ____ | Día 24 | Día 30 | Día | Día | Día | Día | Día | T O T A L E S |
|---|---|---|---|---|---|---|---|---|
| | Pesetas | Pesetas | Pesetas | Pesetas | Pesetas | Pesetas | Pesetas | Pesetas |
| Habitación ...... Pens. alimenticia .. | 795 | 795 | | | | | | |
| Desayuno ........ | | | | | | | | |
| Almuerzo... ..... | | | | | | | | |
| Comida ......... | | | | | | | | |
| TOTAL DEL DIA .... | 795 | 795 | | | | | | |
| Suma anterior..... | | 795 | | | | | | |
| Abonos a cuenta... | | | | | | | | |
| Total serv. ordin.... | | 1590 | | | | | | 1590 |

**e.** Palabras y más palabras

Complete las siguientes oraciones usando el vocabulario de esta lección:

1. Mi _____ de cuarto se llama Roberto. Es _____ ; es de San Juan.
2. Está _____ . Va a tener un bebé en diciembre.
3. El 24 de diciembre es _____ . Muchas personas van a la _____ del Gallo esa noche.
4. Es muy supersticiosa. Siempre lleva una _____ de conejo y un trébol de cuatro _____ .
5. Yo _____ el 4 de octubre de 1960.
6. Yo siempre _____ pasar por _____ de una escalera.
7. Rompí el _____ . Voy a tener siete años de mala suerte.
8. El 4 de julio los norteamericanos _____ su independencia.
9. El cinco de enero los _____ Magos les traen regalos a los niños.
10. Morris y Felix son _____ muy famosos.
11. Yo iba a ir a la _____ de San Fermín, pero _____ de idea.
12. Tengo muchos problemas, pero no me voy a dar por _____ .

**f.** Vamos a conversar

1. Yo acabo de romper un espejo. Según mucha gente, ¿qué me va a pasar?
2. ¿En qué supersticiones cree Ud.?
3. Si un gato negro pasa por delante de Ud., ¿qué piensa Ud.?
4. ¿Teme Ud. pasar por debajo de una escalera? ¿Por qué?
5. ¿Cuál es el día de mala suerte en su país?
6. Según las personas supersticiosas, ¿qué cosas traen buena suerte?
7. ¿Cuáles son algunas tradiciones de su país?
8. ¿Existe en los Estados Unidos la costumbre de tener pesebres en las casas en Navidad?
9. ¿Qué costumbres y tradiciones hispanas relacionadas con la religión católica conoce Ud.?
10. ¿Hay procesiones en los Estados Unidos durante la Semana Santa?
11. ¿En qué fecha se celebra la Misa del Gallo?
12. ¿Qué se hace en los Estados Unidos para celebrar la Navidad?
13. Las supersticiones, ¿son exclusivas de países primitivos y atrasados?
14. Vamos a suponer que Ud. debe escribir un informe sobre costumbres y tradiciones hispanas. ¿De qué puede hablar?
15. ¿Lee Ud. su horóscopo? ¿Por qué?

**g.** Imagínese que Ud. se encuentra en las siguientes situaciones. ¿Qué diría Ud.?

1. Le ofrecen algo para comer. Ud. agradece la invitación, pero no acepta, dando una excusa.
2. En una reunión, la gente habla de supersticiones. Haga comentarios sobre las que Ud. conoce.

3. Ud. tiene que preparar varios carteles (*signs*) para una escuela. ¿Qué instrucciones escribiría?
4. Un estudiante latinoamericano va a pasar la Navidad en la casa de Ud. Háblele de lo que hacen los norteamericanos en esa época.
5. Ud. va a dar una charla para un grupo de estudiantes mexicanos. Hábleles de todas las fechas que celebran en los Estados Unidos.

**h.** Ahora el profesor (la profesora) va a dividir la clase en grupos de a dos. Ud. y un(a) compañero(a) van a conversar. Háganse las siguientes preguntas el uno al otro, usando la forma **tú:**

1. ...si ha viajado a algún país hispánico alguna vez.
2. ...si evita pasar por debajo de una escalera. (¿Por qué?)
3. ...si sabe lo que hacen en las Antillas para *alejar los malos espíritus.*
4. ...si ya había llegado a clase cuando vino el profesor.
5. ...si se pone a llorar cuando va a una boda.
6. ...si tiene que volver a tomar esta misma clase.
7. ...si se preocupa cuando tiene que viajar el viernes 13.
8. ...si tiene que escribir un informe.
9. ...cuál es su signo.
10. ...qué le dice su horóscopo para hoy (pág. 141).

10 de julio de 19. .

Queridos amigos:

¡Qué experiencias tan maravillosas° he tenido en Pamplona! He visto cosas realmente increíbles. Déjenme contarles algunas de ellas.

El 7 de julio comienzan a celebrar aquí la feria de San Fermín, que es el santo patrón de la ciudad. Estas celebraciones duran una semana y a ella vienen miles de turistas de todas partes del mundo.

El día siete por la mañana me despertó el ruido del tradicional cohete° con que comienzan las celebraciones. Salí al balcón y vi que por las calles corrían los toros que acababan de soltar. Delante de ellos vi correr a cientos de jóvenes que los guiaban hacia la plaza donde los toros son encerrados° para la corrida° de la tarde. Todos los años ocurren accidentes durante los encierros,[1] pero a pesar del peligro, los jóvenes siguen participando en ellos.

Me vestí y salí a la calle para ver la procesión en la que sacan de la iglesia la imagen de San Fermín y la pasean por la ciudad. Después me uní a la gente que cantaba y bailaba y aprendí una de sus canciones favoritas. Aquí les mando la letra:

> Uno de enero, dos de febrero,
> tres de marzo, cuatro de abril;
> cinco de mayo, seis de junio,
> siete de julio, San Fermín.

Por la tarde fui a la corrida, que es un espectáculo único, pero que a mí no me gustó. Luego, por la noche, volví a unirme a la gente que iba cantando por las calles.

En fin, que en estos días casi no he dormido, pero me he divertido muchísimo.

Pronto salgo para Venezuela, desde donde prometo volver a escribirles.

Cariños,

wonderful

sky-rocket

enclosed / bullfight

---

[1]The running of the bulls into the bullring.

Después de leer la carta, díganos:

1. ¿Cuándo empieza la feria de San Fermín y cuánto tiempo dura?
2. ¿Qué despertó a Carol?
3. ¿Qué vio la muchacha desde el balcón?
4. ¿Son peligrosos los encierros?
5. ¿Qué hace la gente con la imagen de San Fermín?
6. ¿Tomó parte Carol en las celebraciones? ¿Cómo?
7. ¿Qué opinión tiene Carol de la corrida de toros?
8. ¿Sabe Ud. la letra de la canción que aprendió Carol? Dígala.
9. ¿Cómo lo ha pasado Carol en Pamplona?
10. ¿Desde dónde va a volver a escribir Carol?

# Compruebe cuanto sabe (LECCIONES 4–6)

Tome este examen para ver cuánto material ha aprendido. Las respuestas correctas aparecen en el Apéndice E.

## LECCIÓN 4

**a.** *Verbos que sufren cambios en el pretérito*

Vuelva a escribir las siguientes oraciones, reemplazando los verbos en cursiva por los que aparecen entre paréntesis:

1. Ella *pintó* el cuadro. (elegir)
2. Yo *comencé* a interesarme en la pintura a los doce años. (empezar)
3. Yo *vine* a este pueblo en agosto. (llegar)
4. Yo *escuché* música autóctona en el concierto. (tocar)
5. Ernesto *escribió* un artículo sobre música folklórica. (leer)
6. Los niños *pintaron* todo el día. (dormir)
7. Le *di* trescientos dólares por el tocadiscos. (pagar)
8. ¡En serio! No lo *compré*. (negar)
9. *Trajeron* varios discos. (pedir)
10. ¿Me *habló* Ud.? (oír)

**b.** *El pretérito contrastado con el imperfecto*

Complete las siguientes oraciones con el equivalente español de los verbos que aparecen entre paréntesis. Use el pretérito o el imperfecto, según convenga:

1. Cuando yo ____ niña, ____ con una familia suramericana, y ellos siempre me ____ en español. (*was / lived / used to speak*)
2. El año pasado ellos ____ mucho en sus clases de dibujo. (*progressed*)
3. ____ frío y ____ mucho cuando el pintor ____ . (*It was / it was raining / arrived*)
4. Ellos me ____ que ____ difundir la música de nuestro país. (*told / should*)
5. En esa época a él le ____ comer, y ____ gordísimo. (*loved / was*)
6. ____ las ocho cuando él ____ a hablar de la obra de Dalí y ____ a las diez. (*It was / began / finished*)
7. Ayer yo ____ enfermo todo el día y por eso ____ el trabajo. (*was / didn't finish*)
8. Teresa ____ porque le ____ la cabeza. (*didn't come / hurt*)

**c.** *Cambios de significado con el pretérito y el imperfecto*

Complete el siguiente diálogo, usando el pretérito o el imperfecto de los verbos **querer, saber, conocer, poder** y **costar**, según corresponda:

*En una fiesta*

INÉS —¿Por qué no vino René?

GUSTAVO —No ＿＿ venir porque no se sentía bien.

INÉS —Yo tampoco ＿＿ venir, pero cuando ＿＿ que iba a tocar esta banda, me decidí.

GUSTAVO —Yo no ＿＿ que la banda estaba en la ciudad.

INÉS —Yo ＿＿ hoy al director. ¡Es simpatiquísimo!

GUSTAVO —¿Carlos Torres? Yo ya lo ＿＿ .

INÉS —Estoy muy contenta porque ＿＿ conseguir su autógrafo para mi hermanita.

GUSTAVO —Yo ＿＿ habértelo conseguido.

INÉS —Sí, pero el autógrafo me dio una excusa para hablar con él... ¡Oye! ¡Qué corbata tan bonita! ¿Cuánto te ＿＿ ?

GUSTAVO —Me ＿＿ veinte dólares. Había otras que ＿＿ menos, pero no eran tan bonitas.

**d.** *Verbos que requieren una construcción especial*

¿Cómo se dice lo siguiente en español?

1. I love this landscape!
2. That painter's work doesn't really interest us.
3. Do your feet hurt, dear?
4. The watercolor costs ten dollars, and I only have eight dollars left. I need (am lacking) two dollars.
5. It seems to me that they don't like the portrait.
6. He's poor but she says that she doesn't care.

**e.** *Pronombres personales en función de complemento directo e indirecto usados juntos*

Conteste las siguientes preguntas en forma negativa, sustituyendo las palabras en cursiva por los pronombres correspondientes:

1. ¿Puedes comprar*me esa cinta?*
2. ¿*Les* pediste *los discos a las chicas?*
3. ¿Tu papá *te* dio *el dinero que necesitabas?*
4. ¿Piensas comprar *ese cuadro al óleo para tus padres?*
5. ¿El profesor *les* va a dar *a Uds. las notas* mañana?

**f.** *Uso especial de los pronombres de complemento directo e indirecto*

¿Cómo se dice lo siguiente en español?

1. "Do you know who drew this picture?"
   "No . . . I don't know. I'm going to ask John."

2. "I don't have any money."
   "Why don't you ask your Dad (for it)?"
3. "I can't be here tomorrow."
   "Shall I tell the teacher?"
   "Yes, please."

## LECCIÓN 5

**a.** *Construcciones reflexivas: Usos y formas*

Conteste las siguientes preguntas, usando la información que aparece entre paréntesis:

1. ¿Qué haces tú por la mañana?   (bañarse y vestirse)
2. ¿Qué hicieron Uds. anoche?   (acostarse temprano)
3. ¿Qué hicieron tus padres el verano pasado?   (irse de vacaciones)
4. ¿Qué hacían tus compañeros cuando tenían exámenes?   (quejarse)
5. ¿Qué dicen de mí?   (parecerse a tu padre)
6. ¿Qué hacen tú y Luis todos los viernes?   (encontrarse en el café)
7. ¿Qué haces antes de comprar un par de zapatos?   (probárselos)
8. ¿Qué hacían tus hermanos cuando eran pequeños?   (pelearse todo el día)

**b.** *Comparativos de igualdad y desigualdad*

Complete las siguientes oraciones, con el equivalente español de las palabras que aparecen entre paréntesis:

1. Este flan no está ____ como el que hiciste ayer.   (*as tasty*)
2. Esta semana, yo tengo ____ como tú.   (*as many meetings*)
3. Esta marca de cerveza es ____ la que tú compraste.   (*better than*)
4. El biftec está ____ el caldo.   (*less spicy than*)
5. Él compró más aceitunas ____ necesitábamos.   (*than*)
6. Estela es ____ yo.   (*much older than*)
7. Ese tipo es ____ la clase.   (*the tallest in*)
8. Mi casa es ____ la tuya.   (*smaller than*)
9. Mi hermano gasta más dinero ____ tiene.   (*than*)
10. ¿Tú eres ____ yo?   (*younger than*)
11. Paco come ____ nosotros.   (*as much as*)
12. Ana es una mujer ____ .   (*extremely intelligent*)

**c.** *El imperativo: Ud y Uds.*

Conteste las siguientes preguntas, usando el imperativo. Utilice la información que aparece entre paréntesis y reemplace las palabras en cursiva por los complementos correspondientes:

1. ¿Dónde pongo *mi dinero?*   (en su bolsillo)
2. ¿Qué *le* damos de postre?   (un pedazo de pastel)
3. ¿Qué sirvo con el biftec?   (papas fritas)

4. ¿A quién *le* damos *la tortilla?*   (a Carlos)
5. ¿A dónde voy de excursión?   (a Toledo)
6. ¿Cuándo llamamos *a Estela?*   (al llegar a casa)
7. ¿Qué *les* traigo *a Uds.?*   (vegetales)
8. ¿Qué *me* pruebo?   (el sombrero azul)
9. ¿Qué *les* decimos a los chicos?   (que sí)
10. ¿A quién *le* compramos *los libros?*   (a Rita)

**d.** *Usos de las preposiciones por y para*

Complete las siguientes oraciones, usando **por** o **para** según corresponda:

1. Mañana salgo ____ México. Voy ____ avión y pienso estar allí ____ un mes. Tengo que estar de regreso ____ el diez de junio ____ empezar mi clase de historia.
2. ____ suerte tengo un poco de caldo ____ Jaime.
3. Después de la reunión del sindicato te voy a llamar ____ teléfono ____ decirte lo que decidimos.
4. ____ cierto que papá se puso furioso cuando le dije que el dinero era ____ Jorge. ¡No era ____ tanto!
5. Queríamos hacer el viaje ____ avión pero, ____ desgracia, suspendieron los vuelos ____ la niebla, así que tuvimos que pagar cien dólares ____ el alquiler de un coche ____ poder llegar a tiempo.
6. Mi hijo estudia ____ médico y ____ eso yo nunca tengo dinero.
7. ¿A qué hora pasas ____ mí? Quiero ir a pasear ____ el centro.
8. Necesito información. ____ ejemplo, ¿ ____ quién fue escrita esa novela?
9. Rubén es muy alto ____ su edad.
10. ____ esa fecha, debemos tener el trabajo terminado ____ completo.

# LECCIÓN 6

**a.** *Posición de los adjetivos*

Vuelva a escribir las siguientes oraciones. Sustituya las palabras en cursiva por los adjetivos correspondientes, teniendo en cuenta la posición de los mismos. Haga los cambios necesarios. Siga el modelo.

MODELO:   Es una muchacha *que nació en Francia.*
          Es una muchacha *francesa.*

1. Era un hombre *altísimo que pesaba 280 libras.*
2. Eran unas chicas *que apenas tenían dinero para comer.*
3. Es un vino *hecho en Italia.*
4. Fue en una ciudad *que, como todos saben, fue fundada en 1480.*
5. Es una mujer *como no hay otra.*
6. Compré un coche *de último modelo.*
7. Es un señor *que tiene 98 años.*
8. Tengo el profesor *que tuve el año pasado.*

9. Compré un vestido *del color del cielo.*
10. Fue un presidente *que hizo muchísimas cosas por su país.*
11. Quiero hablar con el director, *y no con ninguna otra persona.*
12. Es un amigo *a quien conozco desde que éramos niños.*

**b.** *El participio pasado usado como adjetivo*

Escriba los participios pasados de los verbos dados, usándolos como adjetivos para modificar los nombres con los cuales aparecen:

1. ventanas / romper
2. informe / confundir
3. tienda / abrir
4. problema / resolver
5. trabajos / hacer
6. anillo / devolver
7. presidente / elegir
8. perros / soltar
9. casas / construir
10. puerta / cerrar
11. gatos / morir
12. profesores / sorprender

**c.** *El presente perfecto y el pluscuamperfecto*

Complete las siguientes oraciones con el equivalente español de las formas verbales que aparecen entre paréntesis:

1. Ella ____ eso para evitar herir sus sentimientos.   (*had done*)
2. Mario ____ una pata de conejo y una herradura para tener suerte.   (*has bought*)
3. Nosotros ____ la Nochebuena con nuestros amigos puertorriqueños.   (*had celebrated*)
4. Yo nunca ____ de idea.   (*have changed*)
5. Ellos me ____ que la Feria de Sevilla era muy interesante.   (*had told*)
6. ¿Tú ya ____ el espejo?   (*had wrapped*)
7. Eva siempre ____ pasar por debajo de una escalera.   (*has avoided*)
8. Yo nunca ____ un trébol de cuatro hojas.   (*have seen*)

**d.** *El infinitivo*

¿Cómo se dice lo siguiente en español?

1. They say that eating fruit is good.
2. They wanted to go to the fair.
3. Before going to Midnight Mass, they had dinner.
4. He returned around twelve. I heard him come in.
5. The children wanted to see the manger.

6. My roommate says he has three unfinished reports.
7. I don't want to talk about that again.
8. No smoking.
9. They have just returned from the country.
10. I'm going to start studying for the exam.

**e.** *¿Recuerda el vocabulario?*

Combine las preguntas de la columna **A** con las correspondientes respuestas de la columna **B**.

|                                  **A**                                  |                                  **B**                                  |
| ---------------------------------------------------------------------- | ---------------------------------------------------------------------- |
| 1. ¿Ella está embarazada?                                              | a. En el coche.                                                        |
| 2. ¿Qué estatura tiene?                                                | b. El 5 de enero.                                                      |
| 3. ¿Qué piensas de mi última novela?                                   | c. Bien picante.                                                       |
| 4. ¿Dónde vas a meter todas esas maletas?                              | d. Dentro de una hora.                                                 |
| 5. ¿Compone música moderna?                                            | e. De chocolate.                                                       |
| 6. ¿Cuándo llegan los Reyes Magos?                                     | f. Sí, el sábado pasado. Fuimos a un club nocturno.                    |
| 7. ¿A quién le toca ahora?                                             | g. Pasé unos días con mis padres en Santo Domingo.                     |
| 8. ¿Cómo es el clima del Ecuador?                                      | h. Voy a decirle que estoy enfermo.                                    |
| 9. ¿Cómo quieres el biftec?                                            | i. Tiran agua a la calle.                                              |
| 10. ¿Cuándo empieza la corrida de toros?                               | j. Sí, pero actualmente está progresando.                             |
| 11. ¿De qué es la mancha?                                              | k. Sí…¡No puedo dejar de hacerlo!                                      |
| 12. ¿Quieres un poco de café?                                          | l. Sí, su bebé va a nacer en abril.                                    |
| 13. ¿Tuviste una cita con Lola?                                        | m. Sí, acerca de la labor de la Cruz Roja.                             |
| 14. ¿Qué hiciste durante la Semana Santa?                              | n. Sí, es un músico de la nueva ola.                                   |
| 15. ¿Es un país muy atrasado?                                          | o. Armstrong.                                                          |
| 16. ¿Sigues pensando en ese problema?                                  | p. Cálido y húmedo.                                                    |
| 17. ¿Vas a escribir un artículo?                                       | q. Me parece muy buena.                                                |
| 18. ¿Cómo vas a arreglártelas para no ir a su fiesta?                  | r. Sí, bien caliente, por favor.                                       |
| 19. ¿Quién fue el primer hombre que llegó a la luna?                   | s. Mediana.                                                            |
| 20. ¿Qué hacen en Cuba el 31 de diciembre para alejar los malos espíritus? | t. A mí.                                                          |

# 7

# El automóvil, ¿símbolo del progreso?

Alfonso, Berta y sus hijos, Carlos y Diana, están de vacaciones en Caracas, la capital de Venezuela. Después de parar en una estación de servicio para llenar el tanque de su automóvil, conversan animadamente.

ALFONSO —¿Aceptan Uds. cheques de viajero?

EMPLEADO —¡Sí, cómo no! ¿Le lleno el tanque?

ALFONSO —Sí, por favor. ¿Sería Ud. tan amable de revisar el acumulador, el aceite y la presión de aire de las llantas?

EMPLEADO —Con mucho gusto.

ALFONSO —Un momento. ¿Tendría Ud. cambio para un cheque de cien dólares?

EMPLEADO —Creo que no, pero se lo preguntaré a la cajera.

ALFONSO —¡Qué problema! De haberlo sabido, habría traído dinero.

CARLOS —Yo tengo dinero. Oye, con este precio de la gasolina, estoy seguro de que todos los venezolanos tendrán automóviles.

ALFONSO —No, porque, a pesar de que la gasolina es muy barata, los automóviles son carísimos aquí.

BERTA —Supongo que habrás visto los anuncios de coches este año; los precios son altísimos.

CARLOS —Sí, he visto los anuncios, pero los precios están en bolívares, no en dólares. ¿A cómo está el cambio de moneda?

DIANA —No lo sé, pero...¿por qué serán tan caros los automóviles? ¿Costará mucho el flete?

ALFONSO —No, no es eso; es que el gobierno cobra altos derechos de aduana para limitar la importación de automóviles.

CARLOS —¿Por qué? Yo diría que el automóvil es un artículo de primera necesidad.

ALFONSO —Sí, pero el gobierno necesita usar las divisas que recibe por el petróleo para industrializar el país y para ayudar al pueblo a soportar la inflación.

BERTA —Así y todo, Caracas tiene grandes problemas por el gran número de automóviles que hay.

DIANA —En el periódico que compramos había un artículo sobre la construcción del metro en Caracas. Según el artículo, estará terminado dentro de tres o cuatro años.

BERTA —Sí, dicen que el metro será la solución adecuada al embotellamiento del tránsito y al enorme ruido de la ciudad.

ALFONSO —En el futuro, tendremos que usar el transporte colectivo en todas partes para ahorrar energía.

CARLOS —Sí, eso nos ayudará a ahorrar petróleo.

DIANA —Y quedaría resuelto, al mismo tiempo, el problema de la contaminación del aire.

ALFONSO —En fin, hubo un tiempo en que el automóvil era un símbolo del progreso, pero en la actualidad no estamos tan seguros…

## Charlemos

1. ¿Qué están haciendo Alfonso y su familia en Venezuela?
2. ¿Para qué han parado en una estación de servicio?
3. ¿Qué hacen mientras esperan?
4. ¿Qué debe hacer el empleado además de revisar la batería?
5. ¿Qué le preguntará el empleado a la cajera?
6. ¿Por qué cree Carlos que todos los venezolanos tienen coches?
7. ¿Por qué son tan caros los automóviles en Venezuela?
8. ¿Para qué cobra el gobierno venezolano altos derechos de aduana?
9. ¿Cómo sabemos que Carlos considera que un automóvil es muy necesario?
10. ¿Para qué necesita el gobierno usar las divisas que recibe del petróleo?
11. Según el artículo que leyó Diana, ¿cuándo estará terminado el metro de Caracas?
12. ¿Para qué problemas será el metro una solución adecuada?
13. ¿Qué tendremos que usar en todas partes en el futuro?
14. ¿Qué problemas quedarían resueltos con el transporte colectivo?
15. ¿Cómo ha cambiado el papel del automóvil?

# VOCABULARIO

NOMBRES

el **acumulador,** la **batería**   battery
el **anuncio**   advertisement
el **(la) cajero(a)**   cashier
la **contaminación del aire**   smog, air
  pollution
los **derechos de aduana**   custom duties
las **divisas**   foreign exchange
el **embotellamiento del tránsito**   traffic
  jam
la **estación de servicio, gasolinera**
  service station
el **flete**   freight
el **gobierno**   government
la **importación**   import
la **llanta,** el **neumático**   tire
el **metro, subterráneo**   subway
el **petróleo**   oil, petroleum
la **presión del aire**   air pressure

el **ruido**   noise
el **tanque**   tank
el **transporte colectivo**   mass transit

VERBOS

**ahorrar**   to save
**cobrar**   to charge
**industrializar**   to industrialize
**limitar**   to limit
**parar**   to stop
**revisar**   to check
**soportar**   to bear

ADJETIVOS

**adecuado(a)**   fit, correct, adequate
**amable**   kind, polite
**venezolano(a)**   Venezuelan

---

### Expresiones idiomáticas

**¿A cómo está el cambio de moneda?**
  *What's the rate of exchange?*
**a pesar de que**   *in spite of the fact that*
**al mismo tiempo**   *at the same time*
**artículos de primera necesidad**
  *necessities*

**así y todo**   *even so*
**con mucho gusto**   *gladly*
**de haberlo sabido**   *had I known*
**en fin**   *in conclusion*
**en todas partes, en todos lados**
  *everywhere*

---

## PALABRAS PROBLEMÁTICAS

### a. Soportar, aguantar, mantener

1. **Soportar** y **aguantar** son los equivalentes de *to bear, to stand:*

   El pueblo no puede **soportar** (**aguantar**) la inflación.

2. **Mantener** es el equivalente de *to support:*

   Trabaja para **mantener** a toda su familia.

**b.** **Ahorrar, guardar, salvar**

1. **Ahorrar** significa **no gastar, no desperdiciar** (*waste*):

   Todos debemos **ahorrar** energía.

2. **Guardar** es el equivalente de *to put aside, to keep:*

   Voy a **guardar** la comida en el refrigerador.

3. **Salvar** equivale a *to rescue* o *to save:*

   El doctor no pudo **salvar** al enfermo.

### Práctica

Complete las siguientes oraciones, usando las "palabras problemáticas" correspondientes:

1. No puedo _____ a mis hijos con ese sueldo.
2. Si quieres ir a la universidad, tienes que _____ dinero.
3. El niño se cayó en la piscina y no sabía nadar, pero ella lo pudo _____ .
4. No puedo _____ la contaminación del aire de esta ciudad.
5. Voy a _____ el dinero en mi billetera.

## ESTRUCTURAS GRAMATICALES

## 1. El futuro

PRIMER PASO

### Usos y formas

A. The future tense in Spanish, as in English, refers to an action that is going to take place. It is the equivalent of the English **will** or **shall** plus a verb.

| Ellos **limitarán** las importaciones. | *They will limit imports.* |

ATENCIÓN: When *will* in English means *to be willing* or *please,* the verb **querer,** and not the future tense, is used in Spanish:

| **¿Quiere** Ud. esperar? | *Will you (please) wait?* |

B. Most verbs are regular in the future tense. To form this tense, the following endings are added to the infinitive:

| Infinitive | Endings | |
|---|---|---|
| hablar | | |
| comer | -é | (yo) |
| vivir | -ás | (tú) |
| dar | -á | (Ud., él, ella) |
| ir | -emos | (nosotros) |
| ser | -éis | (vosotros) |
| cerrar | -án | (Uds., ellos, ellas) |
| morir | | |
| pedir | | |

❧ All endings, except the one for **nosotros,** have written accent marks.

—A dónde **irán** Uds. el próximo verano?

*Where will you go next summer?*

—**Iremos** a Puerto Rico.

*We will go to Puerto Rico.*

—¿Ya **estarán** de vuelta para fines de agosto?

*Will you (already) be back by the end of August?*

—Sí, estoy seguro de que para esa fecha **estaremos** de vuelta.

*Yes, I'm sure that by that date we will be back.*

—¿De qué **hablarás** en la reunión?

*What will you speak about in the meeting?*

—**Hablaré** de la contaminación del aire en las ciudades.

*I will speak about smog in the cities.*

República de **Venezuela**   VIASA

Tarjeta de ingreso

Forma DIEX 1

| 1 · Apellido (Last name) | 2 · Segundo Apellido (Surname) | | 13 · Aéreo ☒ Marítimo ○ | Terrestre |
|---|---|---|---|---|
| TAYLOR | | | 14 · Transportista | 15 · Procede |
| 3 · Nombre (First name) | 4 · Segundo Nombre (Middle name) | | VIASA 801 | |
| CAROL | | | 16 | |
| 5 · No. de Cédula | 6 · No. de Pasaporte | 7 · Tipo de Visa | | |
| V ○  E ○ | G764953 | Turista | | |
| 8 · Sexo (Sex) | 9 · Edad (Age) | 10 · Profesión (Occupation) Cod. | 11 · Nacionalidad Cod. | |
| M ○  F ☒ | 21 | estudiante | U.S.A. | |
| 12 · Dirección en Venezuela (Addres in Venezuela) | | | | |
| | | | Entrada | |

C. The following verbs are irregular in the future tense. The future endings are added to a modified form of the infinitive:

| Infinitive | Modified Stem | Endings | |
|---|---|---|---|
| haber | habr- | | |
| caber | cabr- | | |
| querer | querr- | | |
| saber | sabr- | | |
| poder | podr- | -é | (yo) |
| | | -ás | (tú) |
| poner | pondr- | -á | (Ud., él, ella) |
| venir | vendr- | -emos | (nosotros) |
| tener | tendr- | -éis | (vosotros) |
| salir | saldr- | -án | (Uds., ellos, ellas) |
| valer | valdr- | | |
| decir | dir- | | |
| hacer | har- | | |

❧ In the first group, the final vowel of the infinitive is dropped.

❧ In the second group, the final vowel of the infinitive is dropped and the letter **d** is inserted.

❧ In the third group, contracted stems are used.

—¿Qué **hará** el gobierno para limitar la importación de automóviles?
*What will the government do to limit the import of automobiles?*

—**Tendrá** que cobrar altos derechos de aduana.
*It will have to charge high custom duties.*

—¿A qué hora **saldrán** Uds. para Los Ángeles?
*What time will you leave for Los Angeles?*

—**Saldremos** muy temprano para evitar el embotellamiento del tránsito.
*We will leave very early to avoid the traffic jam.*

## Práctica

**a.** Vuelva a escribir las siguientes oraciones, cambiando la frase **ir a** + *infinitivo* por el futuro:

1. El mecánico *va a cambiar* el aceite y *va a revisar* la presión de aire de las llantas.
2. Ellos *van a poner* un anuncio en el periódico.
3. Mañana *va a haber* una fiesta, pero estoy seguro de que Fernando no *va a querer* ir.

4. El gobierno no *va a poder* industrializar totalmente el país este año.
5. No *van a caber* todos en el coche.
6. ¿*Vas a decírselo?* Entonces no *van a venir*.
7. Este año *vamos a tratar* de ahorrar mil dólares para ir de vacaciones.
8. El problema de la inflación *va a ser* peor el próximo mes porque los artículos de primera necesidad *van a costar más*.

**b.** Diga Ud. lo que deberá hacerse en las siguientes situaciones, usando el futuro. Siga el modelo.

MODELO:   Mi coche no funciona.
          Lo llevaré al taller mecánico.

1. Tú estás enferma.
2. Mañana tenemos un examen.
3. Hoy es el cumpleaños de mamá y queremos celebrarlo.
4. El tanque de mi coche está vacío.
5. Necesito dinero para comprar libros.
6. El domingo quiero descansar todo el día.
7. No sabemos a cómo está el cambio de moneda.
8. Me duele mucho la cabeza.
9. Ellos quieren ir al centro y no tienen coche.
10. Mi hijo acaba de tener un accidente.

**c.** Termine de una manera original las siguientes oraciones:

1. Yo iré a la estación de servicio y Uds....
2. Tú harás el postre y yo...
3. Yo le diré que no y ella...
4. Ella saldrá mañana y nosotras...
5. Yo pondré el dinero en el banco y tú...

CONTINUEMOS...

### El futuro usado para expresar probabilidad o conjetura

The future tense is frequently used in Spanish to express probability or conjecture in relation to the present. Phrases such as *I wonder, probably, must be, do you suppose* express the same idea in English:

—¿Qué hora **será?**
—No sé...**serán** las diez y media.

*What time do you suppose it is?*
*I don't know . . . it must be ten thirty.*

—¿Dónde **estará** Manuel?
—**Estará** en la reunión del sindicato.

*I wonder where Manuel is.*
*He must be at the union meeting.*

—¿Cuánto **valdrá** ese Cádillac?   *I wonder how much that Cadillac is worth (costs).*

—**Valdrá** unos veinte mil dólares.   *It probably costs about twenty thousand dollars.*

ATENCIÓN:   **Deber** + *infinitive* is also used to express either obligation or probability.

### Práctica

**a.** Use el futuro para expresar probabilidad o conjetura. Siga el modelo.

MODELO:   *Debe tener* unos veinte años.
*Tendrá* unos veinte años.

1. *Debe gastar* muchísimo para mantener a todos sus hijos.
2. Pablo *debe saber* a cómo está el cambio de moneda.
3. *Debe haber* una crisis muy grande en ese país.
4. No conozco ese refresco. *Debe ser* una marca nueva.
5. Los chicos ya *deben estar* listos.
6. ¿Quién es ella? *Debe ser* la hija del Dr. Torres.
7. A esta hora *debe haber* mucho tráfico.
8. Esta casa *debe valer* unos cien mil dólares.
9. Ellos *deben estar* en la gasolinera.
10. *Deben ser* como las cuatro de la tarde.

**b.** Lo (la) necesitamos como intérprete. Traduzca lo siguiente: (Use el futuro para expresar probabilidad o conjetura.)

1. "Who do you suppose that guy is? He's very polite."
"He must be Fernando's new roommate."
2. "I wonder where they're going so late."
"They're probably going to (the) Midnight Mass."
3. "I wonder where the ladder is."
"It's probably behind the door."
4. "He's so little! How old do you suppose he is?"
"He must be about seven years old."
5. "What time do you suppose it is?"
"I don't know. It must be about nine."

## 2. El condicional

PRIMER PASO

### Usos y formas

A. The conditional tense is usually expressed in English as *would*[1] or occasionally in the first person as *should*.

1. The conditional states *what would happen* if a certain condition were true:

Yo no lo **haría**.  *I wouldn't do it (If I were you, etc.).*[2]

2. The conditional is also used as the future of a past action. The future states what will happen; the conditional states what would happen:

Él dice que **llegará** tarde.  *He says that he will be late.*
Él dijo que **llegaría** tarde.  *He said that he would be late.*

3. The Spanish conditional, like the English conditional, is also used to soften a request, or for politeness:

¿Me **haría** Ud. un favor?  *Would you do me a favor?*

B. Like the future tense, the conditional tense uses the infinitive as the stem and has only one set of endings for all verbs, regular and irregular:

| Infinitive | Endings | |
|---|---|---|
| hablar | | |
| comer | -ía | (yo) |
| vivir | -ías | (tú) |
| dar | -ía | (Ud., él, ella) |
| ir | -íamos | (nosotros) |
| ser | -íais | (vosotros) |
| cerrar | -ían | (Uds., ellos, ellas) |
| morir | | |
| pedir | | |

—¿Cuánto te dijo él que **costaría** el flete?  *How much did he say the freight would cost?*

—Dijo que **costaría** unos cien dólares.  *He said it would cost about a hundred dollars.*

—¿Dónde **preferirían** vivir Uds.?  *Where would you rather live?*

—Nosotros **preferiríamos** vivir en Europa.  *We would rather live in Europe.*

---

[1]When *would* is used to refer to a repeated action in the past, the imperfect is used in Spanish.
[2]For the use of the conditional in *if*-clauses, see Lesson 10, page 258.

C. The same verbs that are irregular in the future are also irregular in the conditional. The conditional endings are added to the modified form of the infinitive:

| Infinitive | Modified Stem | Endings | |
|---|---|---|---|
| haber | habr- | | |
| caber | cabr- | | |
| querer | querr- | | |
| saber | sabr- | | |
| poder | podr- | -ía | (yo) |
| | | -ías | (tú) |
| poner | pondr- | -ía | (Ud., él, ella) |
| venir | vendr- | -íamos | (nosotros) |
| tener | tendr- | -íais | (vosotros) |
| salir | saldr- | -ían | (Uds., ellos, ellas) |
| valer | valdr- | | |
| decir | dir- | | |
| hacer | har- | | |

—Los niños **tendrían** que ir a jugar al jardín porque Paco quiere dormir.

*The children would have to go play in the garden because Paco wants to sleep.*

—Ellos dijeron que no **harían** ruido.

*They said they wouldn't make (any) noise.*

—David dijo que **vendría** a las ocho y todavía no ha llegado.

*David said he would come at eight and he hasn't arrived yet.*

—Pues, **podríamos** llamarlo por teléfono para ver si está en casa.

*Well, we could call him on the telephone to see if he's home.*

## Práctica

**a.** Conteste las siguientes preguntas, usando el condicional y la información dada entre paréntesis:

MODELO: ¿Qué dijeron del transporte colectivo? (no resolver el problema)
Dijeron que no resolvería el problema.

1. ¿Cuándo dijeron que iban a terminar el metro? (terminarlo en dos años)
2. ¿Qué pensaba sobre el flete? (no poder pagarlo)
3. ¿Qué dijo que haría con las llantas? (cambiarlas)
4. ¿Qué opinaban sobre la importación de automóviles? (deber limitarse)
5. ¿Qué dijo Juan de las chicas? (venir pronto)
6. ¿Qué dijo Ana de Roberto? (no salir con él)

**b.** ¿Qué cree Ud. que harían Ud. o las siguientes personas en cada una de estas situaciones? Conteste, usando el condicional:

1. A su mejor amigo(a) le regalan cien dólares.
2. Ud. tiene un examen y unos amigos lo (la) invitan a una fiesta la noche antes.
3. Su familia tiene hambre y no hay comida en su casa.
4. Sus padres desean comprar un coche nuevo y no tienen suficiente dinero.
5. Un amigo suyo le pide veinte dólares y Ud. sabe que él siempre se las arregla para no pagar.
6. Hay un(a) chico(a) muy antipático(a) que la (lo) invita a salir.
7. Al profesor le duelen las muelas, y no tiene tiempo para ir al dentista.
8. Uds. tienen mucho frío.
9. Tú y yo necesitamos diez dólares para ir al cine.
10. El presidente tiene que limitar la importación de automóviles.

CONTINUEMOS...

## El condicional usado para expresar probabilidad o conjetura

The conditional tense is frequently used to express probability or conjecture in relation to the past:

—Anoche fui a ver a Enrique y no estaba en su casa. ¿Dónde **estaría?**
—**Iría** a la fiesta de Juan.

*Last night I went to see Henry and he wasn't home. Where do you suppose he was?*
*He probably went to John's party.*

—No encuentro mi pluma. ¿Dónde la **guardaría** Elsa?
—La **pondría** en su bolsa.

*I can't find my pen. Where do you suppose Elsa put it?*
*She probably put it in her purse.*

## Práctica

Conteste las siguientes preguntas, usando la información dada entre paréntesis: (Use el condicional para expresar probabilidad o conjetura.)

1. ¿Cuántos años tenías cuando empezaste la escuela? (unos 5 años)
2. ¿Para qué pararon ellos en la estación de servicio? (necesitar aceite)
3. ¿De qué nacionalidad eran los estudiantes? (venezolanos)
4. ¿Qué estaba haciendo el mecánico? (revisando la presión de aire de las llantas)
5. ¿Por qué costaba tanto ese bolso? (ser de muy buena calidad)
6. ¿Dónde estaba el cajero? (en la compañía de electricidad)
7. ¿Por qué no aceptó Alina la invitación de Marcos? (ser una invitación de última hora)

8. ¿Por cuánto tiempo pusieron el anuncio?   (una semana)
9. ¿Para qué necesitaba el gobierno las divisas?   (para industrializar el país)
10. ¿Sabes a cómo estaba el cambio de moneda en España?   (a unas ciento treinta pesetas por dólar)

## 3. El futuro perfecto y el condicional perfecto

### PRIMER PASO

#### El futuro perfecto: Usos y formas

A. The future perfect is used to refer to an action which will have taken place by a certain time in the future. It is formed with the future tense of the auxiliary verb **haber** plus the past participle of the main verb. The future perfect in English is expressed by *shall* or *will have* plus the past participle.

**THE FUTURE PERFECT TENSE**

| *Haber* (future) | Past Participle | |
|---|---|---|
| habré | hablado | I will have spoken |
| habrás | comido | you will have eaten |
| habrá | vuelto | he, she, you will have returned |
| habremos | dicho | we will have said |
| habréis | roto | you will have broken |
| habrán | hecho | they, you will have done, made |

—¿Estará Tito en casa para las ocho?

*Will Tito be home by eight?*

—Sí, estoy segura de que ya **habrá vuelto** para esa hora.

*Yes, I'm sure that he'll have returned by that time.*

—¿Ya **habrán terminado** Uds. el trabajo para la semana próxima?

*Will you have finished the job by next week?*

—Sí, para entonces ya lo **habremos terminado.**

*Yes, by then we will have finished it.*

B. The future perfect is also used in Spanish to express probability or conjecture with relation to a recent past action. It is equivalent to *must have* plus the past participle or *probably* plus the perfect tense in English:

—**Habrás visto** los anuncios de los coches de este año.

*You must have seen the ads for this year's cars.*

—Sí, los he visto y los precios están altísimos.

*Yes, I have seen them and the prices are extremely high.*

—¿Dónde están los niños? Todavía no han vuelto.

*Where are the children? They haven't returned yet.*

—Enrique no **habrá pasado** por ellos.

*Henry probably hasn't picked them up.*

### Práctica

a. Vuelva a escribir las siguientes oraciones, comenzando con las frases dadas entre paréntesis. Cambie los verbos del futuro al futuro perfecto, siguiendo el modelo.

MODELO:    Yo *revisaré* la batería.    (Para las ocho)
Para las ocho yo ya *habré revisado* la batería.

1. El embotellamiento del tránsito no *terminará* todavía.    (Para las seis)
2. El precio de los artículos de primera necesidad *bajará*.    (Para enero)
3. Ellos dicen que se *acabará* el petróleo.    (Para el año 2.000)
4. *Harán* todo el trabajo.    (Para el sábado)
5. Los estudiantes se *olvidarán* de los verbos irregulares.    (Para el semestre próximo)
6. Nosotros *escribiremos* el informe sobre los muralistas mexicanos.    (Para entonces)
7. ¿Tú *volverás* de Caracas?    (Para marzo)
8. *Pagarán* el flete.    (Para la semana que viene)

b. Lo (la) necesitamos como intérprete. Traduzca lo siguiente: (Use el futuro perfecto para expresar probabilidad o conjetura.)

1. "Claudia and Robert arrived at Santiago at the same time."
   "They must have come on the same plane."
2. "I saw Paul and Margarita talking animatedly this morning. I didn't know they knew each other."
   "They must have met at the party."
3. "They must have brought these shoes from Italy."
   "Even so, they're not (of) very good quality."
4. "John says Mary isn't punctual at all."
   "She must have arrived at the party late."

CONTINUEMOS...

## El condicional perfecto: Usos y formas

A. The conditional perfect (expressed in English by *would have* plus the past participle of the main verb) is used to:

1. Indicate an action that *would have taken place (but didn't)*, if a certain condition had been true:[1]

   De haberlo sabido, lo **habría detenido.**
   *Had I known, I would have stopped him.*

2. Refer to a future action in relation to the past:

   Él **dijo** que para mayo **habrían terminado** la construcción del metro.
   *He said that by May they would have finished the construction of the subway.*

B. The conditional perfect is formed with the conditional of the verb **haber** plus the past participle of the main verb:

THE CONDITIONAL PERFECT TENSE

| *Haber* (conditional) | Past Participle | |
|---|---|---|
| habría | hablado | I would have spoken |
| habrías | comido | you would have eaten |
| habría | vuelto | he, she, you would have returned |
| habríamos | dicho | we would have said |
| habríais | roto | you would have broken |
| habrían | hecho | they, you would have done, made |

—El clima de ese lugar era cálido y húmedo. De haberlo sabido, no **habría ido** allí.

*The climate in that place was warm and humid. Had I known, I wouldn't have gone there.*

—En fin, que tus vacaciones no fueron muy buenas...

*In other words (in conclusion), your vacation wasn't very good . . .*

—¿Cuántos años más deben estudiar Ana y Paco para terminar sus respectivas carreras?

*How many more years must Ann and Paco study to finish their respective courses of study?*

—Ellos dijeron que dentro de dos años **habrían terminado.**

*They said that in two years they would have finished.*

---

[1]For the use of the conditional perfect in *if*-clauses, see Lesson 11, page 272.

### Práctica

Complete estas oraciones, usando el condicional perfecto de los verbos de la siguiente lista, según corresponda:

ir      dar     casarse    decir

comprar    traer    venir    terminar

1. De haber sabido que él iba a llegar tarde a la cita, yo no ____ tan temprano.
2. Él dijo que Flora ____ una vuelta para no pasar por debajo de la escalera porque es muy supersticiosa.
3. De haber sabido que íbamos a parar en Las Vegas, yo ____ mi trébol de cuatro hojas para tener buena suerte.
4. César dijo que para el lunes ____ su artículo sobre la música folklórica sudamericana.
5. De haber sabido que Nora estaba tan enferma, nosotros ____ directamente al hospital.
6. Tú dijiste que para mayo ya Uds. ____ .
7. De haber sabido que tenías tanta hambre, yo te ____ cualquier cosa para comer.
8. Ella dijo que el automóvil era un símbolo del progreso. ¿ ____ tú lo mismo?

## 4. Género y número de los sustantivos: Casos especiales

PRIMER PASO

*Sustantivos que cambian de significado según el género*

A. In Spanish, several nouns change their meaning according to whether they are used with masculine or feminine articles. The following nouns have only one form:

| *Masculino* | *Femenino* |
|---|---|
| **el** cabeza  *leader* | **la** cabeza  *head* |
| **el** capital  *money* | **la** capital  *capital city* |
| **el** cura  *priest* | **la** cura  *healing* |
| **el** doblez  *fold* | **la** doblez  *hypocrisy* |
| **el** frente  *front* | **la** frente  *forehead* |
| **el** guardia  *guard* | **la** guardia  *security force* |
| **el** guía  *guide* | **la** guía  *book that lists information, addresses,* etc. |
| **el** orden  *order, method* | **la** orden  *order, command* |
| **el** parte  *official communication* | **la** parte  *part, portion* |
| **el** policía  *policeman* | **la** policía  *police (organization)* |

Ellos quieren abrir una tienda en **la capital,** pero no tienen **el capital** necesario.

B. Other nouns change their meaning according to the gender. In these cases, they not only change the article, but also the ending:

| *Masculino* | | *Femenino* | |
|---|---|---|---|
| **el** band**o** | *faction, party* | **la** band**a** | *band, musical group* |
| **el** derech**o** | *right, law* | **la** derech**a** | *right, direction* |
| **el** fond**o** | *bottom, fund* | **la** fond**a** | *inn* |
| **el** lom**o** | *back of an animal* | **la** lom**a** | *hill* |
| **el** mang**o** | *handle of a utensil* | **la** mang**a** | *sleeve* |
| **el** mod**o** | *way, manner* | **la** mod**a** | *fashion* |
| **el** pal**o** | *stick* | **la** pal**a** | *shovel* |
| **el** punt**o** | *dot, period* | **la** punt**a** | *point, tip* |
| **el** puert**o** | *port* | **la** puert**a** | *door* |
| **el** rest**o** | *rest, leftover* | **la** rest**a** | *subtraction* |
| **el** suel**o** | *ground* | **la** suel**a** | *sole* |

Me ensucié **la manga** de la camisa con **el mango** de la sartén.

## Práctica

**a.** Complete las siguientes oraciones, usando las palabras estudiadas, precedidas del correspondiente artículo definido o indefinido:

1. Llevaron _____ de los terroristas a la estación de policía.
2. _____ estaba en la iglesia.
3. Mamá nos llevó a conocer _____ del Brasil.
4. _____ prendieron a los ladrones.
5. Me rompí _____ del vestido con _____ de la sartén.
6. El azúcar siempre se queda en _____ de la taza.
7. No paramos en un hotel sino en _____ .
8. Encontré tu dirección en _____ de teléfonos.
9. Pusimos todo _____ en el banco.
10. Señor Roca, coma Ud. _____ del flan y deje _____ para los niños.
11. Los soldados no obedecieron _____ del general.
12. Los barcos ya están en _____ .
13. Se me rompió _____ del lápiz y ahora no puedo escribir.
14. Los soldados murieron en _____ de batalla. (*battle*)

PEXCO S.A.

EXPLOTACIONES PESQUERAS DE OCCIDENTE

La Plaza Mayor en Madrid es todavía uno de los lugares más animados de la capital. Tiene varios cafés al aire libre, como éste.

**b.** Busque en la columna **B** la definición que corresponde a cada una de las palabras de la columna **A.**

| A | B |
|---|---|
| 1. la doblez | a. espalda de un animal |
| 2. el lomo | b. grupo musical |
| 3. la suela | c. opuesto de izquierda |
| 4. el palo | d. parte del cuerpo |
| 5. el orden | e. la manera |
| 6. la banda | f. facción o partido |
| 7. el guía | g. pedazo de madera |
| 8. la derecha | h. hipocresía |
| 9. el modo | i. parte del zapato |
| 10. la cabeza | j. método |
| 11. el bando | k. operación aritmética |
| 12. la loma | l. herramienta (*tool*) |
| 13. la pala | m. persona que acompaña a un grupo |
| 14. la resta | n. elevación del terreno |
| 15. el suelo | o. signo de puntuación |
| 16. la puerta | p. parte de la cabeza |
| 17. el punto | q. piso |
| 18. la frente | r. lugar por donde entramos o salimos |

**4 - SEÑALES PROHIBITIVAS** Prohibición de...
a) ... girar a la derecha.
b) ... girar a la izquierda.
c) ... circular en ambas direcciones a todos los vehículos.

CONTINUEMOS...

### Singular y plural de los sustantivos: Casos especiales

In many instances, the use of the singular and the plural forms of some nouns differs from Spanish to English. Note the following cases:

**A.** Some nouns are always *plural* in English, but may be used either in the *singular* or *plural* in Spanish:

   el pantalón, los pantalones *trousers, pants*
   la tijera, las tijeras *scissors*
   la tenaza, las tenazas *pliers, tongs*

   Necesito **la tijera** (**las tijeras**).

B. Some nouns are always *singular* in English, but are always *plural* in Spanish:

>   las vacaciones   *vacation*
>   los celos   *jealousy*
>   las tinieblas   *darkness*

Pasé mis **vacaciones** en Europa.

C. In Spanish, some nouns refer to the unit in the *singular*, and to the whole in the *plural*. In English, the *singular* is used:

| | | | |
|---|---|---|---|
| el mueble | *piece of furniture* | los muebles | *furniture* |
| la noticia | *news item* | las noticias | *news* |
| el negocio | *business deal* | los negocios | *business* |
| el consejo | *piece of advice* | los consejos | *advice* |

Compré **un mueble** para la sala. Ahora ya tengo todos **los muebles** que necesitaba.

## Práctica

Complete las siguientes oraciones con el equivalente en español de las palabras de la lista. En cada caso seleccione la que corresponda:

| | | |
|---|---|---|
| *a news item* | *the jealousy* | *darkness* |
| *my trousers* | *a piece of furniture* | *furniture* |
| *scissors* | *vacation* | *a piece of advice* |
| *a business deal* | | |

1. _____ de mi esposo fueron la causa del divorcio.
2. La ciudad quedó en _____ .
3. Puedes disponer de mi dinero para irte de _____ .
4. Me voy a poner _____ azul.
5. Le voy a dar _____ : Estudie más.
6. El jefe me dijo que tenía _____ para nosotros.
7. Hemos comprado _____ para nuestro dormitorio.
8. Tengo que discutir _____ con él.
9. Estos _____ son muy caros; no podemos comprarlos.
10. Necesito la _____ para cortarme el pelo.

# ¿CUÁNTO SABE USTED AHORA?

a. Esto es lo que pasó *ayer*. Vuelva a escribir el siguiente párrafo para decir lo que pasará mañana, usando el futuro de los verbos en cursiva:

Ayer, como cada día, *me levanté* temprano, *me vestí* y *salí* para la oficina. *Llegué* tarde a causa del embotellamiento del tránsito. Al llegar, el jefe *vino* a verme y me *dijo:* "Necesitamos los últimos informes sobre la importación de petróleo de este año." Yo no *pude* dárselos, porque no *estaban* terminados. *Preparé* los anuncios para ponerlos en el periódico, *hice* café para todos y después *invité* a Nora a almorzar pero, como siempre, no *quiso* ir conmigo. Por la tarde *puse* en orden toda la correspondencia de la semana y *escribí* varias cartas. En fin, que *tuve* un día muy ocupado.

**b.** Vuelva a escribir las siguientes oraciones, usando el futuro, el futuro perfecto o el condicional para expresar probabilidad:

1. Él probablemente vive por aquí.
2. Yo creo que el coche valía unos 8.000 dólares.
3. Él debe estar vivo.
4. Son más o menos las ocho de la noche.
5. Me pregunto a dónde iban los policías.
6. Yo supongo que ellos ya han pagado los derechos de aduana.
7. ¿Tú crees que ellos ya han llegado a la estación de gasolina?
8. Probablemente hay un embotellamiento del tránsito.
9. Yo supongo que era el novio de Elena.
10. ¿Quién crees tú que llamó anoche?

**c.** Diga lo que habrían hecho, cambiando los infinitivos al condicional perfecto:

*De haber sabido que íbamos a tener invitados, habríamos hecho lo siguiente:*

1. Yo: levantarme mucho más temprano y limpiar la casa.
2. Elvira: comprar comida y refrescos.
3. Tú: traer los discos de música latina.
4. Carlos y Alicia: volver temprano de la escuela.
5. Víctor y yo: preparar un buen postre.
6. Uds.: ponerse a lavar las copas.

**d.** Complete los siguientes anuncios comerciales y las noticias con el equivalente español de las palabras que aparecen en la lista: (Varios alumnos actuarán de locutores para el resto de la clase.)

| | | | |
|---|---|---|---|
| *security force* | *the capital (city)* | *vacation* | *a piece of* |
| *your head* | *the leader* | *the inn* | *advice* |
| *fashion* | *news* | *furniture* | *way* |
| *official* | *the band* | *the cure* | *policemen* |
| *communication* | *the order* | *the port* | *a door* |
| *sleeves* | *the police* | *darkness* | *news item* |
| *the pants* | | | |

1. Y ahora tenemos para Uds. las últimas _____ . Nicaragua: _____ de _____ arrestó esta mañana _____ de una organización terrorista que había atacado _____ del palacio presidencial. Según _____ oficial, ya se ha restablecido _____ .

2. Si le duele _____ , tome Mejoral. Recuerde: *Mejor mejora Mejoral.*

3. La tienda La Elegancia presentó hoy una exhibición con _____ nueva _____ de invierno. Llamaron la atención las enormes _____ y el nuevo estilo de _____ , que sólo llegan hasta la rodilla. Mientras las modelos desfilaban, _____ musical tocaba música moderna.

4. La ciudad de Esmeralda quedó hoy en _____ debido a la tormenta. Dos _____ resultaron heridos al tratar de ayudar a varias personas que estaban cenando en _____ La Madrileña cuando _____ cayó sobre ellas. Varios barcos que estaban en _____ también sufrieron daños por la tormenta.

5. Quiero darle _____ : Compre sus _____ en la mueblería La Favorita. Precios muy razonables.

6. ¿Tiene _____ ? El mejor _____ de viajar es, como siempre, con la Aerolínea Nacional.

7. Otra _____ muy importante: Un científico francés afirma que acaba de descubrir _____ para el cáncer.

**e.** Palabras y más palabras

Dé Ud. el equivalente de lo siguiente:

1. poner límites
2. lo que se paga cuando se importan productos
3. gasolinera
4. metro
5. batería
6. aguantar
7. detenerse
8. cortés
9. persona de Venezuela

10. en todas partes
11. gustosamente
12. dinero que se paga para transportar productos
13. apropiado
14. parte del automóvil donde se pone gasolina
15. propaganda
16. llanta

**f.** Vamos a conversar

1. Yo creo que el automóvil ya no es un símbolo de progreso sino un problema. ¿Está Ud. de acuerdo conmigo? ¿Por qué?
2. ¿Qué hace Ud. para poder soportar la inflación?
3. ¿Preferiría Ud. comprar un coche norteamericano o un coche extranjero? ¿Por qué?
4. ¿Qué hace el gobierno norteamericano para limitar la importación de automóviles?
5. ¿Por qué es el automóvil un artículo de primera necesidad en muchas ciudades norteamericanas?
6. ¿Qué cosas revisa Ud. en su automóvil antes de salir para un largo viaje?
7. ¿Cuál cree Ud. que sería una solución adecuada para el embotellamiento del tránsito?
8. ¿Qué tipo de transporte cree Ud. que tendremos que usar en el futuro?
9. De haber sabido que esta clase era tan difícil, ¿la habrían tomado Uds.?
10. ¿Para qué año se habrá graduado Ud.?

**g.** Ahora el profesor (la profesora) va a dividir la clase en grupos de a dos. Ud. y un(a) compañero(a) van a conversar. Háganse las siguientes preguntas usando la forma **tú:**

Esto es lo que cada uno de Uds. desea saber sobre su compañero(a):

1. ...si en la ciudad donde vive hay un buen sistema de transporte colectivo.
2. ...si hay problema de contaminación del aire en su ciudad. ¿Por qué?
3. ...si limitaría la importación de coches extranjeros. ¿Por qué?
4. ...cada cuánto tiempo cambia el aceite de su coche.
5. ...qué clase de gasolina usa.
6. ...si cuando viaja lleva o no cheques de viajero y por qué.
7. ...a dónde le gustaría ir de vacaciones.
8. ...si podría cambiarle un cheque de cien dólares.
9. ...si tendrá una fiesta en su casa esta noche.
10. ...si cuando va a una discoteca puede aguantar el ruido que hay allí.
11. ...cuánto dinero ha podido ahorrar este año.
12. ...si lo (la) mantienen sus padres.
13. ...qué cosas cree que son artículos de primera necesidad.
14. ...si ha salvado a alguien alguna vez.

# CARTA DE UNA VIAJERA

3 de agosto de 19 . .

Queridos amigos:

Cuando llegué a Caracas, al igual que hizo Martí,[1] sin quitarme el polvo del camino no pregunté dónde se comía ni se dormía, sino cómo se iba a donde estaba la estatua de Bolívar. La estatua del Libertador de América, que como sabrán nació en esta tierra, está en un hermosísimo parque en el centro de la ciudad.

Caracas es una ciudad de contrastes, situada entre dos altas cordilleras°. En el valle encontramos una ciudad moderna, de altos edificios, mientras que en las laderas° de las montañas se amontonan° casas miserables° donde viven los muchos pobres de la ciudad.

Les diré que a veces mi español no me ha servido de mucho, pues aquí les dan nombres especiales a casi todas las cosas, principalmente a las cosas de comer. El día que llegué, entré en una cafetería y me encontré con un menú que no entendía. Imagínense, a los frijoles los llaman *caraotas*, a la banana *cambur*, a la sandía° *patilla*, en fin, que es muy difícil escoger lo que queremos comer.

Al día siguiente de llegar fui de excursión por la ciudad y vi que estaban construyendo los túneles para el metro, cosa que aquí es una necesidad, pues las calles no son suficientes para el gran número de coches que hay. ¿Podrán creer Uds. que aquí la gasolina cuesta sólo 30 céntimos de bolívar[2] por galón?

Durante mi recorrido visité la Universidad Nacional de Caracas, cuyos edificios son muy hermosos y modernos. Pensaba hablar con algunos estudiantes, pero no pude hacerlo porque estaban en huelga, cosa que, según me dijeron, es muy frecuente aquí.

Ayer estuve en la Colonia Tovar, un pueblo turístico que fue fundado por alemanes y que está habitado hoy en día por sus descendientes. No está muy lejos de Caracas, a poco más de una hora de viaje. Almorcé en el restaurante del hotel Selva Negra; el menú era totalmente alemán y la comida estuvo magnífica.

Mañana salgo para Miami y desde allí les escribiré de nuevo.

Hasta siempre,

*Carol*

chain of mountains
sides
are crammed together / shacks

watermelon

---

[1]José Martí, gran patriota y escritor cubano.
[2]Moneda nacional de Venezuela

192

Después de leer la carta, díganos:

1. ¿Qué fue lo primero que hizo Carol al llegar a Caracas?
2. ¿Quién fue Simón Bolívar?
3. ¿Por qué dice Carol que Caracas es una ciudad de contrastes?
4. ¿Por qué no le ha servido a veces su español? Dé ejemplos.
5. ¿Qué vio Carol cuando fue de excursión por la ciudad?
6. ¿Cuánto cuesta la gasolina en Venezuela?
7. ¿Estaban los estudiantes de la Universidad Nacional en clase? ¿Por qué?
8. ¿Qué sabe Ud. de la Colonia Tovar?
9. ¿Dónde almorzó Carol y qué tipo de comida comió?
10. ¿Cuál es la moneda de Venezuela?

# 8

# Las minorías hispánicas en los Estados Unidos

La doctora Smith, que es profesora de sociología de la Universidad de Miami, está en su oficina, conversando con dos estudiantes: Oscar de la Vega, un muchacho cubano y Lupe González, una chica californiana de origen mexicano. La profesora quiere que Oscar y Lupe preparen un informe sobre las minorías hispánicas en los Estados Unidos. Ella les sugiere que hablen de los problemas con los que se enfrentan estos grupos, y también sobre lo que han podido lograr durante las últimas décadas, tanto en lo social y económico como en lo político.

DRA. SMITH —Hablen de los distintos grados de aculturación de cada grupo.

LUPE —Bueno, no olvidemos que entre las personas de origen mexicano hay mucha diversidad. Algunas de ellas están muy americanizadas y culturalmente son similares a la población de tradición inglesa. En cambio otras conservan su lengua y sus costumbres.

DRA. SMITH —Uds. pueden aclarar estas diferencias en su informe, e incluir también en él los problemas y las ventajas de ser bilingüe.

OSCAR —Creo que lo que ha impedido el progreso económico de muchas de las minorías hispánicas ha sido en parte la falta de dominio del inglés.

LUPE —Es que a veces se pierde de vista la verdadera meta del bilingüismo, que es el dominio perfecto de los dos idiomas.

195

DRA. SMITH —Actualmente la mayoría de la gente de este país está empezando a comprender las ventajas de hablar más de un idioma.

OSCAR —Sobre todo el español, porque según el último censo, los hispanos pasamos de los catorce millones. No cabe duda de que vamos a ser la minoría más numerosa en el próximo siglo.

DRA. SMITH (*a Oscar*) —A propósito, le sugiero que traiga un mapa de los Estados Unidos y señale los lugares donde están concentrados los tres grandes grupos minoritarios de origen hispánico.

LUPE —Sí, los grupos de origen mexicano en el suroeste, los cubanos en la Florida y los puertorriqueños en Nueva York.

DRA. SMITH —Es necesario que dediquemos varias clases a este tema. Quiero que los otros estudiantes sepan que las minorías hispánicas han contribuido mucho al progreso económico y a la cultura de este país.

LUPE —Es necesario que todos aceptemos nuestras diferencias, y sepamos respetarnos mutuamente. Entonces sí que este pueblo llegará a ser grande.

## Charlemos

1. ¿Quiénes son Oscar de la Vega y Lupe González?
2. ¿Qué deben preparar para la clase de sociología?
3. ¿De qué les sugiere la doctora Smith que hablen?
4. ¿Qué dice Lupe sobre los distintos grados de aculturación de las personas de origen mexicano?
5. Según Oscar, ¿cuál es una de las causas que ha impedido el progreso de las minorías hispánicas?
6. Según Lupe, ¿cuál es la verdadera meta del bilingüismo?
7. Según la doctora Smith, ¿qué está empezando a comprender la mayoría de la gente?
8. ¿Qué dice Oscar que demuestra el último censo?
9. ¿Qué debe señalar Oscar en el mapa de los Estados Unidos?
10. ¿Dónde están concentrados los tres grandes grupos minoritarios de origen hispano?
11. ¿Qué quiere la doctora Smith que sepan los otros estudiantes?
12. ¿Qué dice Lupe que es necesario que hagamos todos?

# VOCABULARIO

NOMBRES

el **bilingüismo**   bilingualism
el **censo**   census
el **dominio**   mastery, command
el **grado**   degree
la **meta**   goal
el **miembro**   member
el **siglo**   century
la **ventaja**   advantage

VERBOS

**aclarar**   to clarify
**conservar**   to conserve, to maintain
**dedicar**   to devote

**enfrentarse** (a)   to face
**lograr**   to achieve
**respetar**   to respect
**señalar**   to indicate

ADJETIVOS

**bilingüe**   bilingual
**verdadero(a)**   real

OTRAS PALABRAS

**en parte**   partly, in a way
**la falta de**   the lack of
**sobre todo**   above all

---

### Expresiones idiomáticas

**a propósito**   *by the way*
**en cambio**   *on the other hand*
**llegar a ser**   *to become*

**No cabe duda** (**de que**)   *There's no doubt (that)*
**pasar de**   *to go over*
**perder de vista**   *to lose sight of*

---

## PALABRAS PROBLEMÁTICAS

**a.** **Personas, gente, pueblo** como equivalentes de *people*

1. **Personas** es el equivalente español de la palabra *people* cuando va modificada por un número o adjetivos que expresan limitación como **varios, unos cuantos, algunos** y **muchos**:

   Muchas **personas** creen que las herraduras traen buena suerte.

2. **Gente** es el equivalente español de la palabra *people* cuando se usa en un sentido general:

   La **gente**[1] se preocupa por la falta de dinero.

---

[1]La palabra **gente** se usa generalmente en el singular.

3. **Pueblo** es el equivalente de la palabra *people* cuando se refiere a un grupo nacional:

El presidente le habló al **pueblo** sobre el progreso del país.

b. **Llegar a ser, hacerse, ponerse** como equivalentes de *to become*

1. **Llegar a ser** (algo) se refiere, generalmente, a la culminación de una serie de eventos:

Después de trabajar diez años, **llegó a ser** presidente de la compañía.

2. **Hacerse** se refiere, generalmente, a una profesión u oficio:

Su hijo **se hizo** abogado.

3. **Ponerse** (+ adjetivo) equivale a *to become* cuando se refiere a adoptar o asumir cierta condición o estado:

Él **se puso** pálido cuando nos vio.

## Práctica

Complete lo siguiente, usando las "palabras problemáticas" correspondientes:

1. Había solamente veinte _____ en la fiesta.
2. A pesar de que era un hombre muy pobre, _____ a ser presidente.
3. Yo siempre me _____ nervioso cuando tengo un examen.
4. Hay mucha _____ pobre en este país.
5. Él no era muy religioso de joven y, sin embargo, se _____ cura.
6. El _____ argentino tiene un nuevo presidente.

# ESTRUCTURAS GRAMATICALES

## El modo subjuntivo

While the indicative mood is used to describe events that are factual and definite, the Spanish subjunctive mood is used to refer to events or conditions that the speaker does not view as part of reality or of his or her own experience. Expressions of volition, doubt, surprise, fear, and the like are naturally followed by actions that occur only in the speaker's mind.

Except for its use in main clauses to express commands, the Spanish subjunctive is most often used in subordinate or dependent clauses. The subjunctive is also used in English, although not as often as in Spanish. For example:

*I suggest that he* **arrive** *tomorrow.*

The expression that requires the use of the subjunctive is in the main clause, *I suggest*. The subjunctive appears in the subordinate clause, *that he arrive tomorrow*. The subjunctive mood is used because the action of arriving is not real; it is only what is *suggested* that he do.

### Usos

Except for its use in main clauses to express commands, the subjunctive is most often used in subordinate or dependent clauses introduced by **que**.

There are four main conditions that call for the use of the subjunctive in Spanish:

1. **Volition:** demands, wishes, advice, persuasion, and other impositions of will.

   La profesora **quiere** que ellos **preparen** un informe.

2. **Emotion:** pity, joy, fear, surprise, hope, and so on.

   **Me sorprende** que el presidente **diga** tal cosa.

3. **Doubt** and **denial:** negated facts, disbelief.

   **Dudo** que ella **pueda** aclarar la situación.
   **Niego** que ella **sea** mi hija.

4. **Unreality:** expectations, indefiniteness, uncertainty, nonexistence.

   **¿Tienes** un mapa que **señale** los lugares más importantes?
   Aquí **no hay nadie** que **sea** bilingüe.

# 1. El presente de subjuntivo

PRIMER PASO

## Verbos regulares

A. To form the present subjunctive of regular verbs, the following endings are added to the stem of the first person singular of the present indicative:

| -ar verbs | -er and -ir verbs | |
|---|---|---|
| hable | aprenda | reciba |
| hables | aprendas | recibas |
| hable | aprenda | reciba |
| hablemos | aprendamos | recibamos |
| habléis | aprendáis | recibáis |
| hablen | aprendan | reciban |

B. If the verb is irregular in the first person singular of the present indicative, this irregularity is maintained in all other persons of the present subjunctive:

| Verb | 1st person sing. (pres. ind.) | Stem | 1st person sing. (pres. subj.) |
|---|---|---|---|
| conocer | conozco | conozc- | conozca |
| traer | traigo | traig- | traiga |
| caber | quepo | quep- | quepa |
| decir | digo | dig- | diga |
| hacer | hago | hag- | haga |
| venir | vengo | veng- | venga |
| poner | pongo | pong- | ponga |
| ver | veo | ve- | vea |

## Práctica

Dé las formas del presente de subjuntivo de los siguientes verbos de acuerdo a los sujetos dados:

1. (que) yo:   traer, aclarar, dividir, conocer, correr
2. (que) tú:   mantener, conservar, decidir, comer, venir
3. (que) Ana:   hablar, ver, aprender, abrir, caber
4. (que) tú y yo:   dedicar, decir, beber, recibir, volver
5. (que) ellos:   lograr, hacer, insistir, temer, poner

CONTINUEMOS...

## Verbos irregulares

A. The present subjunctive of stem-changing verbs

1. **-ar** and **-er** verbs maintain the basic pattern of the present indicative; they change the **e** to **ie** and the **o** to **ue**:

| cerrar *to close* | | renovar *to renew* | |
|---|---|---|---|
| cierre | cerremos | renueve | renovemos |
| cierres | cerréis | renueves | renovéis |
| cierre | cierren | renueve | renueven |

| perder *to lose* | | volver *to return* | |
|---|---|---|---|
| pierda | perdamos | vuelva | volvamos |
| pierdas | perdáis | vuelvas | volváis |
| pierda | pierdan | vuelva | vuelvan |

2. **-ir** verbs that change the **e** to **ie** and the **o** to **ue** in the present indicative, change the **e** to **i** and the **o** to **u** in the first and second persons plural of the present subjunctive:

| sentir *to feel* | | morir *to die* | |
|---|---|---|---|
| sienta | sintamos | muera | muramos |
| sientas | sintáis | mueras | muráis |
| sienta | sientan | muera | mueran |

3. **-ir** verbs that change the **e** to **i** in the present indicative, maintain this change in all persons of the present subjunctive:

| pedir *to request* | |
|---|---|
| pida | pidamos |
| pidas | pidáis |
| pida | pidan |

B. The following verbs are irregular in the present subjunctive:

| | |
|---|---|
| **dar** | dé, des, dé, demos, deis, den |
| **estar** | esté, estés, esté, estemos, estéis, estén |
| **haber** | haya, hayas, haya, hayamos, hayáis, hayan |
| **saber** | sepa, sepas, sepa, sepamos, sepáis, sepan |
| **ser** | sea, seas, sea, seamos, seáis, sean |
| **ir** | vaya, vayas, vaya, vayamos, vayáis, vayan |

## Práctica

Dé la forma correspondiente del presente de subjuntivo, siguiendo el modelo; añada además una palabra o expresión que complete la idea.

MODELO:　abrir　yo
　　　　　(que) yo abra la puerta

| *Infinitivo* | ← | *Sujeto* | *Infinitivo* | ← | *Sujeto* |
|---|---|---|---|---|---|
| pedir | | nosotros | mentir | | Uds. |
| poder | | Estela | dormir | | nosotros |
| ir | | tú | dar | | tú y yo |
| saber | | ellos | servir | | Ana y Eva |
| empezar | | Ud. | estar | | Alicia |

## 2. El subjuntivo con verbos o expresiones de voluntad o deseo

### PRIMER PASO

*Con verbos que expresan voluntad o deseo*

A. When the verb of the main clause expresses the idea of will or volition or represents an implied command (**querer, pedir, desear, rogar, exigir, decir, insistir, aconsejar, sugerir,** etc.), the subjunctive is required in the subordinate clause:

—Ella **quiere que invites** a todos los miembros del club puertorriqueño.
—¡Con mucho gusto!

*She wants you to invite all the members of the Puerto Rican club.*
*Gladly!*

—Yo les[1] **sugiero que hablen** sobre las ventajas del bilingüismo.
—Sí, sobre todo en este país.

*I suggest that you speak about the advantages of bilingualism.*
*Yes, above all in this country.*

---

[1]The indirect object pronoun is used with some verbs: **sugerir, pedir, permitir, decir,** etc. when followed by a subjunctive clause.

ATENCIÓN:   Note that for the subjunctive to be used, the subject of the main clause must be different from that of the subordinate clause (one person wants someone else to do something). If there is no change of subject, the infinitive is used:

Ella **quiere invitar** a todos los miembros del club.

B. Sometimes the main clause containing the verb of will or volition is omitted in Spanish:

¡Queremos que cante Silvia!                  *We want (let) Silvia (to) sing!*
( ⎯ ⎯ ) ¡Que cante Silvia!

—¿Por qué no vas al cine con los          *Why don't you go to the movies*
   niños?                                       *with the children?*
—Estoy muy ocupada. Que **vaya**         *I'm very busy. Let David go.*
   David.

C. Either the subjunctive or the infinitive may be used with the verbs **prohibir** (*to forbid*), **mandar, ordenar** (*to order*), and **permitir** (*to allow*):

Les **prohíbo hablar** acerca de eso.
Les **prohíbo que hablen** acerca de eso.

No les **permiten aterrizar** aquí.
No les **permiten que aterricen** aquí.

Le **ordeno salir.**
Le **ordeno que salga.**

Me van a **mandar traerlo.**
Me van a **mandar que lo traiga.**

## Práctica

a. Complete lo siguiente de una manera original, usando el subjuntivo o el infinitivo, según corresponda:

1. Si te duele la cabeza, te aconsejo que…
2. Si ellos van a venir a comer, yo necesito…
3. Si van a viajar a Buenos Aires, les ruego que…
4. Si vas a la playa, te sugiero que…
5. Si el gobierno quiere limitar la importación de automóviles, necesita…
6. Si los niños se quedan solos, no les voy a permitir que…
7. Si Uds. van a hacer el censo, insistimos en que…
8. Si no tienes veintiún años, no te van a permitir…

**b.** Responda negativamente, sugiriendo que las personas que aparecen entre paréntesis realicen la acción. Siga el modelo.

MODELO:  ¿Puedes revisar las llantas?  (el mecánico)
No, *que* las *revise* el mecánico.

1. ¿Puedes poner el anuncio?  (su yerno)
2. ¿Quieren jugar al tenis con nosotros?  (Juan y Elena)
3. ¿Por qué no llenas el tanque?  (Rosaura)
4. ¿Va a llamar Ud. a los periodistas?  (su secretaria)
5. ¿Pueden ir a la estación de servicio?  (Adela)

**c.** Escriba oraciones usando los elementos dados. En cada caso, use las dos formas: infinitivo y subjuntivo. Siga el modelo.

MODELO:  mamá / prohibirme / verlo
Mamá me prohíbe *verlo*.
Mamá me prohíbe *que lo vea*.

1. él / ordenarnos / ponerse de acuerdo
2. papá / mandarme / comprar / aceite para el coche
3. el gobierno / prohibirles / sacar / divisas / del país
4. mi padre / no permitirme / tomar / ninguna decisión

## CONTINUEMOS...

### *Expresiones impersonales que indican voluntad o deseo*

The subjunctive is used after certain impersonal expressions that indicate will or volition, when the verb in the subordinate clause has a stated subject. The most common expressions are:

| | |
|---|---|
| **es conveniente** (**conviene**) | *it is advisable* |
| **es importante** (**importa**) | *it is important* |
| **es mejor** | *it is better* |
| **es necesario** | *it is necessary* |
| **es preferible** | *it is preferable* |
| **es urgente** (**urge**) | *it is urgent* |

—**Es importante** que Raquel **practique** más el inglés.
—Sí, **es necesario** que lo **hable** todos los días.

*It is important that Raquel practice English more.*
*Yes, it is necessary that she speak it every day.*

| Nueva | Crec. | Llena | Meng. |
|---|---|---|---|
| 25/8 | 2/9 | 9/9 | 16/9 |

When a sentence is totally impersonal, and the subject is neither expressed nor understood, the above expressions are followed by an infinitive:

—¿Qué es necesario para ser bilingüe?      *What is needed to be bilingual?*

—**Es necesario tener** el dominio absoluto de dos idiomas.      *It's necessary to have complete command of two languages.*

## Práctica

Escriba Ud. oraciones originales, usando las expresiones impersonales dadas. Use el subjuntivo o el infinitivo, según sea necesario:

1. Es importante que yo...
2. Es mejor...
3. Es urgente...
4. Es preferible que mi novio(a)...

5. Es conveniente que los estudiantes...
6. Es conveniente...
7. Es necesario que tú...
8. Es importante que nosotros...

## 3. El equivalente español de *let's* + infinitivo

### PRIMER PASO

*Usos y formas*

A. The first person plural of an affirmative command (*Let's* + *infinitive*) may be expressed in two different ways in Spanish:

1. By using the first person plural of the present subjunctive:

**Hablemos** con los nuevos profesores.      *Let's talk with the new professors.*

Sí, **hagamos** eso ahora.      *Yes, let's do that now.*

2. By using **vamos a** + *infinitive*. This expression may only be used in an affirmative command; the subjunctive is used to express a negative command:

**Seamos** puntuales.
**Vamos a ser** puntuales.      **No seamos** puntuales.

B. With the verb **ir**, the subjunctive is used only for the negative, *not* for the affirmative command:

**Vamos.**      *Let's go.*

**No vayamos.**      *Let's not go.*

**Práctica**

**a.** Conteste las siguientes preguntas, usando la forma del imperativo directo para **nosotros** y las palabras que aparecen entre paréntesis:

1. ¿Qué hacemos este verano?   (tomar una clase de español)
2. ¿Qué poetas leemos primero?   (los del siglo quince)
3. ¿Dónde almorzamos?   (en la cafetería)
4. ¿A dónde vamos?   (al teatro)
5. ¿A quién llevamos a la fiesta?   (a la hija de Consuelo)
6. ¿A qué hora salimos?   (a las ocho)
7. ¿A quién llamamos?   (a la enfermera)
8. ¿Qué comemos de postre?   (arroz con leche)

**b.** Ud. y yo vamos a ir de viaje. Dígame todo lo que debemos hacer con respecto a lo siguiente.

MODELO:   pasajes
*Compremos* los pasajes.
*Vamos a comprar* los pasajes.

1. los documentos
2. las reservaciones
3. los cheques de viajero
4. el perro

5. el coche
6. las maletas
7. la casa
8. todas las puertas y ventanas

CONTINUEMOS...

*Posición de las formas pronominales con el imperativo de la
primera persona plural*

A. As with **Ud.** and **Uds.** command forms, the direct and indirect object pronouns and reflexive pronouns are attached to an affirmative command, but precede a negative command:

—¿Qué le compramos a Dora?
—Ella es muy supersticiosa.
   **Comprémosle** una pata de conejo.
—No, **no le compremos** eso.

*What shall we buy for Dora?*
*She's very superstitious. Let's
   buy her a rabbit's foot.*

*No, let's not buy her that.*

B. When the first person plural command is used with a reflexive verb, the final **s** of the verb is dropped before adding the reflexive pronoun **nos**:

Vistamos͛ + nos:   **Vistámonos.**
Levantemos͛ + nos:   **Levantémonos**

The final **s** is also dropped before adding the indirect object pronoun **se**:

Digamos͛ + selo:   **Digámoselo.**
Pidamos͛ + selo:   **Pidámoselo.**

## Práctica

Conteste las siguientes preguntas, usando el imperativo de la primera persona plural. Use los pronombres correspondientes a las palabras en cursiva. Conteste en el afirmativo o en el negativo, según se indica:

1. ¿*Le* traemos *el regalo a Juan?*   (Sí)
2. ¿Señalamos *las ventajas del programa?*   (Sí)

3. ¿Se lo preguntamos *a ese señor?* (No)
4. ¿*Les* damos *el dinero a los niños?* (No)
5. ¿Nos ponemos *los zapatos rojos?* (Sí)
6. ¿*Les* traemos *el postre a ellos?* (No)
7. ¿Nos sentamos aquí? (No)
8. ¿Traducimos *las cartas* al inglés? (No)
9. ¿*Se* lo decimos *a Carmen?* (Sí)
10. ¿Nos vestimos ahora? (Sí)

## 4. Los pronombres relativos

### PRIMER PASO

*Los pronombres relativos* que, quien *y* cuyo

Relative pronouns are used to combine two sentences that have an element[1] in common, usually a noun or a pronoun.

A. The relative pronoun **que**

¿Dónde están **los discos?**    Trajiste **los discos.**

element in common

¿Dónde están los discos **que** trajiste?
R.P.

🙠 Notice that the relative pronoun **que** not only helps combine the two sentences above, but also replaces **los discos** in the second sentence.

¿Cómo se llama **la chica?**    **La chica** vino esta mañana.

element in common

¿Cómo se llama la chica **que** vino esta mañana?
R.P.

🙠 The relative pronoun **que** is invariable, and it is used for both persons and things. It is the Spanish equivalent of *that, which,* or *who.*

---

[1]The common element appears in the main clause. This element is called the antecedent of the relative pronoun that introduces the subordinate clause, because it is the noun or the pronoun to which the relative pronoun refers.

B. The relative pronoun **quien** (**quienes**)

—¿La muchacha **con quien** hablabas es americana?
—No, es extranjera.

—¿Quiénes son esos señores?
—Son los señores **de quienes** te había hablado José.

🙞 The relative pronoun **quien** is only used with persons.

🙞 Notice that the plural of **quien** is **quienes. Quien** does not change for gender, only for number.

🙞 After prepositions **quien** is generally used, i.e.: **con quien, de quienes.**

🙞 **Quien** is the Spanish equivalent of **whom, that, who.**

🙞 In written Spanish, **quien** is used instead of **que** if the relative pronoun introduces a statement between commas. Compare:

Ésa es la señora **que** compró la casa.
Esa señora, **quien** compró la casa, es una mujer riquísima.

C. The relative possessive **cuyo, -a, -os, -as** means *whose*. It agrees in gender and number with the noun that follows it, *not* with the possessor:

Anita, **cuyos padres** fueron a México, está conmigo ahora.

ATENCIÓN:  In a question, the interrogative *whose?* is expressed by **de quién(es)**:

¿**De quién** es este anillo?

## Práctica

Complete las siguientes oraciones usando el pronombre relativo correspondiente:

1. El programa educativo _____ vimos anoche fue realmente interesante.
2. María, _____ nunca había viajado, lo pasó divinamente en Acapulco.
3. El muchacho _____ bailó conmigo era de estatura mediana.
4. Los pasajeros _____ maletas no han llegado, pueden volver mañana.
5. ¿ _____ son estas joyas?
6. El editorial _____ leí ayer era sobre las ventajas del bilingüismo.
7. El hombre de _____ te hablé es miembro del Club Puertorriqueño de la universidad.
8. El Santo Patrón de Pamplona, _____ fiestas se celebran en julio, es San Fermín.
9. Juan Barrios, _____ hija está embarazada, quiere el nombre de un buen médico.
10. Los muchachos con _____ hablé son católicos.

CONTINUEMOS...

*Otros pronombres relativos*

A. **El cual, la cual, los cuales,** and **las cuales** are used in place of **que** to clarify which one of two possible antecedents the clause modifies and to avoid possible confusion. These relative pronouns are normally used after a preposition and are always preceded by a definite article:

> **El hermano** de Marta, **del cual** ya te hablé, nació en Nochebuena.
> Marisa, **sin la cual** no podemos ir a la fiesta, se enfermó.

B. **El que, la que, los que** and **las que** have the same uses as **el cual, la cual,** etc. They are also used as the equivalent of the English *the one who, he who* and *those who:*

> Marisa, sin **la que** no podemos ir a la fiesta, se enfermó.
> **El que** (**quien**) ríe último, ríe mejor.    (*He who laughs last laughs best.*)

C. **Lo que** and **lo cual** are neuter and refer to an idea. **Lo cual** is only used when there is a stated antecedent:

> **Lo que** tú dijiste no es verdad.
> Dijo que era de calidad inferior, **lo cual** es cierto.

## Práctica

Complete las siguientes oraciones, usando los pronombres relativos correspondientes:

1. Los hijos de mi hermano, _____ llegaron anoche, ya están acostados.
2. Trabajamos por doce horas, _____ me cansó muchísimo.
3. Las hermanas de mi profesor, _____ salieron ayer para México, hablan español perfectamente.
4. Para empezar, tenemos que comprar los libros, sin _____ no podemos estudiar.
5. Nunca pueden ponerse de acuerdo, _____ muestra que no hay comunicación entre ellos.
6. El hermano de Adela, con _____ hablé ayer, dice que en este país no existe el respeto.
7. Los amigos de mi hermana, _____ llegaron ayer, están en casa ahora.
8. En mi país también dicen que _____ ríe último, ríe mejor.

# ¿CUÁNTO SABE USTED AHORA?

**a.** Complete el siguiente diálogo usando los verbos dados entre paréntesis en el subjuntivo o el infinitivo, según corresponda:

Un periodista está hablando con el señor Manuel Peña, director de un programa de ayuda a las minorías de origen hispano.

PERIODISTA —Yo quiero que Ud. nos ____ (dar) los datos necesarios para informar al público sobre la labor que realiza su organización.

SR. PEÑA —Sí, es importante que los miembros de los grupos minoritarios ____ (saber) cuáles son las ventajas que ofrece nuestro programa.

PERIODISTA —Primero quiero que ____ (hablarnos) de las clases de inglés para adultos.

SR. PEÑA —Ofrecemos clases nocturnas de inglés, y conviene ____ (señalar) que son gratis. Estoy seguro de que muchas personas van a asistir a ellas. Queremos ____ (ayudarlos) también a conseguir empleo.

PERIODISTA —Es necesario que ____ (haber) programas similares en otras ciudades. Y ahora, señor Peña, quiero que ____ (aclararnos) algunos puntos sobre la ayuda legal que ofrece el programa.

SR. PEÑA —Yo no puedo darle mucha información sobre esto. Le sugiero que ____ (hablar) con nuestro abogado y que ____ (hacerle) la misma pregunta.

PERIODISTA —Yo sé que esta conversación nuestra va a ____ (ser) una buena propaganda para su programa. Ahora quiero que ____ (darnos) el número de teléfono de su oficina.

SR. PEÑA —El número es 813-43-92. Que ____ (llamar) de ocho a cinco.

**b.** Somos tres estudiantes. Vivimos juntos en un apartamento y estamos tratando de organizar mejor nuestras actividades. Usando las formas del imperativo directo para *nosotros* y la del imperativo indirecto para *Andrés*, diga cómo lo vamos a hacer. Siga los modelos.

MODELOS: Nosotros (trabajar más)    Andrés (preparar la comida)
*Trabajemos* más.              Que Andrés *prepare* la comida.

*Nosotros*

1. levantarnos más temprano
2. lavar los platos
3. hacer las camas
4. salir antes de las siete
5. ir de compras al mercado
6. acostarnos temprano

*Andrés*

1. preparar el desayuno
2. guardarlos
3. limpiar el baño
4. sacar el coche
5. darle la comida al gato
6. acostarse temprano también

```
MUSEO DE
ARTE MODERNO
CHAPULTEPEC
─────
INBA

VALOR $ 10.00          Nº 267335
```

**c.** Varias personas tienen preguntas o problemas. Ofrezca consejos o sugerencias. Siga el modelo.

MODELO:    A Pedro le duele mucho el estómago.
*Que vaya al médico.*

1. Los niños están aburridos y no saben qué hacer.
2. A Luis lo invitaron a una fiesta y no quiere ir.
3. A David le han ofrecido un trabajo en la ciudad de México y él no sabe español.
4. Mis hermanas quieren ir al centro y no tienen coche ni dinero para tomar el autobús.
5. Adriana quiere hablar con Roberto, pero no puede ir a su casa.
6. Mis padres quieren ir a Nueva York, pero no les gusta volar.
7. Una amiga de Pedro le regaló una corbata, pero él nunca usa corbata.
8. A unos amigos míos siempre les ofrecen vino, pero ellos no beben bebidas alcohólicas.
9. Norberto tiene un examen mañana y no encuentra su libro de español.
10. El coche de mis padres no funciona.
11. Elisa no tiene nada que ponerse.
12. Mi hermano tiene que llamar a la señora García y no sabe el número de su teléfono.

**d.** Palabras y más palabras

Complete las siguientes oraciones, usando el vocabulario de esta lección.

1. En un ____ hay cien años.
2. Es ____ ; habla dos idiomas.
3. No ____ duda de que el ____ del inglés es muy necesario para trabajar en los Estados Unidos.
4. No sé cuál es la población porque no he leído el último ____ , pero creo que ____ de los cien mil habitantes.
5. Hay distintos ____ de aculturación entre las minorías hispánicas.
6. Nos hemos adaptado a este país, pero también hemos logrado ____ nuestra cultura.
7. No debemos perder de ____ las ventajas del bilingüismo.
8. Su ____ es ____ a ser médico.

9. Mis hijos hablan muy bien el inglés, en _____ yo lo hablo mal.
10. ¡A _____ ! ¿Has leído el artículo sobre las minorías?
11. No te entendieron; debes _____ lo que dijiste.
12. Los hijos deben _____ a sus padres.

**e.** Vamos a conversar:

1. ¿Cuáles son los problemas con que se enfrentan las personas que quieren estudiar un idioma extranjero?
2. ¿Les prohibe el profesor de español que hablen inglés en clase? ¿Por qué?
3. ¿Puede Ud. hablar de algunas de las ventajas de ser bilingüe en este país?
4. ¿Qué grupos minoritarios hay en el lugar donde Ud. vive?
5. Además de los grupos hispanos ¿qué otros grupos minoritarios hay en este país?
6. ¿Deben los grupos minoritarios conservar su lengua y sus costumbres? ¿Por qué? (¿Por qué no?)
7. ¿Cuáles son los problemas con los que deben enfrentarse los extranjeros que llegan a este país?
8. ¿Puede Ud. mencionar algunas de las contribuciones hechas por los grupos minoritarios a la cultura de este país?
9. ¿Qué cosas importantes han ocurrido en este país durante la década de los setenta, tanto en lo social como en lo político?
10. ¿Cómo se llama el profesor que enseña esta clase?
11. ¿Cómo se llama el profesor con quien estudiaste español el año pasado?
12. ¿Está Ud. siempre de acuerdo con lo que dicen sus padres? ¿Por qué? o ¿Por qué no?

**f.** Ahora el profesor va a dividir la clase en varios grupos. Cada uno de estos grupos va a estudiar los siguientes problemas con que se enfrentan las minorías hispánicas en este país, y a buscar soluciones para los mismos.

Al terminar la discusión, cada grupo dará sus recomendaciones. En sus informes, empiecen cada recomendación diciendo: **sugerimos que, recomendamos que,** o **aconsejamos que:**

Problemas

1. La falta de dominio del idioma inglés
2. Las diferencias culturales:
   a. las costumbres de los niños
   b. las tradiciones de los adultos
3. La falta de empleo
4. Los diferentes niveles educativos
5. La falta de dinero
6. La separación de las familias
7. Otros

# CARTA DE UNA VIAJERA

Eero Saarinen 1910-1961 Dulles Airport Washington DC
**Architecture USA 20c**

5 de agosto de 19 . .

Mis queridos amigos:

Como me costaba casi lo mismo volar directamente de Caracas a México que hacer el viaje parando en Miami, decidí quedarme en ésta, pues ya tenía deseos de oír hablar inglés a mi alrededor. Llegué hace tres días, y en todo este tiempo, no oigo ni hablo más que español a todas horas y en todas partes. Tienen razón los que dicen que Miami se ha convertido en una ciudad de Latinoamérica. Me hicieron reír los letreros en los escaparates° de muchas tiendas: "Aquí se habla inglés." Como verán, ya ni eso se da por supuesto.°

windows
is taken for granted

Como sabrán, desde 1960 han llegado aquí casi un millón de cubanos, y miles de personas más de todas partes de Latinoamérica. Los cubanos, al contrario de lo que sucede con otras minorías, por lo general no se sienten discriminados. Esto se debe a que como César "vinieron, vieron y vencieron."°

conquered

Esta ciudad, que hace veinte años vivía del turismo de invierno, hoy es además un centro comercial y financiero de primer orden. Además hoy hay un turismo de verano, formado principalmente por latinoamericanos que dejan todos los años millones de dólares; y sin embargo, ya el comercio con Latinoamérica comienza a producir mucho más.

Pero déjenme contarles algo de lo que he hecho: cené en un restaurante cubano llamado La Carreta, donde probé platos típicos como el lechón asado° y el congrí (arroz con frijoles negros). Fui a un concierto de Lecuona[1], y fui de compras a las tiendas de la calle Ocho en la Pequeña Habana.

roast pork

Los dejo por hoy, porque voy a salir con unos amigos.

Hasta siempre,

Carol

---

[1]Famoso músico y compositor cubano

Después de leer la carta de Carol, díganos:

1. ¿Por qué decidió Carol parar en Miami?
2. ¿Qué situación irónica encuentra en Miami?
3. ¿Qué es lo que no se da por supuesto en Miami?
4. ¿Qué inmigración ha llegado a Miami durante los últimos años?
5. ¿Qué diferencia existe entre los cubanos y las demás minorías? ¿Por qué?
6. ¿Qué cambios económicos ha habido en la ciudad de Miami?
7. Además del turismo, ¿qué otra gran fuente de ingresos tiene Miami?
8. ¿Cuáles son algunas de las cosas que ha hecho Carol en Miami?

# 9

# *Hablando de deportes*

---

**LA NACIÓN,** lunes 10 de junio de 19 . . **Página deportiva**

| *Boxeo* | *Fútbol* |
|---|---|
| Pedro Benítez nuevo campeón. Anoche el boxeador Pedro Benítez ganó la pelea en el tercer asalto, dejando a su oponente fuera de combate. | El domingo pasado el Club Fénix ganó el partido 5 a 3. A pesar de que en el primer tiempo dos de sus jugadores se lastimaron; en el segundo tiempo pudo marcar 2 goles más, ganando el partido. |

*Básquetbol*

El partido de baloncesto que se celebró anoche en el estadio del centro de la ciudad fue muy reñido. El equipo de la ciudad de México le ganó al equipo madrileño por 32 a 30. El entrenador del equipo de Madrid estaba furioso y comentó que la próxima vez, su equipo sería el ganador.

---

John y Lisa son de California y están estudiando medicina en la ciudad de Guadalajara en México. Carlos, también estudiante de medicina, es mexicano y les ha servido de guía muchas veces.

Hoy es domingo y los tres están sentados en un café, donde llevan media hora conversando. Han comprado un periódico y ahora están leyendo y comentando la página deportiva mientras toman chocolate con churros.

CARLOS —La próxima semana mi equipo juega aquí. ¿Vamos al estadio a ver el partido? Yo conozco a un muchacho que puede sacar las entradas.

LISA —¡Sí, no nos perdamos ese partido! Ojalá que podamos conseguir entradas porque todo el mundo quiere verlo.

CARLOS —Dudo que vaya tanta gente como tú crees. Te apuesto a que no tenemos ningún problema.

LISA —Espero que tengas razón.

JOHN —¡Oye! ¿De quién es esa foto? ¿No es de Pedro Benítez, el boxeador que ganó la pelea de anoche?

CARLOS —Sí. A ver qué dice...¡Dejó a su oponente fuera de combate en el tercer asalto!

LISA —¡No hay nada que me guste menos que el boxeo! ¡Es horrible! El año pasado un boxeador murió a causa de los golpes recibidos en el cuadrilátero.

CARLOS —No creo que sea peor que el fútbol americano. Lo que pasa es que Uds. no se dan cuenta...

JOHN —No se peleen. Oye, Lisa, ¿fuiste a patinar con Paco?

LISA —No, él se fue a esquiar a Colorado.

JOHN —Me habría gustado ir con él. Necesito mejorar mi estilo.

LISA —¿Qué estilo? La última vez que esquiamos juntos por poco te matas.

JOHN —(Se ríe) ¡Bah! Tú no sabes apreciar lo bueno...

## Charlemos

1. ¿Quién es el nuevo campeón de boxeo?
2. ¿Qué les pasó a dos jugadores del Club Fénix?
3. ¿Cómo fue el partido de básquetbol entre los equipos de México y de Madrid?
4. ¿De dónde son John y Lisa y qué están haciendo en Guadalajara?
5. ¿Quién les ha servido de guía a John y a Lisa?
6. ¿Dónde están sentados los tres y qué están haciendo?
7. ¿Qué dice Carlos sobre su equipo?
8. ¿Por qué cree Lisa que va a ser difícil conseguir las entradas para el partido de fútbol?
9. ¿Carlos está de acuerdo con Lisa? ¿Por qué?
10. ¿De quién es la foto que ve John en el periódico?
11. ¿Qué dice Lisa sobre el boxeo?
12. ¿Qué le pasó a un boxeador el año pasado?
13. ¿Qué le habría gustado hacer a John? ¿Por qué?
14. ¿Cree Ud. que John esquíe muy bien? ¿Por qué?

## VOCABULARIO

NOMBRES

el **asalto**   boxing round
el **básquetbol, baloncesto**   basketball
el **boxeador**   boxer
el **boxeo**   boxing
el (la) **campeón(ona)**   champion
el **cuadrilátero**   boxing ring
los **churros**   type of pastry
el **deporte**   sport
el (la) **entrenador(a)**   trainer
el **equipo**   team
el **estadio**   stadium
el **golpe**   blow, hit, stroke, punch
el (la) **guía**   guide
el (la) **jugador(a)**   player
la **página**   page
el **partido**   game
la **pelea**   fight

VERBOS

**apreciar**   to appreciate
**apostar (o>ue)**   to bet
**comentar**   to comment
**esquiar**   to ski
**imaginar(se)**   to imagine
**lastimar(se)**   to hurt (oneself)
**marcar**   to score (in sports)
**mejorar**   to improve
**patinar**   to skate
**perderse (algo) (e>ie)**   to miss out on
**servir (de) (e>i)**   to serve as

ADJETIVOS

**deportivo(a)**   related to sports
**madrileño(a)**   native of Madrid
**reñido(a)**   close (in a game)
**sentado(a)**   seated

---

### Expresiones idiomáticas

**darse cuenta (de)**   *to realize*
**fuera de combate**   *knocked out*
**por poco**   *almost*

**sacar las entradas**   *to get (buy) the tickets*
**segundo tiempo**   *second half*
**y eso que...**   *and mind you . . .*

---

## PALABRAS PROBLEMÁTICAS

**a. Perderse, perder, faltar (a), echar de menos** como equivalentes de *to miss*

1. **Perderse (algo)** significa **no tener el placer:**

    ¿No viste los murales de Orozco? ¡No sabes lo que **te perdiste!**

2. **Perder,** cuando se refiere a un medio de transporte, significa **no llegar a tiempo para tomarlo:**

    **Perdí** el tren de las diez, y ahora debo esperar otro.

3. **Faltar (a)** significa **no asistir:**

    Ayer **falté a** clase porque estaba enferma.

4. **Echar de menos** significa **sentir la ausencia de:**

    Cuando estoy de viaje, **echo de menos** a mi familia.

**b. Darse cuenta, realizar**

1. **Darse cuenta** significa **notar, comprender;** equivale al inglés *to realize:*

   ¡No **te das cuenta de** lo que te pierdes si no vas a la corrida!

2. **Realizar** significa **hacer algo, efectuar:**

   Al difundir la música autóctona, **realizan** una gran labor en favor de la cultura.

## Práctica

Complete las siguientes oraciones, usando las "palabras problemáticas" correspondientes:

1. Yo no me di ____ de que la pelea ya había comenzado.
2. No debemos ____ ese partido. Va a ser muy reñido.
3. Todos mis amigos vinieron a mi fiesta. No ____ ninguno.
4. La Cruz Roja ____ una labor muy importante.
5. Llegué tarde a la oficina porque ____ el autobús.
6. Yo ____ mucho de menos a mis amigos.

# ESTRUCTURAS GRAMATICALES

## 1. El subjuntivo con verbos de emoción y con expresiones impersonales

### PRIMER PASO

### *Con verbos de emoción*

In Spanish, the subjunctive is always used in the subordinate clause when the verb in the main clause expresses an emotion, such as happiness, pity, hope, surprise, fear, and so forth.

Some common verbs that express emotion are: **esperar, sentir, alegrarse (de), lamentar, sorprenderse (de), temer,** etc.

| | |
|---|---|
| **(Yo) espero**<br>(Main clause) | que (**Elena**) **pueda** ir a esquiar.<br>(Subordinate clause) |
| **(Él) teme**<br>(Main cl.) | que (**nosotros**) **no podamos**<br>conseguir las entradas.<br>(Subordinate clause) |

Note that the subject of the subordinate clause must be different from that of the main clause for the subjunctive to be used. If there is no change of subject, the infinitive is used:

(**Yo**) **espero poder** ir a esquiar.
(**Ella**) **teme** no **poder conseguir** las entradas.

| | |
|---|---|
| —¿Cuánto nos van a dar ellos para la fiesta? | *How much are they going to give us for the party?* |
| —**Espero** que nos **den** unos cincuenta dólares. | *I hope they give us about fifty dollars.* |
| —**Temo** que no **puedan** dar tanto. | *I'm afraid they can't give that much.* |

### Práctica

**a.** Vuelva a escribir las siguientes oraciones, comenzando con las expresiones dadas entre paréntesis:

1. Aquí el grupo hispano pasa de diez mil.   (Me sorprende que...)
2. Ése es el verdadero problema.   (Temo que...)
3. Él no puede ir a la corrida de toros.   (Sentimos que...)
4. El progreso de ese grupo social es muy lento.   (Lamentan que...)
5. La nueva secretaria es bilingüe.   (Nos alegramos de que...)
6. Aquí hay mucha contaminación en el aire.   (Lamentamos que...)
7. Ella no sabe patinar.   (Me sorprende que...)
8. A ellos no les gusta ese deporte.   (Temo que...)
9. Ellos tratan de mejorar su estilo.   (Esperamos que...)
10. Marcos va a la pelea.   (Me alegro de que...)

**b.** Complete lo siguiente, usando el subjuntivo o el infinitivo de los verbos dados.

1. —Espero que tú ＿＿ (ir) con nosotros.
   —Siento no ＿＿ (poder) servirles de guía hoy, pero espero que nosotros ＿＿ (salir) juntos mañana.

2. —Temo que (nosotros) no ____ (llegar) a tiempo para ver el primer asalto.
   —Espero que ____ (estar) allí para el segundo.
3. —Lamento que Pepe no ____ (poder) venir a la fiesta.
   —Pues yo me alegro de que no ____ (venir).
4. —Me sorprende ____ (ver) a tanta gente aquí para este partido.
   —Espero que todavía ____ (haber) entradas.

═══════════════════ CONTINUEMOS...

## Expresiones impersonales que denotan emoción

There are some impersonal expressions of emotion that require the subjunctive in the subordinate clause when there is a subject in that clause, either expressed or implicit. The most common expressions are:

| | | | |
|---|---|---|---|
| **es de esperar** | *it is to be hoped* | **es lástima** | *it is a pity* |
| **es lamentable** | *it is regrettable* | **ojalá** | *if only . . .* |
| **es sorprendente** | *it is surprising* | **es una suerte** | *it is lucky* |

—¿Hay muchas diferencias entre las minorías latinoamericanas?

*Are there many differences among the Latin American minorities?*

—Sí, y **es de esperar** que ellos **puedan** aclararlas en su informe.

*Yes, and it is to be hoped that they can clarify them in their report.*

—**Es una lástima** que **tengan** tan poco tiempo para escribirlo.

*It's a pity that they have so little time to write it.*

## Práctica

**a.** Dénos su reacción a lo siguiente, usando cada una de las expresiones impersonales estudiadas:

1. Dicen que mañana va a llover. Ud. quiere ir a la playa.
2. Ud. necesita un empleo. Su tío es presidente de una compañía.
3. Ud. quiere llevar a su amiga al cine, pero ella está muy enferma.
4. Le ofrecen un coche muy barato, pero Ud. no tiene suficiente dinero.
5. Su sobrino tiene menos de un año y ya sabe nadar perfectamente.
6. Hoy es lunes. Ud. no ha estudiado la lección y el profesor muchas veces da exámenes los lunes.

**b.** Escriba oraciones originales usando las siguientes expresiones:

1. Es sorprendente que...
2. Es lamentable que...
3. Ojalá que...
4. Es de esperar que...
5. Es una suerte que...
6. Es (una) lástima que...

## 2. Usos del subjuntivo para expresar duda, negación, la cualidad de lo indefinido y lo no existente

PRIMER PASO

*El subjuntivo para expresar duda y negación*

A. The subjunctive used to express doubt

1. When the verb of the main clause expresses uncertainty or doubt, the verb in the subordinate clause is in the subjunctive:

—Luis cree que su equipo va a ganar mañana.

*Louis thinks his team is going to win tomorrow.*

—**Dudo** que **gane,** porque los jugadores son malísimos.

*I doubt that they will win, because the players are extremely bad.*

—¿Tú vas a ir con él?

*Are you going with him?*

—**Dudo** que **pueda** ir.

*I doubt that I can go.*

ATENCIÓN: Notice that even if there is no change of subject, the subjunctive always follows the verb **dudar** in the affirmative. When no doubt is expressed, and the speaker is certain of what is said in the subordinate clause, the indicative is used:

No **dudo** que **pueden** ganar.

2. The subjunctive follows certain impersonal expressions that indicate doubt only when the verb in the subordinate clause has a subject, either expressed or implicit. If there is no subject, the infinitive is used. The most common expressions are:

**es difícil**   *it is unlikely*

**es (im)probable**   *it is (im)probable*

**es dudoso**   *it is doubtful*

**puede ser**   *it may be*

**es (im)posible**   *it is (im)possible*

—Ana dice que hay buenas universidades en ese país.

*Ana says that there are good universities in that country.*

—**Es dudoso** que un país tan atrasado **tenga** buenas universidades.

*It's doubtful that such a backward country has good universities.*

—Ella quiere que le quiten la mancha que tiene en la cara.

*She wants them to remove the birthmark she has on her face.*

—**Es imposible hacer** eso.

*It's impossible to do that.*

3. The verb **creer** is followed by the subjunctive in negative sentences when it expresses disbelief. It is followed by the indicative in affirmative sentences when it expresses belief.

—Yo **creo** que **podemos** hacer el censo de la población en seis meses.

*I think we can take a census of the population in six months.*

—No, **no creo** que **tengamos** personal suficiente para eso.

*No, I don't think we have sufficient personnel for that.*

ATENCIÓN:   When the verb **creer** is used in an interrogative sentence, the indicative is used if there is no indication of doubt, or no opinion is expressed. If one wants to express doubt about what is being said in the subordinate clause, the subjunctive is used:

¿**Crees** que **podemos** hacer el censo en seis meses? (Yo creo que sí, o no expreso mi opinión.)

¿**Crees** que **podamos** hacer el censo en seis meses? (Yo lo dudo.)

B. The subjunctive used to express denial

When the verb in the main clause denies what is said in the subordinate clause, the subjunctive is used:

—Dicen que ese boxeador es millonario.

*They say that boxer is a millionaire.*

—Pues él **niega** que su capital **pase** de los cien mil dólares.

*Well, he denies that his capital is over a hundred thousand dollars.*

—Ellos deben de tener mucho dinero porque gastan mucho.

*They must have a lot of money because they spend a lot.*

—Es verdad que gastan mucho, pero **no es cierto** que **tengan** mucho dinero.

*It's true that they spend a lot, but it isn't true that they have a lot of money.*

ATENCIÓN:   When the verb in the main clause does not deny what is said in the subordinate clause, the indicative is used:

Él **no niega** que su capital **pasa** de los cien mil dólares.

## Práctica

**a.** Complete las siguientes frases usando los verbos dados entre paréntesis en el subjuntivo o el indicativo, según convenga:

1. No estoy seguro de que ellos ＿＿ (poder) lograr esa meta.
2. Yo no niego que ella ＿＿ (realizar) una gran labor.

3. Papá no cree que ellos ＿＿ (rebajar) los precios durante las fiestas de Navidad.
4. Dudo que ＿＿ (haber) pesebres en Moscú.
5. No es verdad que no me ＿＿ (interesar) los problemas relacionados con el bilingüismo.
6. Es difícil que tú ＿＿ (poder) hacer las maletas, sobre todo si llegas tan tarde del trabajo.
7. Estoy segura de que las autoridades nos ＿＿ (ir) a parar si no tenemos todos los documentos.
8. Es cierto que Juan ＿＿ (ir) a sacar las entradas.
9. ¿Tú crees que el partido ＿＿ (ser) reñido? ¡Yo lo dudo!
10. Niego que mi hijo ＿＿ (saber) nada sobre el crimen.
11. Yo creo que mi equipo ＿＿ (poder) marcar los goles que faltan en el segundo tiempo.
12. Es imposible que ellos ＿＿ (dar) tanto dinero para esa organización.

**b.** Escriba oraciones originales usando las siguientes expresiones:

1. No es verdad que yo...
2. Yo no niego que mis padres...
3. Es difícil que un estudiante...
4. No es posible que un niño...
5. Es dudoso que nosotros...
6. Estoy seguro(a) de que Uds...
7. Creo que mi amiga...
8. Yo no creo que el profesor...

CONTINUEMOS...

## *El subjuntivo para expresar la cualidad de lo indefinido y lo no existente*

The subjunctive is always used when the subordinate clause refers to someone or something indefinite, hypothetical, or non-existent:

—**Busco** una persona[1] que **tenga** un dominio absoluto del inglés y del español.

*I'm looking for a person who has an absolute command of English and Spanish.*

—Aquí **no** hay **nadie** que sepa los dos idiomas bien.

*There's no one here who knows both languages well.*

If the subordinate clause refers to a definite or specific person or thing, the indicative is used instead of the subjunctive:

Aquí **hay** una secretaria que **sabe** los dos idiomas.

---

[1]The personal *a* is not used when the noun does not refer to a specific person.

### Práctica

**a.** Cambie las siguientes frases al negativo, siguiendo el modelo.

MODELO:  *Hay alguien* en esta oficina que *es* bilingüe.
*No hay nadie* en esta oficina que *sea* bilingüe.

1. *Hay varias personas* que *pueden* aclarar estos puntos.
2. Tenga en cuenta que *hay muchas personas* que *dedican* su tiempo a esa labor.
3. En mi casa *hay dos personas* que *leen* la página deportiva.
4. *Tenemos varios empleados* que *echan* de menos a ese supervisor.
5. Allí *hay muchas cosas* que *son* gratis.
6. *Hay un boxeador* que *puede* dejarlo fuera de combate con un solo golpe.

**b.** Vuelva a escribir las siguientes oraciones, comenzando con los elementos dados entre paréntesis. Haga los cambios necesarios:

1. Conozco a una persona que puede hacer ese trabajo.   (Busco…)
2. Aquí no hay nadie que pueda dar una conferencia sobre los viajes a la luna. (Por suerte tenemos varias personas…)
3. Hay algunos hoteles que no cobran mucho.   (Buscamos…)
4. Tengo una secretaria que es bilingüe.   (Necesito…)
5. Queremos una casa que tenga cuatro habitaciones.   (Tenemos…)
6. Necesito una persona que haga traducciones.   (Conozco…)

**c.** ¿Qué es lo que estas personas tienen y qué buscan o quieren? ¿Qué hay y qué no hay? Dígalo Ud., usando su imaginación:

1. Yo quiero una casa que…
2. Nosotros buscamos una secretaria que…
3. En la ciudad donde yo vivo hay muchos restaurantes que…
4. En la clase de español no hay nadie que…
5. Yo prefiero vivir en una ciudad que…
6. Mi amiga busca un esposo que…
7. En esta universidad hay muchos profesores que…
8. En nuestra familia no hay nadie que…
9. Yo tengo un amigo que…
10. Mis padres necesitan alguien que…
11. En mi barrio hay muchas chicas que…
12. No hay ningún estudiante que…

## 3. Expresiones de tiempo con *hacer* y *llevar*

PRIMER PASO

*Hacer* **usado con expresiones de tiempo**

A. The expression **hace** + *period of time* + **que** + *verb* (in the present indicative) is used in Spanish to refer to an action that started in the past and is still going on. It is equivalent to the use of the present perfect or the present perfect continuous + *period of time* in English:

---

**Hace + dos horas + que + estoy aquí.**
*(I have been here for two hours.)*

---

—¿Cuánto tiempo **hace que estudias** en la facultad de medicina?

*How long have you been studying at medical school?*

—**Hace tres años que estudio** allí.

*I have been studying there for three years.*

—¿Cuánto tiempo **hace que esperan** al profesor?

*How long have you been waiting for the professor?*

—**Hace mucho rato** que lo **esperamos.** No sé si va a venir.

*We've been waiting for him for a long while. I don't know if he's going to come.*

B. The expression **hacía** + *period of time* + **que** + *verb* (in the imperfect tense) is used to refer to an action that started in the past and was still going on when another action took place:

---

**Hacía + dos meses + que + vivía aquí cuando se casó.**
*(He had been living here for two months when he got married.)*

---

—¿Cuánto tiempo **hacía que** el boxeador **estaba** en el cuadrilátero cuando su oponente lo dejó fuera de combate?

*How long had the boxer been in the ring when his opponent knocked him out?*

—**Hacía** solamente **diez minutos que peleaban.**

*They had been fighting for only ten minutes.*

C. The expression **hace** + *period of time* + **que** + *verb* (in the preterit) is used to refer to the time elapsed since a given action took place. In this case, **hace** is equivalent to *ago* in English:

> **Hace + dos horas + que + llegué a la universidad.**
> *(I arrived at the university two hours ago.)*

| | |
|---|---|
| —El señor Peña todavía no habla inglés. | *Mr. Peña doesn't speak English yet.* |
| —No...¡Y eso que **hace diez años que llegó** a los Estados Unidos! | *No . . . and mind you, he arrived in the United States ten years ago!* |
| —¿Cuándo terminaron la construcción del metro? | *When did they finish the construction of the subway?* |
| —La terminaron **hace un mes.** | *They finished it a month ago.* |

ATENCIÓN: Note that, if **hace** is placed after the verb, the word **que** is omitted.

## Práctica

**a.** Vuelva a escribir lo siguiente, indicando el tiempo transcurrido entre los diferentes sucesos. Siga el modelo.

MODELO: Estamos en el año 1988. / Vivo en California desde 1971.
*Hace diecisiete años que vivo en California.*

1. Estamos en agosto. / Trabajo en la compañía de electricidad desde febrero.
2. Son las cinco de la tarde. / Estamos en el estadio desde las dos de la tarde.
3. Hoy es viernes. / El sindicato no se reúne desde el lunes.
4. Estamos en abril. / No cobro mi salario desde enero.
5. Son las tres y veinte. / El pescado está en el horno (*oven*) desde las tres.
6. Son las nueve. / La comida está lista desde las ocho y media.
7. Estamos en el año de 1988. / Estudio español desde el año 1985.
8. Son las nueve de la noche. / No como desde las once de la mañana.

**b.** Escriba oraciones usando la información dada. Emplee la expresión **hacía... que.** Siga el modelo.

MODELO: 3 años / ellos / trabajar allí / conocerse
*Hacía tres años que ellos trabajaban allí cuando se conocieron.*

1. 2 horas / ellas / hablar / deportes / yo / llegar
2. 4 días / ella / estar / México / enfermarse

3. 20 minutos / Uds. / charlar / animadamente / yo / llamarlos
4. 1 hora / nosotros / mirar / procesión / ocurrir / accidente
5. 2 años / nosotros / no verlo / cuando / él venir

**c.** Indique el tiempo transcurrido, usando la expresión **hace...que** como equivalente de *ago*, y el verbo dado entre paréntesis. Siga el modelo.

MODELO:   Son las ocho. El avión está volando desde las cinco.   (salir)
*Hace tres horas que el avión salió.*

1. Son las cuatro y media. Estoy aquí desde las cuatro.   (llegar)
2. Estamos en mayo. Estuvimos en las ruinas de Machu Picchu en enero. (visitar)
3. Estamos en 1988. Fuimos de vacaciones a Europa en 1984.   (ir)
4. Son las ocho. Están patinando desde las cuatro.   (empezar)
5. Son las seis. Están en el segundo tiempo desde las cinco y cuarto. (comenzar)
6. Hoy es martes. El cajero llegó de sus vacaciones el sábado.   (volver)

CONTINUEMOS...

## Llevar *usado en expresiones de tiempo*

A. The verb **llevar** + *period of time* + *gerund* is also used to refer to an action that started in the past and is still going on:

> **Llevo + ocho meses + trabajando** para la compañía de electricidad.
> *(I have been working for the power company for eight months.)*

—¿Estás muy ocupada?            *Are you very busy?*
—Sí, **llevo cuatro horas          *Yes, I have been studying for the
   estudiando** para el examen         final exam for four hours.*
   final.

B. **Llevar** + *period of time* + **sin** + *infinitive* is used to express the same idea in the negative.

> **Llevo + dos horas + sin + comer**
> *(I haven't eaten for two hours.)*

—¿Qué quieres de postre, helado      *What do you want for dessert,
   o fruta?                              ice-cream or fruit?*
—¡Helado! **Llevo meses sin        *Ice-cream! I haven't eaten it for
   comerlo.**                            months.*

## Práctica

Vuelva a escribir las siguientes oraciones usando **llevar** en vez de **hacer...que**. Siga el modelo.

MODELO:    *Hace* dos años *que* vivo en Nueva York.
           *Llevo* dos años *viviendo* en Nueva York.

1. Hace dos horas que espero a mi novia.
2. Hace cuatro horas que tú estudias.
3. Hace dos meses que él no cobra su salario.
4. Hace un año y medio que conduzco.
5. Hace cinco meses que no trabajamos.
6. Hace tres meses que nos reunimos en mi casa.
7. Hace cinco días que no tomo caldo de pollo.
8. Hace veinte minutos que me da excusas.

## 4. Usos del artículo neutro *lo*

### *Sustantivación de adjetivos*

The neuter article **lo** is used with a masculine singular adjective to form an abstract noun. It is equivalent to *the + adjective + thing* in English:

| | |
|---|---|
| —Mañana no trabajas en el hospital, ¿verdad? | *Tomorrow you're not working at the hospital, right?* |
| —No, pero **lo malo** es que no me pagan. | *No, but the bad thing is that they don't pay me.* |
| —Yo leo y escribo el español muy bien. | *I read and write Spanish very well.* |
| —Sí, pero **lo difícil** es hablarlo. | *Yes, but the difficult thing is to speak it.* |

### Práctica

Complete lo siguiente, de una manera original:

1. Cuando yo era niño(a), pensaba que lo importante...
2. Yo me imagino que lo peor...
3. Ahora me doy cuenta de que lo difícil...
4. Mis padres me dijeron que lo malo...
5. Yo creo que lo triste...
6. Para aprender español, lo más lógico...
7. Si no quieres perderte el partido, lo mejor...
8. Lo bueno de tener dinero...
9. Lo interesante es que Carlos y Mabel por poco...
10. Para conservar energía, lo adecuado...

CONTINUEMOS...

### *Otros usos de* lo

A. The neuter article **lo** is also used with **que** + *verb* as the equivalent of *what* or *that which:*

| | |
|---|---|
| —Hoy en día hay muchos problemas con la economía. | *Nowadays there are many problems with the economy.* |
| —¡**Lo que** pasa es que mucha gente no quiere trabajar! | *What happens is that many people don't want to work!* |
| —Eso es **lo que** dice mi mamá. | *That's what my mother says.* |

B. **Lo** + *adjective* (*or adverb*) + **que** is equivalent to *how* + *adjective* or *adverb* in English:

—Tus hijos ya hablan español, ¿verdad? — *Your children already speak Spanish, right?*

—Sí, es fantástico **lo rápido que** aprenden los niños. — *Yes, it's fantastic how fast children learn.*

—Hoy llegan tus padres, ¿no? — *Your parents arrive today, right?*

—Sí, y no sabes **lo contenta que** estoy. — *Yes, and you don't know how happy I am.*

C. **Lo** + **de** is equivalent to *the matter of, about, this thing about, the story of,* etc. in English:

—¿Ya sabes **lo de** Juan? — *Do you know about John?*

—Sí, está en la cárcel. — *Yes, he's in jail.*

D. **Lo** is also used in some idiomatic expressions:

**por lo pronto**   *for the time being*        **por lo tanto**   *so, therefore*
**por lo general**   *generally*                **por lo visto**   *apparently*
**a lo mejor**   *maybe*

## Práctica

Lo necesitamos como intérprete. Traduzca lo siguiente:

1. "This thing about John seems very strange."
   "In a way you're right. What do you think happened?"
2. "You never work!"
   "That's what you think!"
3. "She's very pretty!"
   "Yes, and you don't know how smart she is!"
4. "Where do you go on Saturdays?"
   "Generally we go to the movies."
   "Maybe I'll go with you."
5. "Mark studies only half an hour a day."
   "Yes, and it's fantastic how much he learns."

## ¿CUÁNTO SABE USTED AHORA?

**a.** Complete el siguiente diálogo entre Ud. y Eva, usando su imaginación. Utilice verbos y expresiones de emoción:

UD.   —_____

EVA   —No creo que podamos conseguirlas. Todo el mundo quiere ver ese partido.

UD.   —_____

EVA   —¡Te apuesto a que sí! Va a ser un partido reñidísimo y el estadio va a estar llenísimo.

UD.   —_____

EVA   —No tienes que preocuparte por eso. Han anunciado buen tiempo.

UD.   —_____

EVA   —Sí, es una lástima. Leí en la página deportiva que está en el hospital.

UD.   —_____

EVA   —Sí, los médicos han dicho que va a estar en cama por lo menos tres meses, y para entonces la temporada ya habrá terminado.

**b.** Complete la siguiente historia con el indicativo o el subjuntivo de los verbos que aparecen entre paréntesis, según corresponda:

El señor García está buscando un coche que ____ (tener) aire acondicionado, que no ____ (ser) muy pequeño y sobre todo que ____ (costar) poco. Él tiene ahora un coche que ____ (ser) muy viejo y ____ (funcionar) muy mal. A sus hijos no les gusta porque no hay ninguna chica que ____ (querer) salir en él.

El señor García conoce a un hombre que ____ (vender) coches y dice que va a preguntarle si tiene alguno que no ____ (ser) muy caro. Los hijos del señor García dudan que él ____ (poder) conseguir un coche como el que ellos ____ (querer) por poco dinero, y dicen que no es verdad que su padre no ____ (tener) dinero para comprar un coche nuevo. ¿Creen Uds. que el pobre señor García ____ (poder) comprar un coche nuevo? ¡Yo no!

**c.** Hágale preguntas a un(a) compañero(a), usando las expresiones **hace...que** o **llevar** + *gerundio* en sus preguntas. Utilice los elementos dados, siguiendo el modelo.

MODELO:   vivir / en esta ciudad
          ¿Cuánto tiempo *hace* que *vives* en esta ciudad?
          (¿Cuánto tiempo *llevas viviendo* en esta ciudad?)

1. vivir / en su apartamento
2. estudiar / en esta universidad
3. tomar / clases de español
4. trabajar / en el mismo lugar
5. no comer / nada
6. conocer / al profesor
7. no ir / a la playa
8. no ver / a sus padres
9. no tener / examen
10. no limpiar / su cuarto

**d.** Reaccione a las siguientes afirmaciones usando las expresiones dadas, según convenga. Use una cada vez:

es dudoso que...       es improbable que...       es difícil que...
es imposible que...    no es verdad que...        es probable que...

1. Dicen que yo tengo treinta años, pero tengo veinticinco.
2. Yo quiero una "A" en el examen de hoy, pero no he estudiado nada.
3. Mi hermano quiere conseguir un trabajo que pague muy bien, pero él no sabe hacer nada.
4. Quiero comprar un Rolls Royce que no cueste más de ocho mil dólares.
5. Tenemos cinco minutos para llegar a la universidad, que está a veinte millas de aquí.
6. Necesito una "B" en español. Hasta ahora tengo una "C+" y una "A−".

**e.** Palabras y más palabras

Complete las siguientes oraciones usando el vocabulario de esta lección:

1. Vamos a comer ____ con chocolate.
2. No quiero ____ ese partido porque va a ser muy ____ .
3. Dos ____ de mi equipo se ____ en el segundo ____ .
4. El campeón dejó a su oponente fuera de ____ en el segundo ____ .
5. Nunca leo la página ____ porque no me interesan los deportes.
6. Mi novio es de la capital de España; es ____ .
7. Mi equipo ____ tres goles ayer.
8. No patina muy bien; debe ____ su estilo.
9. Voy a sacar las ____ para la pelea de mañana.
10. No conoce bien la ciudad, y ____ que trabaja de guía.
11. El "Astrodome" es un ____ muy grande.
12. Se fue a esquiar y por ____ se mata.

**f.** Vamos a conversar

1. ¿Ha comido Ud. churros alguna vez? ¿Dónde?
2. ¿Qué es lo más importante para Ud.?
3. ¿Hubo algún programa deportivo interesante en la televisión anoche? (¿Cuál?)
4. ¿Sabe Ud. quién es el campeón de boxeo actualmente?
5. Va a haber un partido entre los *Rams* y los *Vikings*. ¿Va a ser muy reñido? ¿Por qué? (¿Por qué no?)
6. ¿Cree Ud. que una corrida de toros es un deporte o un arte?
7. ¿Le ha servido Ud. de guía a alguien alguna vez?
8. ¿Qué organización ha realizado siempre una gran labor para ayudar a los pobres?
9. ¿Qué fue lo más interesante que vio Ud. ayer?
10. ¿Cuántas veces ha faltado Ud. a clase este año? ¿Por qué?

11. ¿Qué nota espera sacar Ud. en esta clase?
12. ¿Cuánto tiempo hace que empezó Ud. a estudiar español?
13. ¿Qué fue lo peor y qué fue lo mejor que le pasó el año pasado?
14. ¿Cuánto tiempo lleva Ud. estudiando en esta universidad?
15. ¿Qué es lo más difícil para Ud. en esta clase?

**g.** Imagínese que Ud. se encuentra en las siguientes situaciones. ¿Qué diría Ud.?

1. Su amigo no pudo ver una pelea de boxeo muy importante (o un partido de fútbol). Cuéntele lo que pasó.
2. Ud. quiere ir a ver un partido de básquetbol, y su amigo(a) no quiere ir. Trate de convencerlo(a) de que vaya con Ud.
3. Ud. escribe la página deportiva del periódico de la universidad. Prepare las noticias sobre los eventos deportivos de la semana.
4. Ud. está aconsejándole a alguien lo que debe hacer en la universidad. Háblele de lo importante, lo mejor, lo difícil, lo interesante, etc.

**h.** Ahora el profesor (la profesora) va a dividir la clase en grupos de a dos. Ud. y un(a) compañero(a) van a conversar. Háganse las siguientes preguntas, usando la forma **tú:**

1. ...si lee la página deportiva todos los días.
2. ...cuál es su equipo favorito de fútbol (básquetbol).
3. ...si sacó entradas para ver algún partido de fútbol la semana pasada.
4. ...si ha visto alguna vez una pelea de boxeo.
5. ...si alguna vez ha apostado a los caballos.
6. ...qué deportes le gustan.
7. ...si ha ido a esquiar (patinar) alguna vez.
8. ...si ha visto alguna vez una corrida de toros.
9. ...cuánto tiempo lleva viviendo en la misma casa.
10. ...si había tomado clases de español antes de tomar esta clase.
11. ...si ha mejorado mucho en su clase de español.
12. ...si está sentado(a) cerca o lejos de la pizarra.
13. ...si hay algún(a) madrileño(a) en la clase.
14. ...si echa de menos a su familia cuando no está con ella.
15. ...con quién comenta sus problemas personales.

30 de agosto de 19 . .

Queridos amigos:

Hace una semana que estoy en la ciudad de México, una de las ciudades más populosas de todo el mundo. ¿Se dan cuenta de que tiene casi el doble de la población de Nueva York?

Aquí hay muchas cosas interesantísimas que ver y que hacer. Lo primero que salta a la vista es la maravilla de los murales que adornan los edificios públicos. ¡Qué colores, cuánta luz, y cuánta historia hay en las pinturas de Orozco, de Siqueiros, de Rivera y otros de menos fama!

La ciudad de México tiene amplias° avenidas y hermosos parques y edificios, pero México sigue siendo un país de exagerados contrastes: junto al lujo° excesivo vemos la pobreza extrema, a pesar de los grandes progresos de todo orden que se observan en los últimos años.

Hasta ahora me he dedicado a ver museos y monumentos. El tiempo es poco para verlos y apreciarlos en toda su belleza. Uno de los más interesantes es el Museo de Antropología, que contiene innumerables objetos de las diferentes culturas indígenas.

En La Alameda, que es el parque central de la ciudad, está el magnífico monumento a Benito Juárez.[1] Frente a La Alameda se encuentra el extraordinario Palacio de Bellas Artes.

La ciudad de México es probablemente la ciudad más antigua de las Américas. Fue fundada por los indios, que la llamaron Tenochtitlán; cuando llegaron los españoles, era el centro del imperio azteca, con una población de cerca de 300.000 habitantes.

Hoy estuve en el parque más grande de la ciudad, y uno de los más grandes del mundo, el de Chapultepec, junto al castillo del mismo nombre. Este castillo fue la residencia del emperador Maximiliano, y sus jardines fueron diseñados por la emperatriz Carlota.

También hoy fui a ver el monumento a los Niños Héroes, que murieron defendiendo el castillo en la guerra méxico-americana de 1847. Por la tarde estuve en la Catedral, que está junto al Zócalo, la plaza más famosa de México, y mañana pienso ir a ver las Pirámides del Sol y de la Luna, que están a unos 48 kilómetros de la ciudad de México. Por la noche, si no estoy muy cansada, quiero ir a ver un

wide

luxury

---

[1]Famoso patriota y presidente mexicano.

juego de fútbol (lo que nosotros llamamos "soccer"); aquí al fútbol nuestro lo llaman fútbol americano. Espero entender qué es lo que está pasando en el juego. Ya les contaré.

Dentro de unos días salgo para Centroamérica y les escribiré desde allí.

Un saludo afectuoso,

*Carol*

**Después de leer la carta, díganos:**

1. ¿Qué puede Ud. decir sobre la población de la ciudad de México?
2. ¿Qué dice Carol sobre los murales?
3. ¿Qué contraste ha observado Carol en México?
4. ¿Por qué es importante el Museo de Antropología?
5. ¿Quiénes fundaron la ciudad de México y cómo la llamaban?
6. ¿Qué sabe Ud. sobre el Parque y el Castillo de Chapultepec?
7. ¿Qué hecho conmemora el monumento a los Niños Héroes?
8. ¿A qué distancia de la ciudad de México están las pirámides que va a visitar Carol? ¿Cuáles son?

# *Compruebe cuanto sabe* (LECCIONES 7–9)

Tome este examen para ver cuánto material ha aprendido. Las respuestas correctas aparecen en el Apéndice E.

## LECCIÓN 7

### a. *El futuro*

Complete las siguientes oraciones, usando el futuro de los verbos de la lista, según corresponda:

> decir     poder     hacer     cobrar
> haber     revisar     prohibir
> hablar     venir     valer

1. El gobierno no ____ la importación de artículos de primera necesidad.
2. Durante esos días, ____ fiestas en todas partes.
3. Él ____ sobre la importancia del transporte colectivo para evitar los embotellamientos del tránsito.
4. Nosotros ____ la presión de aire de las llantas.
5. Con ese sueldo, él no ____ mantener a su familia.
6. Ellos nos ____ a cómo está el cambio de moneda.
7. Todos los estudiantes venezolanos ____ al mismo tiempo.
8. El petróleo ____ dos dólares más el año que viene.
9. ¿Qué ____ tú al llegar a Buenos Aires?
10. Ellos probablemente nos ____ derechos de aduana.

### b. *El futuro usado para expresar probabilidad o conjetura*

Conteste las siguientes preguntas, usando el futuro para expresar probabilidad. Utilice en las respuestas la información que aparece entre paréntesis:

1. ¿Cuánto cuesta un acumulador?    (unos sesenta dólares)
2. ¿Quién es ese niño?    (el hijo del cajero)
3. ¿Cuántos galones caben en el tanque?    (unos veinte)
4. ¿Dónde van a poner el anuncio?    (en el periódico)
5. ¿Cuántos años tiene Marcos?    (unos veinticinco)
6. ¿Quién paga el flete?    (la compañía)

### c. *El condicional*

Cambie las siguientes oraciones al condicional:

1. Yo *tomo* el metro.
2. Nosotros *vamos* a la gasolinera.
3. Eso no *hace* ruido.
4. El gobierno *industrializa* el país.

5. Ellos no *limitan* las importaciones.
6. Eso *termina* con la contaminación del aire.
7. *Charlamos* animadamente.
8. Así y todo, la casa *vale* mucho.
9. El pueblo no *puede* soportar la inflación.
10. ¿Tú *quieres* parar allí?

**d.** *El condicional usado para expresar probabilidad o conjetura*

Cambie cada oración para expresar conjetura en el pasado. Ud. se pregunta lo siguiente:

1. ¿A qué hora llegaron Adela y Jorge anoche?
2. ¿Cuánto costó el coche del profesor?
3. ¿Quién los salvó del incendio?
4. ¿Qué edad tenía Luis en esa época?
5. ¿Qué quería ese señor?
6. ¿Qué hicieron los chicos ayer?

**e.** *El futuro perfecto*

Escriba oraciones, diciendo lo que habrán hecho las siguientes personas para el mes de julio. Utilice la información dada entre paréntesis:

1. Los estudiantes   (terminar las clases)
2. Yo   (casarme)
3. Nosotros   (construir nuestra casa)
4. Tú   (hacer un viaje a Suramérica)
5. Uds.   (ahorrar mil dólares)
6. El gobierno   (resolver el problema de las divisas)

**f.** *El condicional perfecto*

Diga lo que estas personas habrían hecho de haber sabido que tendrían la oportunidad de pasar un año en España:

1. Yo   (aprender español)
2. Mis padres   (ahorrar mucho dinero)
3. Mi hermana   (poner dinero en el banco)
4. Tú   (alquilar una casa en Madrid)
5. Nosotros   (comprarnos mucha ropa)
6. Uds.   (decírselo a todos sus amigos)

**g.** *Género de los sustantivos: Casos especiales*

Elija las palabras que mejor completen las siguientes oraciones:

1. Tienes una mancha en (el mango, la manga) de la camisa.
2. ¿Todavía no han descubierto (el cura, la cura) para el cáncer?

3. Busqué tu número de teléfono en (el guía, la guía).
4. Me corté (la frente, el frente).
5. Este lápiz no tiene (punto, punta).
6. Estos vestidos están de (modo, moda).
7. Quiero mil dólares en billetes grandes y (la resta, el resto) en billetes pequeños.
8. Van a poner (el capital, la capital) en el banco.
9. Recibieron (un parte, una parte) oficial anoche.
10. Comimos en (un fondo, una fonda) de Madrid.
11. Mi casa está en (aquella loma, aquel lomo).
12. Debes doblar (al derecho, a la derecha) para llegar al parque.

**h.** *Singular y plural de los sustantivos: Casos especiales*

¿Cómo se dice lo siguiente en español?

1. I'm going to give you a piece of advice: you need (a) vacation.
2. I bought the furniture for the living room.
3. Your children don't want your advice.
4. His wife's jealousy caused the divorce.
5. Did you hear the news? The whole city is in darkness.

## LECCIÓN 8

**a.** *El subjuntivo usado con verbos de voluntad o deseo*

Complete lo siguiente, usando el infinitivo o el subjuntivo de los verbos que aparecen entre paréntesis, según corresponda:

1. Nuestra profesora sugiere que nosotros ____ (escribir) un informe sobre el bilingüismo, pero nosotros lo queremos ____ (escribir) sobre las minorías.
2. Muchas personas quieren que sus hijos ____ (ser) bilingües y que ____ (conservar) su cultura.
3. El gobierno desea que el pueblo ____ (aprender) a respetar las leyes, pero mucha gente no lo quiere ____ (hacer).
4. Te ruego que no ____ (perder) de vista a esos niños. No quiero que ellos ____ (ir) al parque solos.
5. Mi padre me aconseja que me ____ (dedicar) a estudiar, pero yo prefiero ____ (trabajar).
6. Te prohíbo que ____ (enfrentarse) con ellos solo.
7. Mamá nos exige que siempre ____ (decir) la verdad. No quiere que le ____ (mentir).
8. Mis padres insisten en que nosotros ____ (acostarse) temprano, ____ (dormir) ocho horas al día y ____ (levantarse) temprano.

9. Él siempre me pide que le _____ (aclarar) lo que le digo, pero no me quiere _____ (escuchar) cuando le hablo.
10. Mi padre no me permite _____ (ser) miembro de ese club.

**b.** *El subjuntivo usado con expresiones impersonales de voluntad o deseo*

Vuelva a escribir lo siguiente, comenzando con las expresiones que aparecen entre paréntesis. Use el subjuntivo o el infinitivo, según convenga:

1. hacer el censo este año   (Es urgente)
2. tú sabes cuáles son tus metas   (Es importante)
3. señalar las ventajas del bilingüismo   (Es conveniente)
4. hacerse médico que abogado   (Es mejor)
5. Uds. me dan la información   (Es necesario)
6. servimos la ensalada primero   (Es preferible)

**c.** *El equivalente de* let's + infinitivo

Cambie las siguientes sugerencias al imperativo de la primera persona. Siga el modelo.

MODELO:   ¿Por qué no estudiamos francés?
          *Estudiemos francés.*

1. ¿Por qué no nos levantamos más temprano?
2. ¿Por qué no se lo decimos a Mario?
3. ¿Por qué no nos probamos esos zapatos?
4. ¿Por qué no le traemos un disco a Sonia?
5. ¿Por qué no nos sentamos en aquella mesa?
6. ¿Por qué no comemos ahora?

**d.** *Los pronombres relativos* **que, quien(es)** *y* **cuyo**

Combine cada par de oraciones, sustituyendo el elemento que tienen en común por el pronombre relativo correspondiente. Siga el modelo.

MODELO:   Ésa es la señora. La señora vino ayer.
          *Ésa es la señora que vino ayer.*

1. Mi amigo vive conmigo ahora. Mi amigo es mexicano.
2. Ésa es la chica española. Yo te hablé de la chica española.
3. La señora está triste. El hijo de la señora está en el hospital.
4. El libro es muy interesante. Compré el libro ayer.
5. Vamos a visitar a los niños. Compramos los juguetes para los niños.
6. El anillo es de oro. Compré el anillo en México.

**e.** *Otros pronombres relativos*

¿Cómo se dice lo siguiente en español?

1. My brother, about whom we talked yesterday, is her real father.
2. In a way, what they have said is true.
3. He who laughs last, laughs best.
4. She says they want me to go with them, which surprises me.
5. My sisters, without whom we can't travel, aren't here yet.

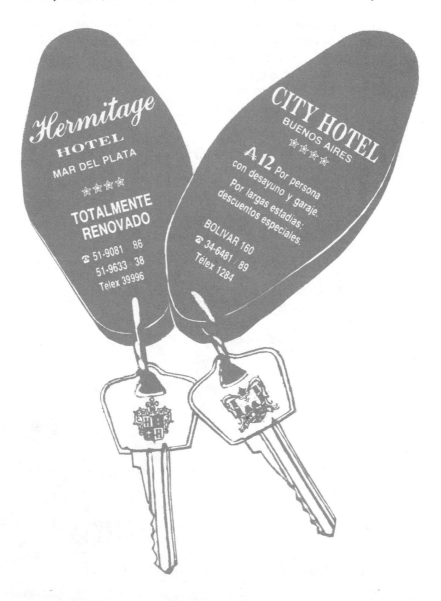

## LECCIÓN 9

**a.** *El subjuntivo usado con verbos de emoción*

Combine en una oración cada par de elementos. Use el subjuntivo o el infinitivo, según convenga:

1. Yo siento / tú no puedes ir al estadio conmigo
2. Lamento / no tienen churros
3. Me alegro / Uds. saben apreciar a sus padres
4. Ellos temen / ellos no pueden servirnos de guía
5. El entrenador siente / esos jugadores están enfermos
6. Ellos se alegran / ellos van a patinar con nosotros
7. Espero / la noticia viene en la página deportiva
8. Temo / mi equipo pierde esta tarde
9. Siento mucho / tengo que perderme el partido de básquetbol
10. Espero / mi hijo no se lastima jugando al fútbol

**b.** *El subjuntivo usado con expresiones de emoción*

Complete lo siguiente, usando el equivalente español de los verbos que aparecen entre paréntesis:

1. Es de esperar que ellos no ____ este problema con nadie. (*comment*)
2. Es sorprendente que tú no ____ esquiar. (*know* [*how*])
3. Ojalá que ellos ____ mejorar en su trabajo. (*can*)
4. Es lástima que el entrenador no ____ de que los jugadores están muy cansados. (*realize*)
5. Es una suerte que ellos no ____ a su país. (*miss*)
6. Es lamentable que él ____ tanto a clase. (*miss*)

**c.** *El subjuntivo usado para expresar duda, negación, y la cualidad de lo indefinido y lo no existente*

Complete lo siguiente, usando el subjuntivo o el indicativo de los verbos que aparecen entre paréntesis, según corresponda:

1. Creo que él no ____ (imaginarse) que yo llego hoy.
2. Dudo que ese boxeador ____ (quedar) fuera de combate en el segundo asalto.
3. Es cierto que él ____ (ser) el campeón.
4. Yo estoy segura de que a él no le ____ (gustar) los deportes.
5. Es imposible que ese equipo ____ (marcar) más goles hoy.
6. No hay nadie que ____ (querer) apostar por él.
7. Buscamos a alguien que ____ (poder) realizar ese tipo de trabajo.
8. Es difícil que ____ (haber) peleas esta semana.
9. Conozco a una chica que ____ (ser) madrileña.

10. Yo no niego que mi sobrino _____ (estar) en la cárcel.
11. No creo que ellos _____ (perder) el tren, porque todavía es temprano.
12. ¿Hay algún restaurante donde _____ (servir) comida china?

**d.** *Expresiones de tiempo con* **hacer** *y* **llevar**

Conteste las siguientes preguntas en oraciones completas. Utilice la información que aparece entre paréntesis:

1. ¿Cuánto tiempo hace que terminó la pelea de boxeo?   (dos horas)
2. ¿Cuánto tiempo hace que Uds. no comen?   (cinco horas)
3. ¿Cuánto tiempo llevas estudiando español?   (un año y medio)
4. ¿Cuánto tiempo hacía que tus padres se conocían cuando se casaron?   (seis meses)
5. ¿Cuánto tiempo hace que Uds. están sentados aquí?   (tres horas)
6. ¿Cuánto tiempo hace que Ud. llegó?   (diez minutos)
7. ¿Cuánto tiempo hace que no ves a tus padres?   (una semana)
8. ¿Cuánto tiempo lleva Ud. viviendo en esta ciudad?   (cinco años)

**e.** *Usos del artículo neutro* **lo**

Complete lo siguiente con el equivalente español de las palabras que aparecen entre paréntesis:

1. _____ es sacar las entradas para el partido del domingo.   (*the difficult thing*)
2. _____ esos partidos son muy reñidos.   (*generally*)
3. _____ es que muchos boxeadores mueren en el cuadrilátero.   (*the sad thing*)
4. _____ los jugadores mejoran en el segundo tiempo.   (*maybe*)
5. ¿Ya sabes _____ Rosa? ¡Por poco se muere!   (*about*)
6. Es fantástico _____ se aprende español con este libro.   (*how fast*)
7. _____ ella no pudo sacar las entradas.   (*apparently*)
8. No he tenido tiempo de estudiar; _____ no voy a tomar el examen.   (*so*)

**f.** *¿Recuerda el vocabulario?*

Complete las siguientes oraciones, usando palabras y expresiones aprendidas en las *Lecciones 7, 8 y 9:*

1. Hay cien años en un _____ .
2. Una persona bilingüe es la que tiene un _____ completo de dos idiomas.
3. Cuando me vio, él _____ muy nervioso.
4. Ella no tiene una preparación _____ para ese tipo de trabajo.
5. Es un pueblo muy pequeño. La población _____ de los dos mil.
6. "_____" es el adjetivo que corresponde al sustantivo "amabilidad".
7. Leyó la noticia en la _____ deportiva.
8. No quiere que me case con él… _____ es un muchacho guapo, inteligente, bueno y rico.

9. Le dio un ＿＿ tan fuerte que lo dejó fuera de combate.
10. Lincoln era muy pobre, pero ＿＿ presidente de los Estados Unidos.
11. Me gustan todos los ＿＿ , pero sobre todo el baloncesto.
12. Hay distintos ＿＿ de aculturación entre los miembros de las minorías hispánicas.
13. No quiero poner mi dinero en el banco. Prefiero ＿＿ en el colchón.
14. La ＿＿ de dominio del inglés les impide lograr el progreso económico.
15. El viernes no pudimos salir porque llovió, el sábado porque yo estuve enferma y el domingo porque vino gente. ＿＿ , que no fuimos a ninguna parte.

# 10

# La política y la violencia

NOTICIAS INTERNACIONALES

**Madrid, Enero 9.**—Ayer estalló una bomba en un centro turístico matando a cinco personas inocentes. Hasta ahora no hay nadie que tenga ninguna información sobre el atentado.

**San Salvador, Enero 8.**—Hoy hace ocho días que los miembros de un grupo terrorista de izquierda secuestraron al conocido hombre de negocios Alberto Valles-Gil. Las autoridades continúan investigando el caso aunque dudan que él esté vivo todavía.

**Turquía, Enero 9.**—Después del fracaso del golpe de estado, los revolucionarios intentaron el secuestro de un avión de la Aerolínea *Nacional*, con destino a París, pero no tuvieron éxito.

RAÚL   —¡Fíjate en estas noticias! La violencia política está alcanzando límites intolerables. ¡Hay que hacer algo porque las cosas van de mal en peor!

ADELA   —Sí, y ten en cuenta que muchas veces las víctimas son personas inocentes. Si la ley fuera más estricta con los terroristas, habría menos crímenes. Antes no había tanta violencia, pero hoy en día uno no se siente seguro en ninguna parte.

RAÚL   —Bueno, no te olvides de que el terrorismo como arma política no es nada nuevo. Comenzó hace siglos. No hay duda de que los hombres han empleado el terror a través de la historia. Pero en parte tienes razón; cada día está peor la situación, tanto aquí como en el extranjero.

ADELA   —Tal vez la violencia sea la única manera de derribar una tiranía, pero yo no creo que sea necesario matar a gente inocente, porque no es verdad que el fin justifique los medios. Ésa es una teoría totalmente inmoral y falsa.

RAÚL —Estoy de acuerdo; pero hay que recordar que la violencia no sólo sirve para derribar tiranías; es también el método que utilizan las dictaduras para mantenerse en el poder.

ADELA —Quizás cuando seamos realmente civilizados, podamos resolver los problemas de alguna otra manera.

RAÚL —Es difícil que nos veamos libres del terrorismo, porque no debes perder de vista que la cultura y la civilización no parecen haber disminuido el grado de violencia; al contrario, parece que la han aumentado…

## Charlemos

1. ¿Qué pasó ayer en un centro turístico en la ciudad de Madrid?
2. ¿Hay alguien que tenga alguna información sobre el atentado?
3. ¿A quién secuestraron los miembros de un grupo terrorista? ¿Cuánto tiempo hace de esto?
4. ¿Qué dudan las autoridades que están investigando el caso?
5. ¿Qué intentaron los revolucionarios después del fracaso del golpe de estado en Turquía? ¿Tuvieron éxito?
6. Según Adela, ¿qué pasaría si la ley fuera más estricta con los terroristas?
7. El terrorismo como arma política, ¿es algo nuevo? ¿Cuándo comenzó?
8. ¿Qué han empleado los hombres a través de la historia?
9. ¿Qué piensa Adela de la violencia como manera de derribar una tiranía?
10. Según Raúl, ¿qué hacen las dictaduras para mantenerse en el poder?
11. ¿Qué cree Adela que quizás podamos hacer cuando seamos realmente civilizados?
12. ¿Por qué cree Raúl que es difícil que nos veamos libres del terrorismo?

# VOCABULARIO

NOMBRES

el **arma**   weapon
el **atentado**   assault, criminal attack, attempt
el **centro turístico**   tourist center
el **crimen**   crime
la **dictadura**   dictatorship
el **éxito**   success
el **fracaso**   failure
el **golpe de estado**   coup d' état
el **hombre de negocios**   businessman
la **ley**   law
el **poder**   power
el **secuestro**   kidnapping
— **de un avión**   hijacking

VERBOS

**alcanzar**   to reach, to attain
**derribar**   to overthrow (the government)

**disminuir**   to lessen
**emplear**   to employ, to use
**estallar**   to go off, to explode
**fijarse (en)**   to notice
**intentar**   to try
**investigar**   to investigate
**justificar**   to justify
**secuestrar**   to kidnap

ADJETIVOS

**vivo(a)**   alive

OTRAS PALABRAS

**a través de**   through

---

### Expresiones idiomáticas

**en el extranjero**   *abroad*
**en ninguna parte, en ningún lado**   *nowhere*
**hoy en día**   *nowadays*
**ir de mal en peor**   *to go from bad to worse*

**tanto aquí como...**   *here as well as . . .*
**tener en cuenta**   *to keep in mind*
**tener éxito**   *to succeed*

---

## PALABRAS PROBLEMÁTICAS

**a. Fracasar, quedar suspendido, dejar de** como equivalentes de *to fail*

1. **Fracasar** es lo opuesto de **tener éxito**:

   El programa bilingüe **fracasó** en esta escuela.

2. **Quedar suspendido** se usa cuando uno se refiere a un examen o curso:

   El muchacho puertorriqueño **quedó suspendido** en el examen de inglés.

3. **Dejar de** es el equivalente de *to fail* (*to do something*):

   No **dejen de** pagar los derechos de aduana.

**b.** **Libre, gratis** como equivalentes de *free*

1. **Libre** significa **independiente, accesible, disponible:**

No vivimos bajo ninguna dictadura. Somos **libres.**
¿Está **libre** este taxi?

2. **Gratis** significa que se obtiene **sin pagar:**

Los conciertos son **gratis** durante el verano.

### Práctica

Complete las siguientes oraciones, usando las "palabras problemáticas" correspondientes:

1. Todo cuesta dinero. En ninguna parte dan nada ____ .
2. No ____ de traerme los periódicos, señorita López.
3. En verano no hay muchas habitaciones ____ .
4. Quedó ____ en matemáticas porque no estudió.
5. El golpe de estado ____ y detuvieron a los cabecillas.

## ESTRUCTURAS GRAMATICALES

## 1. Expresiones que requieren el subjuntivo o el indicativo

PRIMER PASO

### *Expresiones que siempre requieren el subjuntivo*

Some expressions are always followed by the subjunctive. The most common are:

| | |
|---|---|
| **a menos que** | *unless* |
| **a fin de que** | *in order that* |
| **para que** | *so that* |
| **antes (de) que** | *before* |
| **con tal de que** | *provided that* |
| **en caso de que** | *in case* |
| **sin que** | *without* |

—¿No va a comprar las entradas?    *Aren't you going to buy the tickets?*

—No podré ir **a menos que** Ana me **lleve.**    *I won't be able to go unless Ana takes me.*

—La llamaré **para que venga** por Ud.

*I'll call her so that she'll come for you.*

—Está bien, pero llámela **antes de que salga** de su casa.

*Okay, but call her before she leaves home.*

## Práctica

**a.** Combine cada par de oraciones, formando una sola. Utilice las expresiones estudiadas (una vez cada una) y haga los cambios necesarios:

1. Llegaremos tarde a la pelea. / Encontramos un taxi libre.
2. Los van a sacar del avión. / Estalla la bomba.
3. Voy a salir de casa. / Nadie me ve.
4. Van a llevar el paraguas. / Llueve.
5. Yo voy contigo. / Salimos temprano.
6. Llevo el coche a la estación de servicio. / Ellos arreglan el coche.

**b.** Complete lo siguiente de una manera original:

1. Voy a salir con él, con tal de que…
2. El niño se va a lastimar a menos que…
3. Voy a cerrar todas las ventanas en caso de que…
4. Voy a hablar con papá y mamá al mismo tiempo para que…
5. Vamos a cenar antes de que…
6. No pueden tener éxito sin que…

CONTINUEMOS…

## *Expresiones que requieren el subjuntivo o el indicativo*

A. The subjunctive after conjunctions of time

The subjunctive is used after conjunctions of time, when the main clause expresses a future action or is a command. (Notice that the action in the subordinate clause does not yet exist).

—¿Vamos a la estación ahora?

*Are we going to the station now?*

—No, vamos a esperar **hasta que venga** Eva.

*No, we are going to wait until Eva comes.*

—Bueno, llámame **en cuanto** ella **llegue**.

*Well, call me as soon as she arrives.*

Some conjunctions of time are: *tan pronto (como)*, *en cuanto, cuando, hasta que*, (until) *después (de) que, así que*.

ATENCIÓN: If the action already happened or if the speaker views the action of the subordinate clause as a habitual occurrence in the present, the indicative is used:

**Hablé** con ella **en cuanto** la **vi.**
Siempre **hablo** con ella **en cuanto** la **veo.**

B. If the conjunctions **quizás** and **tal vez** (*perhaps*) and **aunque** (*even if*) indicate doubt or uncertainty, the subjunctive follows:

—**Quizás** Jorge **pueda** llevarnos al       *Perhaps George can take us to*
   teatro mañana.                              *the theatre tomorrow.*
—Podemos ir tú y yo **aunque** él             *You and I can go even if he*
   no nos **lleve.**                            *doesn't take us.*

If **quizás, tal vez** and **aunque** (*although, even though*) do not express doubt or uncertainty, the indicative follows:

**Quizás** Jorge **puede** llevarnos. (Estoy casi segura de que puede.)
Fuimos al teatro **aunque** él no nos **llevó.**

C. The conjunctions **de modo que** and **de manera que** are followed by the subjunctive when they express purpose. In this case, they are equivalent to *so that:*

Lo mandaré hoy **de manera que llegue** a tiempo.

If these conjunctions indicate the result of an action, they are followed by the indicative:

Lo mandé ayer, **de modo que llegó** a tiempo.

## Práctica

**a.** Complete las siguientes oraciones con el indicativo o el subjuntivo de los verbos dados entre paréntesis, según corresponda:

1. Dieron un golpe de estado en cuanto ____ (morir) el presidente.
2. Siempre queda suspendido en historia aunque ____ (estudiar) mucho.
3. No podrán comentar el caso hasta que ____ (hablar) con el abogado.
4. Cuando ____ (llegar) mi sobrino, dígale que lo espero abajo.
5. Alcanzaron el poder cuando ____ (tener) la ayuda del pueblo.
6. Iremos mañana aunque ____ (llover) todo el día.
7. No vino anoche, pero quizás ____ (intentar) venir.
8. Tan pronto como nosotros lo ____ (ver), le señalaremos las ventajas de utilizar una computadora.

9. Dejaron de pagar los derechos de aduana, de manera que no ＿＿ (poder) sacar el coche.

10. Tienes que quedarte en casa de modo que tu mamá no ＿＿ (estar) sola.

**b.** Complete los siguientes minidiálogos de manera original, según convenga:

1. —¿A qué hora vamos a salir para el aeropuerto mañana?
   —En cuanto…
   —¿Y qué pasa si llueve?
   —Aunque…
2. —¿Hasta qué hora esperaron Uds. al profesor ayer?
   —Hasta que…
   —¿Y a qué hora salieron de la universidad?
   —Tan pronto como…
3. —¿Hablaste con Jorge?
   —Sí, en cuanto…
   —¿Qué te dijo de su próximo viaje?
   —Me dijo que quizás…
4. —¿Vas a llevar a los niños a la casa de sus abuelos?
   —Sí, quiero dejarlos allí de modo que nosotros…
5. —¿Saliste con Eva ayer?
   —No, llegaron sus padres de Quito, de manera que…

## 2. El imperativo: *tú* y *vosotros*

### PRIMER PASO

The familiar affirmative commands (**tú** and **vosotros** forms) are the only command forms that do not use the subjunctive.

### *El imperativo afirmativo y negativo correspondiente a* tú

A. The affirmative command form for **tú** has the same form as the third person singular of the present indicative:.

| *Verb* | *3rd Person Pres. Indicative* | *Command* (*tú*) |
|--------|-------------------------------|------------------|
| trabajar | él trabaja | **trabaja** |
| beber | él bebe | **bebe** |
| escribir | él escribe | **escribe** |
| cerrar | él cierra | **cierra** |
| volver | él vuelve | **vuelve** |
| pedir | él pide | **pide** |

—Ya puse la mesa. ¿Qué quieres que haga ahora?

*I've set the table. What do you want me to do now?*

—**Prepara** la ensalada, **sirve** la comida y **llama** a los niños.

*Prepare the salad, serve the food, and call the children.*

Eight verbs have irregular affirmative command forms of **tú**:

| | | | | | | |
|---|---|---|---|---|---|---|
| decir | **di** | (*say, tell*) | salir | **sal** | (*go out*) |
| hacer | **haz** | (*do, make*) | ser | **sé** | (*be*) |
| ir | **ve** | (*go*) | tener | **ten** | (*have*) |
| poner | **pon** | (*put*) | venir | **ven** | (*come*) |

—Robertito, **ven** acá. **Hazme** un favor. **Ve** a casa de Carlos y **dile** que venga a cenar con nosotros.

*Bobby, come here. Do me a favor. Go to Charles' house and tell him to come and have dinner with us.*

—Bien. En seguida vuelvo.

*Okay, I'll be right back.*

B. The present subjunctive is used for the negative command of **tú**:

—Ana, **no vengas** tarde porque Pedro viene a cenar.

*Ana, don't be (come) late because Peter is coming to dinner.*

—¡No **me digas** que lo has vuelto a invitar!

*Don't tell me you have invited him again!*

ATENCIÓN:   Object pronouns used with commands of **tú** occupy the same position as they do with formal commands:

Cómpra**selo.** (*affirmative*)
No **se lo** compres. (*negative*)

## Práctica

**a.** Su hermano se va a quedar solo en la casa. Dígale lo que debe (o no debe) hacer.

1. levantarse temprano
2. bañarse y vestirse
3. no ponerse los pantalones azules; ponerse los blancos
4. hacer la tarea, pero no hacerla mirando televisión
5. salir de la casa a las once
6. ir al mercado, pero no ir en bicicleta
7. volver a casa temprano y decirle a la vecina que la fiesta es mañana
8. tener cuidado y no abrirle la puerta a nadie
9. ser bueno y no acostarse tarde

    10. cerrar las puertas y apagar las luces
    11. llamarlo(la) a usted por teléfono si necesita algo
    12. no mirar televisión hasta muy tarde

**b.** Dígale a su compañero(a) de cuarto lo que no debe hacer y lo que tiene que hacer con respecto a lo siguiente:

    1. su ropa sucia
    2. el apartamento
    3. la chica (el muchacho) de al lado
    4. los libros de la biblioteca
    5. el gato
    6. la comida
    7. su profesor de español
    8. los comestibles que necesitan para la comida
    9. la cuenta del teléfono
    10. la ventana del baño

CONTINUEMOS...

*El imperativo afirmativo y negativo correspondiente a vosotros*

A. The affirmative command of **vosotros** is formed by changing the final **r** of the infinitive to **d**:

    hablar→hablar̸→habla**d**
    comer→comer̸→come**d**
    venir→venir̸→veni**d**

If the affirmative command of **vosotros** is used with the reflexive pronoun **os,** the final **d** is omitted (except with the verb **ir: idos**):

    bañar        **bañad**
    bañarse     **bañaos**

B. The present subjunctive is used for the negative command of **vosotros:**

    bañar        **no bañéis**
    bañarse     **no os bañéis**

## Práctica

Cambie los siguientes mandatos de la forma **tú** a la forma **vosotros:**

    1. Respeta la ley.
    2. Enfréntate con ellos.
    3. Deséanos éxito.
    4. No te fijes en eso.
    5. Disminuye los gastos.
    6. Invita a los hombres de negocios.
    7. No cometas ese crimen.
    8. Levántate temprano.
    9. Vete.
    10. No hagas eso.

# 3. El imperfecto de subjuntivo

PRIMER PASO

*Formas y usos*

A. The imperfect subjunctive has two sets of endings: the **-ra** endings (which are more commonly used) and the **-se** endings. The imperfect subjunctive of all verbs is formed by dropping the **-ron** ending of the third person plural of the preterit and adding the following endings:

| *-ra endings* | | *-se endings* | |
|---|---|---|---|
| -ra | -´ramos[1] | -se | -´semos[1] |
| -ras | -rais | -ses | -seis |
| -ra | -ran | -se | -sen |

THE IMPERFECT SUBJUNCTIVE

| Verb | Third Person Plural Preterit | Stem | First Person Singular Imperfect Subjunctive | |
|---|---|---|---|---|
| | | | *-ra form* | *-se form* |
| llegar | llegaron | **llega-** | llegara | llegase |
| beber | bebieron | **bebie-** | bebiera | bebiese |
| recibir | recibieron | **recibie-** | recibiera | recibiese |
| ser | fueron | **fue-** | fuera | fuese |
| saber | supieron | **supie-** | supiera | supiese |
| decir | dijeron | **dije-** | dijera | dijese |
| poner | pusieron | **pusie-** | pusiera | pusiese |
| servir | sirvieron | **sirvie-** | sirviera | sirviese |
| andar | anduvieron | **anduvie-** | anduviera | anduviese |
| traer | trajeron | **traje-** | trajera | trajese |

B. The imperfect subjunctive is used:

1. When the main verb is in the past tense and requires the subjunctive in the subordinate clause:

   —¿Qué les **pidió** que **hicieran?**     *What did he ask you to do?*
   —Nos **pidió** que **investigáramos**     *He asked us to investigate the*
     el secuestro del avión.                   *hijacking.*

2. When the verb in the main clause is in the present, but the subordinate clause refers to the past:

   —La bomba estalló por la noche.     *The bomb exploded at night.*

---

[1]Note the written accent mark on the first person plural form: **comiéramos, comiésemos.**

—**Es una suerte** que no **estallara**    *It's lucky that it didn't explode*
cuando había gente allí.    *when there were people there.*

3. To express an impossible or improbable wish:

—Oscar se va a España otra vez.    *Oscar is going to Spain again.*
—¡Quién **tuviera** tanto dinero    *I wish I had as much money as*
como él!    *he does!*

## Práctica

**a.** Vuelva a escribir las siguientes oraciones, de acuerdo con las palabras que se dan entre paréntesis, haciendo todos los cambios necesarios. Siga el modelo.

MODELO: Le *digo* que *venga*. (Le dije...)
Le *dije* que *viniera*.

1. Siento que el programa sea un fracaso. (Sentí...)
2. Es lástima que ahora no tengan éxito. (Es lástima que ayer...)
3. Dudo que estén vivos. (Dudaba...)
4. Nos piden que mandemos el dinero a través del banco. (Nos pidieron...)
5. Es una lástima que no vivamos en un país libre. (Era una lástima...)
6. No creo que puedan derribar esa dictadura. (No creía...)
7. Dudamos que ellos alcancen el poder. (Dudábamos...)
8. No creo que el fin justifique los medios. (No creí...)
9. Nos dicen que disminuyamos la importación de automóviles. (Nos dijeron...)
10. No quieren que tú emplees ese vocabulario. (No querían...)

**b.** Conteste las siguientes preguntas, usando siempre el imperfecto del subjuntivo:

1. ¿Qué les pidió el profesor que trajeran a la clase?
2. ¿Qué tipo de coche buscaba Ud.?
3. ¿Qué le ordenó su padre que hiciera hoy?
4. ¿Qué no querían Uds. que hiciera el profesor?
5. ¿Qué le dijo el médico que hiciera cuando Ud. estuvo enfermo?

**c.** Reaccione ante las siguientes afirmaciones, siguiendo el modelo.

MODELO: Ud. no tiene un millón de dólares.
¡Quién tuviera un millón de dólares!

1. Ud. no es el presidente de los Estados Unidos.
2. Ud. no sabe hablar francés.
3. Ud. no puede vivir en el extranjero.
4. Ud. no tiene una casa en la playa.
5. Ud. no vive en la Riviera Francesa.

━━━━━━━━━━━━━━━ CONTINUEMOS...

## *El imperfecto de subjuntivo en oraciones condicionales*

Conditional sentences are sentences containing a subordinate clause starting with **si** (*if*) where a condition is stated. In contrary-to-fact conditional sentences, the clause of condition appearing after **si,** called **si**-clause, expresses:

1. Something that is a supposition.
2. Something that is unlikely to happen or that is not true.
3. A hypothetical situation that never happened.

In this type of sentence, the imperfect subjunctive is used according to the formula:

| subordinate clause | main clause |
|---|---|
| **si** + imperfect subjunctive | conditional |

—¿Vas a irte de vacaciones este verano? — *Are you going on vacation this summer?*

—Bueno, **si tuviera** dinero, me **iría** a Hawai, pero como no tengo, me quedaré en casa. — *Well, if I had money, I would go (away) to Hawaii, but since I don't have any, I'll stay home.*

ATENCIÓN: When the **si**-clause expresses something that is real, likely to happen, or possible, the indicative is used:

**Si tengo** dinero, **me iré** a Hawai.

The imperfect subjunctive is always used after the expression **como si...** (*as if...*) because this expression implies a contrary-to-fact condition:

—Nora habla **como si supiera** mucho de política internacional. — *Nora speaks as if she knew a lot about international politics.*

—Sí, pero realmente sabe poco. — *Yes, but in reality she knows little.*

### Práctica

**a.** Complete las siguientes oraciones usando el imperfecto de subjuntivo o el presente de indicativo de los verbos entre paréntesis, según corresponda:

1. Si tú no _____ (venir) mañana, sería un verdadero problema.
2. Si yo _____ (estar) libre, iré a verte el sábado.
3. Hasta ahora ha gastado dinero como si _____ (tener) millones.
4. No tendrías tantos problemas si _____ (obedecer) las leyes.
5. Podrán derribar el gobierno si _____ (tener) la ayuda del pueblo.

6. Se queja como si ella _____ (ser) la víctima.
7. Si Uds. no _____ (hacer) lo que yo les digo, van a fracasar.
8. Si nosotros _____ (vivir) en un país civilizado, no pasaría eso.
9. Si yo _____ (ser) tú, no dejaría de visitar San Francisco.
10. Hablas como si _____ (entender) mucho de arte.

**b.** Termine las siguientes oraciones de una manera original:

1. Yo iría a Europa si...
2. Nosotros compraríamos un coche si...
3. El profesor nos dará un examen si...
4. Mis padres se enojarían mucho si yo...
5. Mañana iré a verte si...
6. El niño comería si...
7. El domingo iremos a la playa si...
8. Mis amigos me visitarían si...
9. Tú aprenderías más si...
10. Sacaré una "A" en español si...

## 4. *Haber* como verbo impersonal

### PRIMER PASO

*Los tiempos del verbo* haber

As an auxiliary verb, **haber** is used in all persons; as a main verb, it is only used in the third person singular (in all tenses and moods). In the present indicative, the special form **hay** (*there is, there are*) is used; in all other tenses, the forms that correspond to the third person singular of **haber** are used:[1]

| | | |
|---|---|---|
| Present | **hay** | *there is, there are* |
| Preterit | **hubo** | *there was, there were* |
| Imperfect | **había** | *there was, there were, there used to be* |
| Future | **habrá** | *there will be* |
| Conditional | **habría** | *there would be* |
| Present perfect | **ha habido** | *there has been* |
| Pluperfect | **había habido** | *there had been* |

—¿**Hay** una fiesta esta noche?     *Is there a party tonight?*
—Sí, y **hubo** dos ayer. **Ha habido**     *Yes, and there were two*
  fiestas casi todos los días.       *yesterday. There have been*
                                     *parties almost every day.*

---

[1]The forms for the subjunctive are **haya** (*present*) and **hubiera** (*imperfect*).

## Práctica

Lo (la) necesitamos como intérprete. Traduzca lo siguiente:

1. "There aren't many differences between New York and Buenos Aires."
   "No, because both (**ambas**) are big cities."
2. "I have missed the train. Is there another train to Barcelona?"
   "No, there won't be another until tomorrow."
3. "Velázquez was a great painter."
   "Yes, there has never been another painter like him."
4. "Why did so many professors come to the university?"
   "Because there were many meetings last night."
5. "There is going to be another party at my school."
   "When I was a child, there weren't so many parties in the schools."
6. "Why are there so few classes in this department nowadays?"
   "There would be more classes if we had more students."

───────────────  CONTINUEMOS...

## La expresión *hay que...*

The impersonal expression **hay que** + *infinitive* indicates obligation or a certain degree of urgency and is equivalent to *one must* or *it is necessary*. Only the third person singular of the verb is used in all tenses:

| | |
|---|---|
| ¿Qué **hay que hacer** para mantener un promedio de "A" en español? | *What must one do to maintain an "A" average in Spanish?* |
| **Hay que estudiar** mucho. | *One must study a great deal.* |

ATENCIÓN:   The expression **hay que** is never used with a subject. When the obligation refers to a definite person, **tener que** + *infinitive* is used:

Julio **tiene que** estudiar mucho.

## Práctica

**a.** Conteste las siguientes preguntas:

1. ¿Qué hay que hacer para sacar una "A" en esta clase?
2. ¿Qué ropa hay que usar cuando hace frío?
3. ¿Cuántas horas hay que estudiar para sacar buenas notas?
4. ¿Qué hay que hacer para tener mucho dinero?
5. ¿Cuántas horas diarias hay que dormir?
6. ¿A quién hay que llamar si hay un accidente?

**b.** Termine las siguientes oraciones de una manera original:

1. Para que la fiesta tenga éxito, habrá que...
2. Para perder peso, habría que...
3. Para que los niños estuvieran contentos, hubo que...
4. El niño está muy enfermo. Ha habido que...
5. Para conseguir entradas gratis, hay que...
6. Cuando mi hermanito era chico, para que durmiera, había que...

## ¿CUÁNTO SABE USTED AHORA?

**a.** Escriba una oración original con cada una de las siguientes frases:

1. a menos que
2. a fin de que
3. antes de que
4. con tal de que
5. en caso de que
6. sin que
7. en cuanto (*subjuntivo*)
8. cuando (*indicativo*)
9. hasta que (*subjuntivo*)
10. tal vez (*indicativo*)
11. aunque (*subjuntivo*)
12. de manera que (*indicativo*)

**b.** Imagínese que Ud. es uno de los siguientes personajes, y dé órdenes en cada situación (una afirmativa y otra negativa):

1. Una madre (un padre) hablándole a su hijo
2. Un maestro (una maestra) hablándole a un estudiante que siempre saca malas notas
3. Un cliente hablando con un empleado de una estación de servicio
4. Un hombre hablándole a su esposa
5. Una mujer hablándole a su esposo
6. Un médico hablándole a un niño que está enfermo
7. Un estudiante hablándole a otro
8. Un muchacho hablándole a su compañero de cuarto, que nunca hace nada

**c.** Antes de salir para la oficina, Elena le dio a su hermana las siguientes instrucciones. Díganos Ud. lo que Elena le dijo a su hermana que hiciera. Siga el modelo.

MODELO:  ELENA  —*Limpia* la casa.
Elena le *dijo* a su hermana que *limpiara* la casa.

1. *Estudia* tus lecciones y *haz* la tarea.
2. *Prepara* la comida y *tenla* lista para las cinco.
3. *Lava* los platos y *ponlos* en su lugar.

4. *Báñate* y *baña* a los niños.
5. *Ve* al mercado y *compra* lo que *haga* falta.
6. Antes de salir, *fíjate* que todas las puertas *estén* cerradas.
7. *Lleva* el coche a la gasolinera y *dile* al mecánico que lo *revise*.
8. *Trata* de estar de vuelta antes de las cuatro.

**d.** ¿Qué le dijeron sus padres que Ud. hiciera (o no hiciera) en cada una de las siguientes situaciones?

1. su primera cita
2. la primera vez que Ud. condujo
3. cuando Ud. empezó a tomar clases en la universidad
4. cuando viajó solo(a) por primera vez
5. cuando se mudó a su apartamento
6. cuando buscó trabajo por primera vez

**e.** Diga Ud. lo que hay que hacer:

1. ...para conservar energía
2. ...para ganar mucho dinero
3. ...para no chocar
4. ...para tener buena salud
5. ...para sacar buenas notas
6. ...para conseguir un buen empleo
7. ...para tener muchos amigos
8. ...para pasarlo bien en un viaje a España
9. ...para tener éxito en la vida
10. ...para combatir el crimen
11. ...para perder peso
12. ...para gastar menos gasolina

**f.** Palabras y más palabras

Dé usted el equivalente de lo siguiente:

1. rifle, revólver, etc.
2. usar
3. notar
4. tratar
5. opuesto de *éxito*
6. gobierno de un dictador
7. tal vez
8. actualmente
9. en ningún lado
10. opuesto de *aumentar*
11. explotar
12. hacer una investigación
13. opuesto de *muerto*
14. empeorar

**g.** Vamos a conversar

1. ¿Qué haría Ud. si le dijeran que hay una bomba en esta clase?
2. ¿Ha habido últimamente algún atentado contra alguien del gobierno?

3. ¿Cree Ud. que la ley debe ser más estricta con los criminales? ¿Por qué?

4. Dicen que, tanto aquí como en el extranjero, hay mucha violencia. Dé Ud. algunos ejemplos.

5. ¿Qué soluciones sugiere Ud. para resolver el problema de la violencia?

6. ¿Cree Ud. en el terrorismo como arma política? Explíquese.

7. Si Ud. fuera presidente, ¿les daría a los terroristas lo que piden? ¿Por qué?

8. ¿Es la violencia la única manera de derribar una tiranía?

9. ¿Cuántos años puede estar en el poder un presidente norteamericano?

10. ¿Está Ud. de acuerdo con los que dicen que el fin justifica los medios? ¿Por qué?

11. ¿Qué habría que hacer para tener mejores relaciones con Latinoamérica?

12. ¿Qué habrá que hacer para combatir la dictadura?

**h.** Ahora el profesor (la profesora) va a dividir la clase en grupos de a dos. Ud. y un(a) compañero(a) van a conversar. Háganse las siguientes preguntas, usando la forma **tú:**

1. ...si va a estudiar con Ud. si tiene tiempo.

2. ...si habla español como si fuera nativo(a).

3. ...si cree que puede sacar una "A+" en español.

4. ...qué haría en caso de que quedara suspendido(a) en español.

5. ...qué va a hacer si el profesor les da un examen.

6. ...si es verdad que tiene muchísimo dinero.

7. ...qué va a comprar tan pronto como tenga dinero.

8. ...qué haría si tuviera mil dólares.

9. ...qué haría si fuera profesor(a) de español.

10. ...qué haría si fuera presidente(a) de los Estados Unidos.

11. ...a dónde iría si tuviera tres meses de vacaciones.

12. ...qué va a hacer cuando llegue a su casa.

13. ...a quién llamará en cuanto llegue a su casa.

14. ...si iría a un partido de fútbol aunque lloviera.

**i.** UNA ACTIVIDAD

Imagínese que Ud. es el locutor que da las noticias en la televisión. Prepare cinco noticias internacionales y cinco noticias locales. Cuando las tenga listas, léaselas a la clase.

INTENDENCIA MUNICIPAL
DE
GENERAL PUEYRREDON

# CARTA DE UNA VIAJERA

15 de septiembre de 19 . .

Queridos amigos:

Hacía rato que no les escribía, de modo que hoy me pongo a charlar con Uds.

Acabo de recibir una carta de mamá, en la que me dice que está preocupada porque ando viajando por Centroamérica, donde hay tantos conflictos políticos. Me pregunta en su carta si no les tengo miedo a los guerrilleros de algunos de los países que visito. Bueno… les confieso que a veces tengo un poco de miedo, pero para mí, viajar es una necesidad cultural y espiritual.

He estado meditando acerca de todo esto y me pregunto: ¿a dónde iría para no encontrarme con la violencia? ¿Está libre de ella Europa? ¿Qué está pasando en el Medio Oriente?° ¿Cuál es la situación en el Sudeste Asiático? Pero, ¿para qué irnos tan lejos? ¿Cuáles son las estadísticas del crimen en nuestras propias ciudades? El asesinato, el robo, las violaciones,° ¿no son también una expresión del clima de violencia actual?

La violencia parece ser un símbolo de nuestro tiempo. Tenemos la violencia de los guerrilleros y la violencia de las tiranías. Unos luchan° o creen luchar por la libertad y otros la pisotean,° y yo me niego° a aceptar que tengamos que elegir entre la violencia del estado y la violencia de los ciudadanos: entre la dictadura y la anarquía.

Quizás, como creen algunos, el mundo ha crecido mucho últimamente y necesitamos aprender a vivir en las nuevas circunstancias. En ese caso, debemos recordar lo que dijo Domingo Faustino Sarmiento;[1] "el pueblo es el soberano, y hay que educar al soberano". De esta manera, puede que la batalla entre la civilización y la barbarie sea ganada por la primera…

¡Caramba! ¡Qué filosófica me he puesto! ¿verdad? Bueno…es que quería compartir estas ideas con Uds.

Dentro de unos días salgo para Lima, y ya les contaré mis impresiones.

Hasta pronto.

Middle East

rapes

fight / tread
I refuse

---

[1]Gran estadista y escritor argentino del siglo XIX.

Después de leer la carta, díganos:

1. ¿Por qué está preocupada la mamá de Carol?
2. Aunque Carol confiesa que a veces tiene un poco de miedo, ¿por qué continúa viajando?
3. ¿Qué lugares del mundo cita Carol cuando habla de la violencia?
4. ¿Qué dice Carol sobre la violencia en los Estados Unidos?
5. ¿Qué es lo que Carol se niega a aceptar?
6. Según Carol, ¿qué necesitamos aprender?
7. ¿Quién fue Domingo Faustino Sarmiento y qué dijo sobre la educación del pueblo?
8. ¿Desde qué país nos va a escribir Carol la próxima carta?

# 11

## *Leyendo el diario*

Hoy entrevistamos a Marisa Beltrán, la famosa actriz de cine y televisión.

PERIODISTA —¿Cuánto tiempo hace que llegó a Buenos Aires?

MARISA —Llegué a mediados del mes pasado para asistir al festival de cine.

PERIODISTA —Estoy seguro de que el público argentino está contentísimo de que haya venido. ¿Es verdad que va a tener Ud. el papel principal en la telenovela "Mis hijos", del canal 2?

MARISA —No, no es verdad. Si me hubieran ofrecido el papel lo habría aceptado, pero no me lo ofrecieron.

PERIODISTA —En la película "Noche de terror" Ud. es a la vez actriz, directora y productora, ¿verdad?

MARISA —Sí, y ojalá que la película gane algún premio en el festival.

PERIODISTA —Espero que sí porque dicen que es extraordinaria. Bueno, quiero darle las gracias por permitirme entrevistarla.

MARISA —No hay de qué. Fue un placer charlar con Ud.

Marcos y Teresa acaban de leer la entrevista y la comentan.

MARCOS —Cuando estrenen "Noche de terror", quiero ir a verla.

TERESA —Sí, vale la pena ir al estreno. Según los críticos es buenísima. ¿Leíste el editorial de Ángel Valles? Habla de la necesidad de la censura en los medios de comunicación como la televisión, la radio y la prensa. Dice que hay demasiada violencia.

MARCOS —Yo no estoy de acuerdo con la censura. Valles es demasiado conservador. Quiere que se supriman muchos programas interesantes sin los cuales la televisión sería muy aburrida.

TERESA —Pues yo creo que la censura es a veces necesaria. Oye, ¿dónde está la guía de espectáculos?

MARCOS —Aquí está, pero déjame la sección de avisos clasificados y las tiras cómicas porque quiero leerlos.

## Charlemos

1. ¿Cuál es la profesión de Marisa Beltrán?
2. ¿Para qué fue a Buenos Aires?
3. ¿Es verdad que Marisa tiene el papel principal en la telenovela "Mis hijos"?
4. En la película "Noche de terror", ¿Marisa trabaja solamente como actriz?
5. ¿Qué desea Marisa que gane su película?
6. ¿Qué quiere hacer Marcos cuando estrenen "Noche de terror"?
7. ¿De qué habla Ángel Valles en su editorial?
8. ¿Qué dice Valles de los programas de televisión?
9. ¿Qué opina Marcos de Ángel Valles?
10. Según Marcos, ¿qué quiere Valles que se suprima?
11. ¿Qué dice Teresa de la censura?
12. ¿Qué secciones del diario quiere leer Marcos?

# VOCABULARIO

NOMBRES

el **aviso, anuncio**  ad
el **canal**  channel
la **censura**  censorship
la **entrevista**  interview
el **estreno**  premier, debut
la **guía de espectáculos**  show guide
los **medios de comunicación**  media
la **necesidad**  need
el **papel**  role
el (la) **periodista**  journalist
el **placer**  pleasure
el **premio**  prize
la **prensa**  press
la **telenovela**  soap opera
la **tira cómica**  comics

VERBOS

**entrevistar**  to interview
**estrenar**  to show for the first time
**ofrecer**  to offer
**suprimir**  to omit, to get rid of

ADJETIVOS

**conservador(a)**  conservative
**contento(a)**[1]  happy
**principal**  main

---

### Expresiones idiomáticas

**a la vez**  *at the same time*
**a mediados de**  *around the middle of*
**darle las gracias a uno**  *to thank*

**espero que sí**  *I hope so*
**no hay de qué**  *you're welcome*
**valer la pena**  *to be worth it*

---

## PALABRAS PROBLEMÁTICAS

**a. A mediados de, mediano, medio**

1. **A mediados de** se usa como equivalente de *around the middle of* (*a month, a year, etc.*):

   Saldremos **a mediados de** año.

2. **Mediano** equivale a *average, middle:*

   Es de estatura **mediana.**

3. **Medio** equivale a (*the*) *middle* o *half:*

   No debes estar en el **medio** de la calle.
   Quiero **medio** pastel.

---

[1]Always used with *estar.*

**b. Estar de acuerdo, ponerse de acuerdo, quedar en**

1. **Estar de acuerdo** significa **ser de la misma opinión:**

   No **estoy de acuerdo** con lo que dice ese periodista.

2. **Ponerse de acuerdo** equivale a *to come to an understanding:*

   Los dos hablaban a la vez, y no podían **ponerse de acuerdo.**

3. **Quedar en** significa **consentir en:**

   **Quedamos en** entrevistarlo la próxima semana.

### Práctica

Complete las siguientes oraciones, usando las "palabras problemáticas" correspondientes:

1. Vamos a tener la entrevista a ____ de octubre.
2. Él es demócrata y ella es republicana. Nunca se ponen de ____ .
3. No es ni alto ni bajo; es de estatura ____ .
4. Antonio ____ en poner el aviso en el periódico el domingo.
5. Diles a los chicos que no jueguen en el ____ de la calle.
6. Ella dice que él es muy conservador, pero yo no ____ de acuerdo.

# ESTRUCTURAS GRAMATICALES

## 1. Los tiempos compuestos del subjuntivo

### PRIMER PASO

*El presente perfecto de subjuntivo*

The present perfect subjunctive is formed with the present subjunctive of the auxiliary verb **haber** and the past participle of the main verb. It is used in the same way as the present perfect is used in English, but in sentences that require the use of the subjunctive in the subordinate clause:

> Yo dudo que ellos **hayan tenido**    *I doubt that they have succeeded.*
> éxito.

## THE PRESENT PERFECT SUBJUNCTIVE

|  |  | Present Subjunctive of haber | Past Participle of Main Verb |
|---|---|---|---|
| que | yo | haya | trabajado |
|  | tú | hayas | aprendido |
|  | Ud., él, ella | haya | recibido |
|  | nosotros | hayamos | abierto |
|  | vosotros | hayáis | escrito |
|  | Uds., ellos, ellas | hayan | hecho |

—Espero que **hayas comprado** los pasajes para ir al balneario.
—Sí, y me dieron un descuento.

*I hope you have bought the tickets to go to the beach resort.*
*Yes, and they gave me a discount.*

## Práctica

**a.** Vuelva a escribir las siguientes oraciones, comenzando con las palabras dadas entre paréntesis. Haga los cambios necesarios, siguiendo el modelo.

MODELO: Ellos han investigado el crimen. (Dudo…)
Dudo *que* ellos *hayan investigado* el crimen.

1. Elsa lo ha utilizado. (No creo…)
2. Ese periodista ha escrito a favor de la censura. (No es verdad…)
3. El presidente ya ha firmado la ley. (Tal vez…)
4. Tú no te has fijado en eso. (Espero…)
5. Nosotros nos hemos puesto de acuerdo. (No es cierto…)
6. No ha estallado la bomba. (Ojalá…)
7. Lo han secuestrado. (Él niega…)
8. Has tomado una decisión. (Me alegro…)
9. La reunión ha sido un fracaso. (Lamento…)
10. Yo lo he intentado. (No creen…)

**b.** Lo necesitamos como intérprete. Traduzca lo siguiente:

1. "I hope you have reserved a table for tonight."
   "There's no need to reserve a table on Mondays."
2. "Where is Robert? Is he still at the airport? I hope he hasn't gotten lost."
   "I doubt whether he has been able to pick up the luggage yet."
3. "I'm sorry you have been sick."
   "Well . . . luckily I didn't have to work."
4. "I don't think Ralph has read all the brochures I gave him last night."
   "I'm sure he's read them all."

======= CONTINUEMOS...

## El pluscuamperfecto de subjuntivo

A. The pluperfect subjunctive is formed with the imperfect subjunctive of the auxiliary verb **haber** and the past participle of the main verb. It is used in the same way as the pluperfect or the conditional perfect is used in English, but in sentences that require the use of the subjunctive in the subordinate clause:

| | |
|---|---|
| Yo dudaba que él **hubiera venido**. | *I doubted that he had come.* |

### THE PLUPERFECT SUBJUNCTIVE

| | | Imperfect Subjunctive of haber | Past Participle of Main Verb |
|---|---|---|---|
| que | yo | hubiera | trabajado |
| | tú | hubieras | aprendido |
| | Ud., él, ella | hubiera | recibido |
| | nosotros | hubiéramos | abierto |
| | vosotros | hubierais | escrito |
| | Uds., ellos, ellas | hubieran | hecho |

| | |
|---|---|
| —¿Conseguiste el empleo? | *Did you get the job?* |
| —No, no me lo dieron porque necesitaban a alguien que ya **hubiera terminado** sus estudios. | *No, they didn't give it to me because they needed someone who had already finished his education (studies).* |
| —¿Sabías que Felipe había matado a un hombre? | *Did you know that Phil had killed a man?* |
| —Sí, me lo dijeron ayer. Yo no creí que Felipe **hubiera sido** capaz de hacer algo así. | *Yes, they told me yesterday. I didn't believe that Phil would have been capable of doing something like that.* |

B. The pluperfect subjunctive is used instead of the imperfect subjunctive in an *if*-clause, when the verb in the main clause is in the conditional perfect:

Yo habría ido     si **hubiera tenido** tiempo.
*I would have gone   if I had    had    time.*

C. The pluperfect subjunctive is used after the expression **como si...** to refer to a completed action in the past. This is expressed in English by the past perfect indicative (*had  +  past participle*):

| | | | | |
|---|---|---|---|---|
| Se quejó | **como si** | **hubiera** | **trabajado** | todo el día. |
| *He complained* | *as if* | *he had* | *worked* | *all day long.* |

—¿Te fijaste qué hambre tenía
    Juancito?

    *Did you notice how hungry*
    *Johnny was?*

—Sí, comió **como si** no **hubiera
    comido** por una semana.

    *Yes, he ate as if he hadn't
    eaten for a week.*

—Si yo **hubiera comido** todo eso,
    me **habría enfermado.**

    *If I had eaten all that, I would
    have gotten sick.*

## Práctica

**a.** Vuelva a escribir lo siguiente, comenzando con las palabras dadas entre paréntesis. Haga los cambios necesarios, siguiendo el modelo.

MODELO:   El pueblo había derribado esa dictadura.  (Me alegré…)
          *Me alegré de que* el pueblo *hubiera derribado* esa dictadura.

1. Yo lo había hecho de esa manera.  (No creyó…)
2. Ese país nunca había sido libre.  (Lamentábamos…)
3. Ya habían investigado el atentado.  (No era posible…)
4. Habías viajado sola a través de Europa.  (No creí…)
5. Nosotros habíamos preparado todos los anuncios.  (No era verdad…)

**b.** Diga lo que estas personas habrían hecho si las circunstancias hubieran sido
diferentes. Siga el modelo.

MODELO:   Ana no fue al estreno porque no pudo.
          Si Ana *hubiera podido, habría ido* al estreno.

1. No le dieron el premio porque la película no era buena.
2. No acepté el papel principal porque no me gustaba la obra.
3. No compraste el abrigo porque no tenías dinero.
4. No vinimos a clase porque estábamos enfermos.
5. No leyeron la guía de espectáculos porque no tuvieron tiempo.

**c.** Combine cada par de oraciones en una sola, usando la expresión **como si…**
Haga los cambios necesarios, siguiendo el modelo.

MODELO:   Eva habló de él. / Lo había conocido antes.
          Eva habló de él *como si* lo *hubiera conocido* antes.

1. Los chicos se rieron. / Yo había dicho algo cómico.
2. Estábamos cansados. / Habíamos caminado mucho.
3. Pasó la señal de parada. / No la había visto.
4. Me dieron las gracias. / Les había hecho un gran favor.
5. Se perdieron. / Nunca habían estado allí.

## 2. El subjuntivo: Resumen general

PRIMER PASO

*Resumen de los usos del subjuntivo en las cláusulas subordinadas*

A. Use the subjunctive . . .

  1. After verbs of volition (when there is change of subject):

    Yo quiero que él **salga.**

  2. After verbs of emotion (when there is a change of subject):

    Me alegro de que tú **estés** aquí.

  3. After impersonal expressions (when there is a subject):

    Es necesario que él **estudie.**

Use the infinitive . . .

  1. After verbs of volition (when there is no change of subject):

    Yo quiero **salir.**

  2. After verbs of emotion (when there is no change of subject):

    Me alegro de **estar** aquí.

  3. After impersonal expressions (when speaking in general):

    Es necesario **estudiar.**

B. Use the subjunctive . . .

  1. To refer to something indefinite or non-existent:

    Busco una casa que **sea** cómoda.
    No hay nadie que lo **sepa.**

Use the indicative . . .

  1. To refer to something specific:

    Tengo una casa que **es** cómoda.
    Hay alguien que lo **sabe.**

COLECCIÓN ☆ TRANSIT® ☆ ORIGINAL

chaquetas • pantalones • camisas

Tel: 261 12 02 Bogotá

2. If the action is incomplete:

Cenarán cuando él **llegue**.

3. To express doubt and denial:

Dudo que **pueda** venir.
Niego que él **esté** aquí.

4. In an *if*-clause, to refer to something contrary to fact or to something impossible or very improbable:

Si **pudiera**, iría.
Si el presidente me **invitara** a la Casa Blanca, yo aceptaría.

2. If the action has been completed or is habitual:

Cenaron cuando él **llegó**.
Siempre cenan cuando él **llega**.

3. When there is no doubt or denial:

No dudo que **puede** venir.
No niego que él **está** aquí.

4. In an *if*-clause, when not referring to anything that is contrary to fact, impossible, or very improbable:

Si **puedo**, iré.
Si Juan me **invita** a su casa, aceptaré.

## Práctica

**a.** Complete las siguientes oraciones, usando el infinitivo, el indicativo o el subjuntivo, según corresponda:

1. Dudo que nosotros _____ (poder) ir a principios de mes, porque estoy segura de que _____ (tener) que trabajar.
2. Es necesario que tú lo _____ (entrevistar) porque no hay ninguna otra persona que _____ (poder) hacerlo hoy.
3. Me alegro de _____ (estar) aquí y espero que ellos _____ (venir) también.
4. Yo no quiero _____ (ir). Que _____ (ir) él.
5. Tengo una casa que _____ (ser) demasiado pequeña. Necesito una que _____ (ser) más grande.
6. Es importante _____ (mejorar) los medios de comunicación.
7. Siempre esperamos hasta que todos los pasajeros _____ (llegar).
8. Si _____ (tener) dinero, te llevaré al cine.
9. Haré el viaje en cuanto _____ (bajar) las tarifas en los hoteles.
10. Si yo _____ (estar) embarazada, no tomaría café.

**b.** Termine lo siguiente de una manera original, usando los verbos en el subjuntivo, el indicativo o el infinitivo, según corresponda:

1. Yo estoy segura de que la temporada turística...
2. Es importante que la prensa...

3. Voy a facturar el equipaje cuando...
4. Para aprovechar los descuentos, nosotros queremos...
5. Yo conozco a un señor muy conservador, que siempre...
6. Le ofreceremos el papel tan pronto como...
7. ¿Hay algún hotel cercano que...
8. Siempre nos abrochamos el cinturón cuando...
9. Yo me alegro muchísimo de...
10. Para sacar una "A", es necesario...

## CONTINUEMOS...

### Concordancia de los tiempos con el subjuntivo

The verb in the main clause determines which tense must be used in the subjunctive in the subordinate clause. The possible combinations are:

| Main Clause<br>Indicative | Subordinate Clause<br>Subjunctive |
|---|---|
| Present<br>Future<br>Present Perfect<br>Command[1] | Present Subjunctive<br>*or*<br>Present Perfect Subjunctive |

**Es** necesario que **terminemos** a mediados de mes.
**Saldremos** cuando **él llegue.**
Le **he pedido** a Dios que me **ayude.**
Me **alegro** de que te **hayan convencido.**
**Sentirá** mucho que no **hayamos recibido** su carta.
**Dile** que **venga.**

| Main Clause<br>Indicative | Subordinate Clause<br>Subjunctive |
|---|---|
| Preterit<br>Imperfect<br>Conditional | Imperfect Subjunctive<br>*or*<br>Pluperfect Subjunctive |

Le **dije** que lo **leyera** por lo menos una vez.
Yo no **creía** que ella **tuviera** ganas de verlo.
No me **gustaría** que **pusieras** el arma debajo de la almohada.
Si él **hubiera estado** vivo, no **habría permitido** esto.
**Me alegré** de que ellos **hubieran alcanzado** el poder.

---

[1]Only the present subjunctive may be used after the command.

| Main Clause<br>Indicative | Subordinate Clause<br>Subjunctive |
|---|---|
| Present } | Imperfect Subjunctive |

**Siento** que no **vinieras** ayer.[1]

## Práctica

Complete las siguientes oraciones, usando el presente, presente perfecto, imperfecto o pluscuamperfecto de subjuntivo. Use todas las combinaciones posibles:

1. Siento mucho que en esta universidad...
2. Yo no habría tenido necesidad de trabajar si...
3. Nosotros preferiríamos que la clase...
4. El profesor nos ordenó que...
5. Pídele a Dios que...
6. Mis padres estarán muy contentos cuando yo...
7. Nosotros esperábamos que los estudiantes...
8. Te he pedido muchas veces que...
9. Yo ya me habría casado si...
10. Dudo que el fin siempre...
11. Me alegro de que ayer nosotras...
12. Yo temía que mi novio(a)...

## 3. Las preposiciones

Spanish prepositions are: **a, ante, bajo, con, contra, de, desde, en, entre, hacia, hasta, para, por, según, sin, sobre** and **tras.**

### PRIMER PASO

*Algunos usos de las preposiciones* a, de *y* en

A. The preposition **a** (*to, at, in*) basically means direction towards a point in space or a moment in time. It is used:

1. To indicate the time of day:

   **A** las cinco salimos con destino a Lima.

2. After verbs of motion, when they are followed by an infinitive, a noun, or a pronoun:

   Siempre venimos **a** rezar aquí.

---

[1]Note that the imperfect subjunctive is used because the action refers to the past.

3. After the verbs **enseñar, aprender, comenzar** and **empezar,** when they are followed by an infinitive:

Van a **empezar a** industrializar el país.
Te voy a **enseñar a** conducir.

4. After the verb **llegar:**

Cuando **llegó al** aeropuerto, le dieron la tarjeta de embarque.

5. Before a direct object noun that refers to a specific person.[1] It may also be used to personify an animal or a noun:

Yo no aguanto **a** ese hombre.
Soltaron **al** perro.
Amo **a** mi país.

B. The preposition **de** (*of, from, about, with, in*) indicates possession, material, and origin. It is also used:

1. With time, to refer to a specific period of the day or night:

El sábado pasado trabajamos hasta las ocho **de** la noche.

2. After the superlative, to express *in:*

Orlando es el más amable **de** la familia.

3. To describe personal characteristics:

Es morena **de** ojos negros. Con razón la toman por española.

4. As a synonym for **sobre** or **acerca de** (*about*):

Hablan **de** todo menos de deportes.

C. The preposition **en** (*at, in, on, inside, over*) in general refers to something "within an area of time or space." It is used:

1. To refer to a definite place:

De haberlo sabido, me habría quedado **en** casa.

2. As a synonym for **sobre** (*on*):

Robertito está sentado **en** la cama.

3. To indicate means of transportation:

Nunca volveré a viajar **en** tren.

---

[1]Remember that, if the direct object is not a definite person, the personal **a** is not used: **Busco un buen maestro.**

4. To refer to the way something is said:

Dijo que necesitaba unos mil dólares, pero lo dijo **en** broma.

## Práctica

Complete las siguientes oraciones, usando las preposiciones **a, de** o **en,** según corresponda:

1. Vino ____ decirme que había perdido todo su dinero ____ Las Vegas.
2. Hablaron por largo rato ____ la necesidad del transporte colectivo.
3. El partido fue muy reñido; terminó ____ las nueve ____ la noche.
4. Mis hijos deben aprender ____ apreciar la buena música.
5. No voy a llevar ____ Elisa, porque no le gusta viajar ____ metro.
6. Ya son las ocho y no estás lista. ¡En fin, que llegaremos ____ cine ____ las nueve!
7. Me preguntó si tenía cambio para un billete de mil dólares, pero no estaba hablando ____ serio.
8. Es rubia, ____ ojos azules, y ____ todas partes la toman por americana.
9. El niño estaba sentado ____ la mesa y por poco se cae.
10. Ganó en el primer asalto. Es el mejor boxeador ____ mundo.

──────────────── CONTINUEMOS...

### Usos especiales de algunas preposiciones

The prepositions **con, de** and **en** are used with certain verbs to form idiomatic expressions. Sometimes these prepositions have no equivalent in English. Some of these idioms are:

| | |
|---|---|
| casarse **con** *to marry* | olvidarse **de** *to forget* |
| acordarse **de** *to remember* | confiar **en** *to trust* |
| darse cuenta **de** *to realize* | convenir (e>ie) **en** *to agree on* |
| enamorarse **de** *to fall in love with* | entrar **en** *to enter, to go into* |
| | insistir **en** *to insist on* |

### Práctica

Lo (la) necesitamos como intérprete. Traduzca lo siguiente:

1. "She fell in love with your son; and she's intelligent and beautiful."
   "Well . . . I don't think he's going to marry her."
2. "You're late!"
   "I left at seven and didn't realize there would be a traffic jam at that time."
   "I forgot to tell you (about it)."
3. "Did you remember to call Rita? We agreed that she was going to take care of the children."
   "I forgot, but anyway I don't trust her. She always insists on inviting all her friends to our house!"
   "Okay. I'll call my mother."
4. "We're having a sale (**liquidación**) today."
   "Oh, no! I can't stand those sales! A hundred people entering the store at the same time!"

## 4. Prefijos y sufijos

One way of forming new words is by adding a prefix or a suffix to an existing word. A prefix is added to the beginning of a word, and a suffix is added to the end of a word; both give the word a new meaning.

### PRIMER PASO

#### *Prefijos*

Some common prefixes are:

A. Prefixes that indicate negation:

1. **des-**

   habitado (*inhabited*)      **des**habitado
   aparecer                    **des**aparecer

2. **in- (im-**[1]**)**

   paciente      **im**paciente
   correcto      **in**correcto

---

[1]The prefix **in-** changes to **im-** before **p** and **b.**

B. Prefixes that indicate opposition:

   1. **anti-**

| | |
|---|---|
| ácido | **anti**ácido |
| tetánico | **anti**tetánico |

   2. **contra-**

      veneno (*poison*)    **contra**veneno

C. Prefixes that intensify the meaning of the word:

   1. **sobre-**

      humano    **sobre**humano

   2. **super-**

      hombre    **super**hombre

   3. **extra-**

      ordinario    **extra**ordinario

D. Prefix meaning *under:*

**sub-**

| | |
|---|---|
| marino | **sub**marino |
| director | **sub**director |

E. Prefix meaning *before:*

**ante-**

| | |
|---|---|
| ayer | **ante**ayer |
| anoche | **ante**anoche |

F. Prefix meaning *between:*

**entre-**

      acto    **entre**acto

G. Prefix that indicates repetition:

**re-**

| | |
|---|---|
| calentar (*to heat*) | **re**calentar |
| hacer | **re**hacer |

## Práctica

Dé las palabras equivalentes a cada una de las siguientes frases:

1. fuera de lo común
2. que no tiene mucha paciencia
3. lo que se usa contra la acidez
4. volver a vender
5. hace dos noches
6. que no tiene habitantes
7. hombre que tiene poderes extraordinarios
8. decir lo contrario a lo que alguien dice

CONTINUEMOS...

### Sufijos

Some common suffixes are:

A. Suffixes that indicate quality:

| | |
|---|---|
| **-ancia** | abund**ancia**, frag**ancia** |
| **-dad** | facili**dad**, superiori**dad** |
| **-ez** | estupid**ez**, rapid**ez** |
| **-ía** | cortes**ía**, rebeld**ía** |
| **-ura** | hermos**ura**, fresc**ura** |

B. Suffixes that indicate action or agent:

| | |
|---|---|
| **-dor** | compra**dor**, vende**dor**, gana**dor** |
| **-ción** | conversa**ción**, salva**ción**, autoriza**ción** |
| **-miento** | entrena**miento**, pensa**miento**, conoci**miento** |

C. Suffixes that indicate profession or trade:

| | |
|---|---|
| **-ante** | estudi**ante** |
| **-ero** | panad**ero**, carnic**ero**, cart**ero** (*mailman*) |
| **-ista** | pian**ista**, dent**ista**, art**ista**, period**ista** |

D. Suffixes that indicate commercial establishments:

| | |
|---|---|
| **-ería** | zapat**ería**, carnic**ería**, reloj**ería** |

E. Suffixes that are used to form adjectives from verbs:

| | |
|---|---|
| **-able** | admir**able**, inevit**able**, inolvid**able** |

**Práctica**

**a.** Complete las siguientes oraciones, usando algunas de las palabras estudiadas:

1. Me duele una muela. Voy a llamar a mi _____ .
2. Toca muy bien el piano. Es un gran _____ .
3. En esa _____ tienen muy buena carne.
4. Hablamos por tres horas. Fue una _____ muy interesante.
5. Vende cien refrigeradoras por semana. Es el mejor _____ de la casa.
6. ¿Recibiste carta de Daniel, o todavía no ha llegado el _____ ?
7. No pudieron evitar el accidente. Fue algo _____ .
8. El entrenador suspendió el _____ por la lluvia.

**b.** Dé el sinónimo o el opuesto de las siguientes palabras:

1. vendedor
2. perfume
3. belleza
4. perdedor
5. velocidad
6. inteligencia
7. dificultad
8. inferioridad
9. amabilidad
10. permiso

## ¿CUÁNTO SABE USTED AHORA?

**a.** Reaccione a lo siguiente, usando el presente perfecto de subjuntivo, y empezando con expresiones como **me alegro de que, ojalá que, siento mucho que, no creo que, niego que,** etc. Siga el modelo.

MODELO: César está muy enfermo.
*Espero que haya ido* a ver al médico.

1. Han puesto una bomba en el aeropuerto.
2. Pedro ha ido hoy a la entrevista para el puesto vacante.
3. No sé lo que ha decidido Jorge: conseguir un empleo o asistir a la universidad.
4. El avión salió a las cuatro y media, y Andrés no salió de casa hasta las cuatro.
5. Mi hijo tiene los exámenes de mitad de curso mañana.
6. Carmen es ahora la jefa del departamento, y le han dado un aumento de sueldo.
7. Sara quería comprar un coche nuevo y sólo tenía tres mil dólares.
8. ¡Por fin! Ayer mi novia vino de Venezuela a visitarme.

**b.** Diga lo que Ud. habría hecho si las circunstancias hubieran sido diferentes. Siga el modelo.

MODELO: En la tienda había un vestido azul, pero Ud. quería uno rojo.
Si el vestido *hubiera sido* rojo, yo lo *habría comprado.*

1. Ud. necesitaba comprar un coche, pero no le dieron el descuento que Ud. quería.
2. Le ofrecieron media botella de vino tinto, pero Ud. prefiere vino blanco.
3. Uds. querían pasar un fin de semana en la Costa del Sol, pero en los hoteles no había habitaciones libres.
4. Ud. tenía una cita a las cinco y media, pero no llegó a tiempo porque salió de su casa muy tarde.
5. Uds. querían ir a Río para la época de Carnaval, pero no habían hecho reservaciones en ningún hotel.
6. Ud. quería dar la vuelta al mundo, pero no tenía sus documentos en regla.
7. El avión hacía escala en Puebla, y Ud. quería ir en un vuelo directo.
8. Le ofrecieron un puesto en el que Ud. debía trabajar bajo las órdenes de su padre, pero Ud. prefiere trabajar con otra persona.

**c.** Complete el siguiente diálogo, usando los verbos dados entre paréntesis en el infinitivo, el indicativo o el subjuntivo, según corresponda:

EVA —Hola, Mario. Me alegro de ____ (verte). Siento que tú no ____ (poder) venir a la fiesta anoche.

MARIO —Si _____ (tener) tiempo, habría venido, pero tuve que trabajar. Le dije a Paco que te _____ (llamar).

EVA —No creo que _____ (tener) que trabajar hasta las nueve. Lo que pasa es que cuando yo _____ (invitarte) a una fiesta nunca vienes.

MARIO —Cuando _____ (dar) otra fiesta, vendré. Oye, ¿conoces a alguien que _____ (hablar) francés? Mi hermano necesita una traductora.

EVA —Sí, conozco a una chica que lo _____ (hablar) muy bien. ¿Quieres que la _____ (llamar)?

MARIO —Sí, por favor. Me gustaría que la _____ (llamar).

EVA —Pues la llamaré en cuanto _____ (poder), y le diré que _____ (ir) a ver a tu hermano.

MARIO — Sí, porque él quiere _____ (entrevistar) a la persona tan pronto como _____ (ser) posible, de manera que _____ (empezar) a trabajar a principios de mes.

EVA —Entonces es importante que la _____ (llamar) hoy mismo.

**d.** A esta carta le faltan todas las preposiciones. Póngaselas Ud., y luego lea la carta en voz alta:

8 _____ abril _____ 19 . .

Querida Leonor:

Llegué _____ San Juan _____ las nueve _____ la mañana y, como ves, me he acordado _____ escribirte. Estoy _____ el hotel Ponce, que es uno _____ los más bellos _____ la ciudad.

Te diré que estoy enamorada _____ San Juan, y aunque llevo pocas horas aquí, me he dado cuenta _____ que la gente es muy amable. _____ ejemplo, cuando entré _____ el hotel con las maletas, dos muchachos vinieron _____ ayudarme. _____ cierto que uno _____ ellos era muy guapo: moreno, _____ estatura mediana y _____ ojos verdes. Insistió _____ servirme _____ guía… También dijo que me enseñaría _____ bailar la rumba.

Mañana pienso recorrer la isla _____ autobús. Ya te contaré _____ mis impresiones _____ mi próxima carta.

Bueno, confío _____ que no te olvidarás _____ cuidar _____ mis gatos.

Cariños,

*Berta*

**e.** Tomando como base las siguientes palabras, forme otras nuevas, añadiéndoles prefijos o sufijos, según convenga. Utilícelas luego en oraciones:

1. aparecer
2. correcto
3. abundar
4. comunista
5. pan
6. conocer
7. acto
8. calentar
9. arte
10. admirar

**f.** Palabras y más palabras

Complete las siguientes oraciones, usando el vocabulario de esta lección:

1. —¿Roberto va a venir?
   —¡ ____ que sí!
2. ¿Dónde están las ____ cómicas? Quiero leerlas.
3. —Muchas gracias.
   —No ____ de qué.
4. Ayer vi una película muy buena en el ____ dos.
5. Él quiere hablar con el jefe, pero yo no creo que valga la ____ .
6. Ha sido un ____ hablar con Ud.
7. ¿Qué películas pasan hoy? ¿Dónde está la guía de ____ ?
8. ¿A qué actriz le dieron el ____ principal en esa película?
9. Mamá siempre mira la ____ "Todos mis hijos".
10. Los dos hablaron a la ____ .
11. Quiero darle las ____ por el favor que me hizo.
12. Regresaré a ____ de junio; probablemente el dieciséis.
13. Ella estaba muy ____ con todos los regalos que recibió.
14. Es ____ ; trabaja para un periódico muy importante.
15. ¿Cuándo van a ____ esa película? Yo quiero ir al estreno.

**g.** Vamos a conversar

1. ¿En qué programas de televisión entrevistan a actores y a actrices de cine?
2. ¿Cuál es el festival de cine más famoso?
3. ¿Ha asistido Ud. a algún festival de cine?
4. ¿Quién tiene el papel principal en su programa de televisión favorito?
5. ¿Sabe Ud. qué película ganó el "Oscar" el año pasado?
6. ¿Qué habría hecho Ud. si le hubieran ofrecido un papel en una película?
7. ¿En qué programas de televisión cree Ud. que hay demasiada violencia?
8. ¿Cortan a veces algunas escenas de una película al pasarla por televisión? ¿Por qué?
9. ¿Cree Ud. que es necesaria la censura a veces? ¿Por qué?
10. ¿Cuál es el medio de comunicación más importante? ¿Por qué?

**h.** Ahora el profesor (la profesora) va a dividir la clase en grupos de a dos. Ud. y un(a) compañero(a) van a conversar. Háganse las siguientes preguntas, usando la forma *tú*. Lo que deseamos saber sobre la persona con quien está hablando es lo siguiente:

1. …qué programas de televisión le gustaría suprimir.
2. …qué programas de televisión le parecen más interesantes.
3. …si alguna vez mira programas educativos. ¿Cuáles?
4. …si cree en la censura. ¿Por qué?
5. …si es conservador(a) o liberal.
6. …si mira alguna telenovela. ¿Cuál?
7. …cuál es su actor (actriz) favorito(a).
8. …qué película le recomienda que vaya a ver.
9. …qué periódicos y revistas prefiere leer.
10. …si lee las tiras cómicas.
11. …dónde vive y cuánto tiempo lleva viviendo en ese lugar.
12. …cuánto tiempo hacía que estudiaba español cuando empezó esta clase.

21 de septiembre de 19..

Queridos amigos:

Hoy es el primer día de la primavera y estoy en Buenos Aires, la hermosa ciudad que llaman, con razón, el París de Sudamérica. Estoy sentada en un café al aire libre,° y estoy escribiendo esta carta mientras espero a Norma, mi amiga porteña (así se llama a las personas nacidas en Buenos Aires). Norma estudia arquitectura en la Universidad de La Plata.

Mientras espero, miro pasar a la gente. Esta ciudad es realmente cosmopolita y la mayoría de la población (¡8.500.000 habitantes!) es de ascendencia europea. La cultura es aquí muy importante. Hay más de cuarenta universidades solamente en Buenos Aires, y una cantidad enorme de museos y teatros.

Me estoy divirtiendo muchísimo. Anoche visité un barrio muy pintoresco que se llama La Boca y que es una comunidad mayormente italiana. Comimos pescado en un restaurante muy bueno donde también nos enseñaron a bailar el tango. Lo pasé muy bien.

Esta mañana fui a caminar y a mirar vidrieras.° Vi el famoso obelisco y crucé la avenida Nueve de Julio, la más ancha del mundo. Mañana por la mañana voy a ver el teatro Colón, que es el más importante de Buenos Aires, y que atrae a famosos artistas de todo el mundo. Por la tarde voy con unos amigos a Palermo, uno de los muchos parques que hay en esta ciudad.

Bueno, ahí viene Norma, así que tengo que dejarlos por hoy. Les diré que me gusta tanto Buenos Aires que ya me siento un poco "porteña" yo también.

Un saludo afectuoso de

sidewalk cafe

window-shopping

Después de leer la carta, díganos:

1. ¿Cuándo comienza la primavera en la Argentina?
2. ¿Qué diferencia hay, en cuanto a las estaciones, entre los países del hemisferio norte y los del hemisferio sur?
3. ¿Cómo llaman a la capital argentina?
4. ¿Quiénes son los porteños?
5. ¿Qué origen tiene la mayoría de la población argentina?
6. ¿Qué estudia Norma? ¿Dónde?
7. ¿Qué sabe Ud. sobre la vida cultural en Buenos Aires?
8. ¿Qué es La Boca?
9. ¿Qué hizo anoche Carol?
10. ¿Cuál es la avenida más ancha del mundo?
11. ¿Qué va a hacer Carol mañana?
12. ¿Por qué se siente Carol un poco "porteña"?

# 12

# ¡Aquí se habla español!

Sandra, David, Oscar e Isabel acaban de terminar los exámenes finales. Todos tienen ganas de tomar algo; David compra refrescos para todos y se sientan en el césped a charlar. Como Isabel es de origen mexicano y habla perfectamente el español, a los otros les encanta hablar con ella y practicar el idioma.

SANDRA —David, ¿es verdad que vas a ir a Colombia con el Cuerpo de Paz? Es una lástima que no hayas tomado más clases de español.

DAVID —Si a principios de curso lo hubiera sabido, habría tomado una clase avanzada.

OSCAR —Espero que no tengas los problemas que tuve yo cuando estuve en México. Estoy seguro de que la mitad de lo que decía no tenía pies ni cabeza. ¡Decía cada disparate!

ISABEL —No lo pongo en duda. ¡Cuéntanos!

OSCAR —Una vez, por ejemplo, estaba de visita en casa de unos amigos y cuando estábamos comiendo, se me cayó el vaso lleno de vino y manché la alfombra. Lo único que pude decir fue que estaba muy embarazado y, como imaginarán, todo el mundo se echó a reír. ¡Qué colorado me puse!

SANDRA —Eso te pasó por no saber español. Me alegro de que hayas decidido estudiarlo.

DAVID —¡Eso no es nada! Cuando yo estuve en Miami, tuve muchos problemas por no saberlo. Hay barrios donde sólo se habla español, y lo cómico es que en algunas tiendas tienen letreros que dicen: "Aquí se habla inglés."

291

ISABEL —No sólo en la Florida se habla tanto español. No olviden que más de la mitad de este país fue descubierta y colonizada por España, y la influencia española se ve por todas partes. En California, por ejemplo, hay muchísimas ciudades y calles que tienen nombre español.

OSCAR —¡Y cuántas palabras españolas han pasado al inglés! Por ejemplo: plaza, corral, sombrero, patio... En realidad, el español es la lengua que más ha influido en el inglés hablado de los Estados Unidos.

SANDRA —Bueno, según mi profesor de historia, los documentos que cuentan la historia de la Florida, California, Texas, Arizona y otros estados fueron escritos en español.

DAVID —En estos momentos el español es la segunda lengua de este país. En muchos lugares, hay más oportunidades de trabajo para las personas que hablan los dos idiomas. Por ejemplo, si mi hermano hubiera sabido español, habría podido conseguir un buen empleo como visitador social.

SANDRA —¡Ah, sí! Yo estoy convencida de que aquí, sin el español, uno está perdido en su propio país.

OSCAR —Pero no solamente se debe estudiar español por necesidad, sino por el placer de ser capaz de entender una nueva cultura.

## Charlemos

1. ¿Qué acaban de terminar Sandra y sus amigos?
2. ¿Por qué compra refrescos David?
3. ¿Por qué les encanta a los muchachos hablar con Isabel?
4. ¿Por qué dice Sandra que es una lástima que David no haya tomado más clases de español?
5. ¿Qué habría hecho David si hubiera sabido que iba a trabajar con el Cuerpo de Paz?
6. ¿Qué disparate dijo Oscar cuando estuvo en México? ¿Qué palabra estaba tratando de traducir?
7. ¿Con qué manchó Oscar la alfombra de su amigo?
8. ¿Qué le pasó a David cuando estuvo en Miami?
9. ¿Qué dicen los letreros que hay en algunas tiendas de Miami?
10. ¿Por quiénes fue descubierta y colonizada más de la mitad de este país?
11. ¿Cómo se ve la influencia española en California?
12. ¿Qué dice Isabel sobre la influencia del español en este país?
13. Dé ejemplos de palabras españolas que han pasado al inglés.
14. Según el profesor de Sandra, ¿qué documentos fueron escritos en español?
15. ¿Qué dice David sobre la importancia del español en los Estados Unidos?
16. Si el hermano de David hubiera sabido español, ¿qué habría conseguido?
17. ¿De qué está convencida Sandra?
18. Además de estudiarlo por necesidad, ¿qué otra razón hay para estudiar español?

## VOCABULARIO

| NOMBRES | VERBOS |
|---------|--------|
| la **alfombra**   carpet, rug | **influir**   to influence |
| el **barrio**   neighborhood | **manchar**   to stain |
| el **césped**   lawn | |
| el **Cuerpo de Paz**   Peace Corps | ADJETIVOS |
| el **disparate**   blunder, nonsense | **avanzado(a)**   advanced |
| el **letrero**   sign | **colorado(a)**   red |
| la **lengua**, el **idioma**   language | **cómico(a)**   comical |
| el (la) **visitador(a) social**   social worker | **convencido(a)**   convinced |

---

### Expresiones idiomáticas

**a principios de**   *at the beginning of*
**echarse a reír**   *to burst out laughing*
**en realidad**   *in fact*
**estar de visita**   *to be visiting*
**no tener pies ni cabeza**   *not to make
   any sense*

**poner en duda**   *to doubt*
**ponerse colorado, ruborizarse**
   *to blush*
**tener ganas de**   *to feel like*
**tomar algo**   *to have something to drink*
**una vez**   *once*

---

## PALABRAS PROBLEMÁTICAS

**a. Letrero, signo, señal** como equivalentes de *sign*

1. **Letrero** equivale a *printed sign*:

   Hay un **letrero** que dice: "Aquí se habla inglés."

2. **Signo** es una indicación que se usa en las escrituras o las matemáticas:

   El **signo** "×" indica multiplicación.

3. **Señal** significa **marca** o **nota** que se pone en las cosas para distinguirlas de otras:

   Pon una **señal** en el libro para saber dónde quedamos.

**b. Conseguir, obtener** y **recibir** como equivalentes de *to get*

1. **Conseguir** es el equivalente de *to get*, cuando es sinónimo de *to obtain*:

   Mi hermano **consiguió** un buen empleo.

2. **Obtener** significa lograr algo que se solicita:

   Él **obtuvo** el puesto que solicitó.

3. **Recibir** significa tomar lo que le envían a uno o admitir visitas. Es el equivalente de *to get,* cuando éste es sinónimo de *to receive:*

> Ayer **recibí** una carta de mi padre.
> El gobernador **recibió** a los hombres de negocios.

## Práctica

Complete las siguientes oraciones usando las "palabras problemáticas" correspondientes.

1. Si quieres ＿＿ el papel principal debes tener una entrevista con el director.
2. Según ese ＿＿ estamos a 20 kilómetros de Buenos Aires.
3. Esta mañana yo ＿＿ un telegrama de mis abuelos.
4. En español se usan dos ＿＿ de interrogación.
5. No solicites ese puesto. No creo que lo ＿＿ porque no sabes inglés.
6. Solamente tenemos que aprender las palabras que tienen una ＿＿ al lado.

# ESTRUCTURAS GRAMATICALES

## 1. El participio pasado con *ser* y *estar*

### PRIMER PASO

#### La voz pasiva

The passive voice is formed in Spanish in the same way as it is in English. The subject of the sentence does not perform the action of the verb, but receives it:

> América **fue descubierta** por los españoles.[1]

&. The passive voice is formed thus:

> *Subject* + **ser** + *past participle* + **por** + *agent*

&. Only the verb **ser** may be used, and the past participle must agree with the subject in gender and number:

> **América**    **fue**    **descubierta**    **por**    **los españoles.**
> (*subject*) + (**ser**) + (*past participle*) + (**por**) + (*agent*)

---

[1] Active voice: Los españoles **descubrieron** América.

❧ The passive voice is used whenever the agent is present or understood:

> Esa ciudad **fue fundada** por los franceses.   (*agent present*)
> Don Quijote **fue escrito** en 1605.   (*agent understood*)

—¿Quién construyó ese hospital?     *Who built that hospital?*
—Ese hospital **fue construido** por     *That hospital was built by the*
la Compañía Torres.     *Torres Company.*

—¿Quién publicará esos folletos?     *Who will publish those*
    *pamphlets?*

—Los folletos **serán publicados**     *The pamphlets will be published*
por el gobierno.     *by the government.*

❧ When the action is mental or emotional, **de** may be substituted for **por**:

> **Era amado de** todos.

## Práctica

a. Cambie las siguientes oraciones de la voz activa a la voz pasiva. Siga el modelo.

MODELO:    La Compañía Argos *construirá* el hotel.   (*voz activa*)
             El hotel *será construido* por la Compañía Argos.   (*voz pasiva*)

1. *Fundaron* esta ciudad en 1790.
2. *Utilizarán* cada palabra tres veces.
3. El director *ha entrevistado* a todos los estudiantes.
4. Yo no creo que él *haya traducido* esas cartas.
5. El presidente *firmará* todos los documentos.
6. *Terminaron* el estadio a principios de año.
7. No es verdad que Poe *haya escrito* ese poema.
8. *Descubrieron* América en 1492.

## ◆❀❀ FOLLETÍN ❀◆❀◆

Rafael Hernández

**b.** Sustituya los infinitivos por la voz pasiva, usando los tiempos indicados:

1. Todos los documentos (firmar) por el secretario.   (*imperfecto*)
2. Los niños (encontrar) en un pueblo cercano.   (*pretérito*)
3. Dos aviones de esa aerolínea (secuestrar).   (*presente perfecto*)
4. Todos los empleados (entrevistar) por el jefe de personal.   (*presente*)
5. La nueva revista (publicar) por esa compañía.   (*futuro*)
6. Las tarifas ya (aumentar) el mes pasado.   (*pluscuamperfecto*)
7. Él (amar) de todos si fuera más simpático.   (*condicional*)
8. Temo que la cena no (servir) a tiempo.   (*presente de subjuntivo*)
9. Nos parecía imposible que los astronautas no (recibir) por todo el pueblo.
   (*pluscuamperfecto de subjuntivo*)
10. Ordenó que los libros (devolver) a la biblioteca inmediatamente.   (*imperfecto de subjuntivo*)

**c.** Conteste las siguientes preguntas:

1. ¿En qué año fue fundada la universidad a que Ud. asiste?
2. ¿Por quiénes fue escrito su libro de español?
3. ¿En qué año fue descubierta América?
4. ¿Sabe Ud. por quién fueron fundadas las misiones de California?
5. ¿Dónde cree Ud. que será construida la primera ciudad espacial?
6. ¿Ha sido descubierta ya una cura para el cáncer?
7. ¿Qué noticia importante fue publicada ayer en todos los periódicos?
8. ¿Qué películas cree Ud. que serán nominadas como las mejores del año?

════════════════════  CONTINUEMOS...

## El participio pasado con *estar*

A. The past participle may be used with the verb **estar** to refer to the result of a previous action and also to indicate a condition or state. As such, the past participle agrees with the subject in gender and number.

| | |
|---|---|
| —Yo sé que esta carta no fue escrita por Carlos Vega. | *I know that this letter wasn't written by Carlos Vega.* |
| —¿Por qué lo dices? | *Why do you say that?* |
| —Porque **está escrita** en inglés. | *Because it's written in English.* |

B. The verb **estar** + *past participle* is used in Spanish to indicate position; the verb *to be* + *gerund* is used in English. This construction is frequently used with verbs such as **acostar(se)**, **sentar(se)**, **parar(se)** and **levantar(se)**:

**Estoy** + **sentado.**
*I am* + *sitting. (seated)*

—¿Ya se acostaron los niños?     *Did the children already go to bed?*

—María **está acostada,** pero Pepito **está sentado** en la sala.     *Maria is in bed (lying down), but Pepito is sitting in the living room.*

### Práctica

**a.** Conteste las siguientes preguntas:

1. ¿Hace mucho tiempo que estás levantado(a)?
2. ¿Desde qué hora estás despierto(a)?
3. ¿Está abierta la puerta de tu casa?
4. ¿Es verdad que la ventana de tu cuarto está rota?
5. ¿Por qué está abierta (cerrada) la puerta del aula?
6. ¿Está parado(a) o sentado(a) su profesor(a)?
7. Las explicaciones de gramática, ¿están escritas en español o en inglés?
8. ¿Ya están hechos todos los ejercicios de esta lección?

**b.** Complete las siguientes oraciones, traduciendo las palabras en inglés. Use **ser** o **estar** según corresponda:

1. Me imagino que estas cartas _____ por Julio porque la traducción _____ . (*were translated / is very well done*)
2. Yo no manché la alfombra. Ya _____ cuando llegué. (*was stained*)
3. Solamente la mitad del trabajo _____ , y yo tuve que terminarlo. (*was done*)
4. Ella _____ en la esquina. (*is standing*)
5. Puedes enviar las cartas. Ya _____ . (*are signed*)
6. ¿Por qué _____ ? ¿No te sientes bien? (*are you lying down*)
7. La universidad _____ en 1937. (*was founded*)

## 2. Construcciones con *se*

PRIMER PASO

*El se pasivo y el se impersonal*

A. El **se** pasivo

A reflexive construction with **se** is often used in Spanish instead of the passive voice when the subject is inanimate and the performer of the action is not specified. The verb is used in the third person singular or plural, depending on the subject.

> El banco **se abre** a las diez.
> Los bancos **se abren** a las diez.

B. El **se** impersonal

1. **Se** is also used as an indefinite subject in Spanish. As such it is equivalent to the impersonal *one* or the coloquial *you* in English:

| | |
|---|---|
| —¿Cómo **se sale** de aquí? | *How does one (do you) get out of here?* |
| —Por aquella puerta. | *Through that door.* |

2. **Se** is frequently used in impersonal sentences implying orders, regulations, or ads:

> **Se** prohíbe fumar.
> **Se** compran autos usados.

## Práctica

**a.** Vuelva a escribir las siguientes oraciones, usando el pasivo **se.** Siga el modelo.

MODELO: La carta *fue entregada* ayer.
La carta *se entregó* ayer.

1. Esos libros *fueron escritos* a principios de año.
2. Pronto *serán construidas* las casas.
3. Los empleados *son entrevistados* los jueves.
4. El trabajo *ha sido terminado.*
5. La cena *fue servida* a las diez.
6. La gira *va a ser organizada* en junio.
7. Los documentos *serán firmados* el próximo mes.
8. La censura *ha sido eliminada.*

**b.** Conteste las siguientes preguntas en oraciones completas:

1. ¿Cómo se hace una hamburguesa?
2. ¿Qué lengua se habla en Chile?
3. ¿Cómo se dice "embarazada" en inglés?
4. ¿Cómo se sale de este cuarto?
5. ¿Cómo se escribe el signo de multiplicar?
6. ¿Cómo se llega a su casa?
7. ¿A qué hora se termina la clase?
8. ¿Qué ropa se usa en el invierno?

▰▰▰▰▰▰▰▰▰ CONTINUEMOS...

## El uso de *se* para referirse a acciones imprevistas

The reflexive **se**, followed by the corresponding indirect object pronoun and the verb in the third person, is used in Spanish to refer to an accidental or unexpected action:

| Se | me | perdió | el dinero. |
|----|----|--------|-----------|
|    | *I* | *lost* | *the money.* |
| Se | le | rompieron | los vasos. |
|    | *He* | *broke* | *the glasses.* |

ATENCIÓN:   Note that the verb is used in the singular or plural, according to the subject that appears immediately after the verb. Also note that the subjects are always inanimate nouns. Only the following six combinations of pronouns are possible:

Siempre se
{
me pierden las llaves.
te manchan los pantalones.
le descompone el coche.
nos rompen los vasos.
os olvida el portafolio.
les descompone el tocadiscos.
}

—A mí siempre **se me pierde** o **se me olvida** algo. ¡Es terrible!
—A Elena también **se le olvida** todo. Dicen que ese tipo de persona es muy inteligente.
—En ese caso yo debo ser un genio.

*I always lose or forget something. It's terrible!*
*Helen also forgets everything. They say that that type of person is very intelligent.*
*In that case I must be a genius.*

ATENCIÓN:   The indirect object pronoun indicates who is the person involved, but **a** + *noun* or *pronoun* may be added for emphasis or clarification.

## Práctica

**a.** Vuelva a escribir las siguientes oraciones para expresar que la acción es accidental o inesperada. Siga el modelo.

MODELO:   Yo siempre pierdo las cintas.
             *A mí* siempre *se me* pierden las cintas.

1. Lorenzo olvidó traer las placas.
2. La pobre mujer perdió la tarjeta de embarque.
3. El visitador social ha perdido los anteojos.

4. Cuando viajo, nunca olvido hacer reservaciones.
5. Se echó a reír porque yo quemé la comida.
6. Algunas veces yo olvido firmar las cartas.
7. Cuando ella pone la mesa, siempre rompe algo.
8. Cada fin de semana descomponen el coche.
9. Se murió mi perro.
10. Nosotros no rompimos los discos.

**b.** Conteste, siguiendo el modelo.

MODELO: ¿No trajiste la taza? (romper)
No, *se me rompió* la taza.

1. ¿No facturaron Uds. las maletas? (olvidar)
2. ¿No leyó Ud. el periódico? (perder)
3. ¿No trajeron ellos la lámpara? (romper)
4. ¿No trajo ella el vaso? (caer)
5. ¿No hice yo los letreros? (olvidar)
6. ¿No llevaste a tu perrito? (morir)
7. ¿No usaron Uds. la máquina de escribir? (descomponerse)
8. ¿No trajo él los libros? (perder)

# 3. Algunas conjunciones

## PRIMER PASO

*Usos de pero, sino y sino que*

A. The conjunction **pero** is used to join two independent clauses. If the first clause is affirmative, **pero** means *but;* if the first clause is negative, **pero** means *but* or *however:*

—¿Oscar no es católico? Nunca lo veo en la iglesia.

*Isn't Oscar Catholic? I never see him in church.*

—Sí, es católico, **pero** nunca va a misa.

*Yes, he's a Catholic, but he never goes to mass.*

—¿Trajiste las fotografías que tomamos cuando fuimos de excursión?

*Did you bring the pictures that we took when we went on an outing?*

—No las traje, **pero** podemos verlas esta noche en mi casa.

*I didn't bring them, but (however) we can see them tonight at my house.*

B. **Sino** means *but* when the first part of the sentence is negative and the second part contradicts the first:

| | |
|---|---|
| —Uds. fueron al campo la semana pasada, ¿verdad? | *You went to the country last week, didn't you?* |
| —No, no fuimos al campo, **sino** a la playa. | *No, we didn't go to the country but (instead) to the beach.* |
| —Pastor puede cantar en la fiesta. Yo sé que a él le gusta cantar. | *Pastor can sing at the party. I know that he likes to sing.* |
| —No, hombre. No le gusta cantar, **sino** bailar. | *No, man. He doesn't like to sing, but (rather) to dance.* |

ATENCIÓN: Note that when a verb follows **sino**, it is in the infinitive.

C. **Sino que** replaces **sino** when the clause that follows has a conjugated verb:

| | |
|---|---|
| —¿Cuándo compraron los Carrasco esa casa tan bonita? | *When did the Carrascos buy that beautiful house?* |
| —No la compraron, **sino que** la alquilaron. | *They didn't buy it, but (instead) they rented it.* |

### Práctica

**a.** Complete las siguientes oraciones usando **pero, sino** o **sino que,** según corresponda:

1. Él no es el último, _____ el primero.
2. Quiero darle uno de mis gatos, _____ no le gustan los animales.
3. No tengo mucho tiempo, _____ puedo ayudarte un rato.
4. No me lo prestó, _____ me lo regaló.
5. San Fermín no es el santo patrón de Sevilla, _____ de Pamplona.
6. No pudieron ir al velorio, _____ mandaron flores.
7. No quieren estudiar, _____ trabajar.
8. Tiene un trébol de cuatro hojas en su cartera, _____ dice que no es supersticiosa.
9. No lo llevaron de viaje con ellos, _____ lo dejaron solo en la casa.
10. No asistieron a clase, _____ fueron a la playa.

**b.** Conteste las siguientes preguntas, usando **pero, sino** o **sino que** en sus respuestas. Trate de usar cada conjunción por lo menos dos veces:

1. ¿Es verdad que a Ud. le gusta mucho la comida mexicana?
2. ¿Te dieron un descuento cuando compraste tu coche?
3. ¿Te interesan las ciencias?

4. En política, ¿eres conservador(a)?
5. ¿Estudian Uds. por necesidad?
6. ¿Qué haces durante el verano? ¿Tomar clases?
7. Los sábados por la noche, ¿te quedas siempre en casa?
8. ¿Siempre tienes tus documentos en regla?

<hr>

## CONTINUEMOS...

### Más sobre las conjunciones

A. **E** instead of **y**

**E** replaces the conjunction **y** when the following word begins with **i** or **hi**. If the following word beings with **hie**, the conjunction **y** is used:

| | |
|---|---|
| —¿Visitaste todas las iglesias durante la Semana Santa? | *Did you visit all the churches during Holy Week?* |
| —No, aquí hay muchísimos templos **e** iglesias. No pude visitarlos todos. | *No, there are many temples and churches here. I was unable to visit all of them.* |
| —Para las bebidas necesitamos soda **y** hielo. | *We need soda water and ice for the drinks.* |
| —También necesitamos limones. | *We also need lemons.* |
| —Bueno, voy a comprarlo todo ahora. | *Well, I'm going to buy everything now.* |

B. **U** instead of **o**

**U** replaces the conjunction **o** when the following word begins with **o** or **ho**:

| | |
|---|---|
| —¿Quién es más supersticioso, Carlos **u** Horacio? | *Who is more superstitious, Charles or Horace?* |
| —¡Horacio! Él es capaz de dar una vuelta larguísima para no pasar debajo de una escalera. | *Horace! He'll go out of his way so as not to go under a ladder.* |

C. **Menos** and **excepto** instead of *but*

**Menos** and **excepto** are used as equivalents of *but* when they mean *except*:

| | |
|---|---|
| —¿Quiénes fueron a la fiesta? | *Who went to the party?* |
| —Todos **menos** (**excepto**) Carolina. | *Everybody but (except) Carol.* |

La Feria del Libro, que se celebra todos los años en Madrid, atrae lectores de todas las edades.

## Práctica

Lo (la) necesitamos como intérprete. Traduzca lo siguiente:

1. "Who are your roommates?"
   "Carmen and Isabel. They're also my best friends."
2. "What can I bring from Peru?"
   "You can bring silver or gold jewelry."
3. "Are they going to bring everything for the party?"
   "Everything but the drinks."
4. "All the North American and Hispanic students are going to take part in the program."
   "Are there students from all the Latin American countries?"
   "All but Bolivia."
5. "What do you need for the party?"
   "We need Coca Cola and ice."

## 4. Algunas expresiones idiomáticas comunes

When studying a foreign language, it is most important to be familiar with its idioms. You do not really master a language until you are able to understand and use its idiomatic expressions. Following are some of the most common ones in Spanish.

### PRIMER PASO

*Expresiones idiomáticas con* dar, tener, poner *y* hacer

A. Idioms with **dar**

1. **dar ánimo**   *to cheer up*

   David está triste. Voy a tratar de **darle ánimo.**

2. **dar gato por liebre**   *to deceive*

   Te **dieron gato por liebre.** Esta pulsera no es de oro.

3. **dar lata**   *to annoy*

   Niños, ¡no **den lata!** Vayan a jugar afuera.

4. **dar marcha atrás**   *to back up*

   **Dio marcha atrás** y rompió la puerta del garaje.

5. **dar rabia**   *to make furious*

   Me **da rabia** cuando mi esposo llega tarde a cenar.

B. Idioms with **tener**

1. **tener chispa**   *to be witty*

   Todo lo que dice es muy cómico. **Tiene** mucha **chispa.**

2. **tener ganas de**   *to feel like*

   Estoy cansado. No **tengo ganas de** cortar el césped.

3. **no tener pelos en la lengua**   *to be outspoken*

   Ella dice todo lo que siente. ¡No **tiene pelos en la lengua!**

4. **no tener pies ni cabeza**   *not to make any sense*

   No hay quien entienda esta carta. ¡No **tiene pies ni cabeza!**

5. **por no tener** (algo)   *for the lack of*

   No pudo conseguir el puesto **por no tener** el título de contador.

C. Idioms with **poner(se)**

1. **poner en duda**   *to doubt*

    Al principio **puso en duda** lo que le decía, pero después quedó convencido.

2. **poner en peligro**   *to endanger*

    Para salvar a su hijo, **puso en peligro** su vida.

3. **poner peros**   *to find fault*

    Nunca aceptas mis ideas. ¡A todo le **pones peros!**

4. **ponerse colorado**   *to blush*

    Es tan tímido que cada vez que le hablo **se pone colorado.**

5. **ponerse en ridículo**   *to make a fool of oneself*

    Siempre está diciendo tonterías y **poniéndose en ridículo.**

D. Idioms with **hacer**

1. **hacerle caso a alguien**   *to pay attention, to obey*

    Siempre hace lo que quiere y no lo que yo le digo. Nunca **me hace caso.**

2. **hacer cola**   *to stand in line*

    A principios de curso siempre hay que **hacer cola** para matricularse.

3. **hacer la vista gorda**   *to overlook*

    Su secretaria siempre llega tarde, pero él siempre **hace la vista gorda.**

4. **hacerse el tonto**   *to play dumb*

    Él entiende muy bien lo que le digo, pero **se hace el tonto.**

5. **hacerse tarde**   *to get late*

    Vamos, que **se hace tarde** y no vamos a llegar a tiempo.

6. **hacérsele a uno agua la boca**   *to make one's mouth water*

    ¡Mmm! Cuando pienso en el postre de hoy, **se me hace agua la boca.**

## Práctica

Complete las siguientes oraciones, usando las expresiones idiomáticas estudiadas, según corresponda:

1. No pudo comprar el coche ____ suficiente dinero.
2. ¡Estoy tan triste! ¿Por qué no vienes a ____ ?
3. ¡Eso es verdad! ¡No lo ____ !
4. El doctor dice que si no me opero, estoy poniendo mi vida ____ .
5. ____ porque se fueron a la fiesta y no me llevaron.
6. No entiendo lo que me dices. No ____ .
7. No me gusta ir al cine los domingos. Hay mucha gente y siempre hay que ____ para comprar las entradas.
8. La mamá grita y grita, pero los niños no ____ .
9. Tú sabes muy bien de lo que estoy hablando. No te ____ .
10. ¡Qué comida tan estupenda! Sólo de verla se ____ .
11. Para sacar el coche del garaje, tienes que ____ .
12. ¡Date prisa, porque ____ y tenemos que estar allí a las cinco!

━━━━━━━━━━ CONTINUEMOS...

### Otras expresiones idiomáticas comunes

1. **¿A cuánto estamos hoy?**  *What's the date today?*

   A ver... **¿a cuánto estamos hoy?** A trece de marzo, ¿no?

2. **a la larga**  *in the long run*

   Ahora no sé mucho, pero **a la larga** sabré más que todos Uds.

3. **a más tardar**  *at the latest*

   Estaremos de vuelta a las dos **a más tardar.**

4. **al pie de la letra**  *exactly, to the letter*

   Quiere que hagamos todo lo que nos dice **al pie de la letra.**

5. **algo por el estilo**  *something like that*

   Se llama Adela...Delia...o **algo por el estilo.**

6. **de ahora en adelante**  *from now on*

   Siempre lo he ayudado, pero **de ahora en adelante** tendrá que trabajar solo.

7. **de mala gana**  *reluctantly*

   Si vas a hacerlo **de mala gana,** prefiero que no lo hagas.

8. **en el acto**   *immediately*

   Cuando lo llamamos, vino **en el acto.**

9. **en el fondo**   *deep down*

   Parece un hombre violento, pero **en el fondo** es muy bueno.

10. **en voz alta (baja)**   *aloud (in a low voice)*

    No hablen **en voz alta,** que el niño está durmiendo. ¡Hablen **en voz baja!**

11. **media naranja**   *better half, spouse*

    No quiero ir sola a la fiesta. ¿Puedo llevar a mi **media naranja?**

12. **por adelantado**   *in advance*

    Si quiere que le reserve una habitación, tiene que pagar **por adelantado.**

13. **por si acaso**   *just in case*

    No está lloviendo, pero lleva un paraguas, **por si acaso.**

14. **sin falta**   *without fail*

    Quería que estuviéramos aquí mañana **sin falta.**

15. **unos cuantos**   *a few*

    Si vas al mercado, tráeme **unas cuantas** manzanas.

## Práctica

Conteste las siguientes preguntas, usando en sus respuestas las expresiones idiomáticas, según corresponda:

1. ¿A cuánto estamos hoy?
2. ¿Haces exactamente todo lo que te dicen tus padres?
3. Si Ud. da una fiesta, ¿puedo traer a mi esposo?
4. Si alguien está durmiendo, ¿cómo habla Ud.?
5. Voy al mercado. ¿Qué quieres que te traiga?
6. ¿A qué hora vas a llegar a tu casa?
7. ¿Qué vas a hacer, empezando desde hoy?
8. Para que te reserven una habitación en un hotel, ¿qué tienes que hacer?
9. Si el cielo está nublado, ¿llevas siempre un paraguas? ¿Por qué?
10. ¿A qué hora quieren que yo esté aquí mañana?
11. Si un amigo te llamara y te dijera que te necesitaba urgentemente, ¿qué harías?
12. ¿Cuánto crees que costaría una buena cámara fotográfica? ¿Doscientos…? ¿Trescientos dólares…?

## ¿CUÁNTO SABE USTED AHORA?

**a.** Roberto está de visita en casa de Olga. En este momento están caminando por el centro de la ciudad. Imagínese que Ud. es Roberto y díganos lo que dice:

ROBERTO —_____

   OLGA —Sí, ésta es una ciudad muy antigua. Fue fundada en 1580.

ROBERTO —_____

   OLGA —La catedral se construyó en 1605.

ROBERTO —_____

   OLGA —Sí, hay muchos. Se puede visitar el museo de arte, por ejemplo. ¡Ah! y también la Plaza de Armas.

ROBERTO —_____

   OLGA —Bueno, el Banco Central no se abre hasta las nueve.

ROBERTO —_____

   OLGA —No, las tiendas todavía no están abiertas a esta hora.

ROBERTO —_____

   OLGA —Sí, en esta cafetería se come muy bien. ¿Tienes ganas de comer algo?

ROBERTO —_____

   OLGA —¿Se te olvidó la billetera? No te preocupes. Yo te invito.

ROBERTO —_____

   OLGA —Sí, podríamos ir a la montaña esta tarde.

ROBERTO —_____

   OLGA —Se va en coche o en autobús.

**b.** Combine cada par de elementos para formar una oración, usando las conjunciones **e, u, pero, sino** o **sino que,** según convenga. Siga el modelo.

MODELO:    Mi padre no es médico. / Ingeniero
                Mi padre no es médico *sino* ingeniero.

1. No fueron al arroyo. / Pasaron el día en la montaña.
2. No quiero té. / café
3. El pobre tipo estudia mucho. / No aprende nada.
4. Vino Carlos. / Isabel también vino.
5. No metió el dinero en el bolsillo. / en la billetera
6. Puede venir David. / Orlando (en vez de él)
7. No trabajo en la oficina de correos. / en el banco
8. Rodolfo no fue al cine. / Se quedó en casa a estudiar.
9. Ella dice que no es supersticiosa. / Tiene una herradura en la cartera.
10. En realidad no es un curso elemental. / avanzado
11. Necesito aguja. / También necesito hilo.
12. No lo hizo una vez. / dos veces

**tiffany**

M O D A   E N   P I E L

LAGASCA, 42
TEL. 435 91 22                     MADRID-1

**c.** De las expresiones idiomáticas estudiadas, ¿cuáles seleccionaría Ud. como equivalentes de lo siguiente?

1. exactamente
2. molestar mucho
3. desear (hacer algo)
4. decir todo lo que se piensa
5. ruborizarse
6. encontrarlo todo mal
7. engañar (*to deceive*)
8. esposo(a)
9. sin deseos
10. a partir de ahora
11. inmediatamente
12. con el paso del tiempo
13. no tener sentido alguno
14. prestar atención
15. algunos

**d.** Termine lo siguiente, de acuerdo con sus propias experiencias u opiniones:

1. A mí me da mucha rabia cuando…
2. Se me hace agua la boca cuando…
3. Hoy en día se usa…
4. Yo nunca pongo en duda…
5. A mí siempre se me pierden…
6. En California se nota la influencia de…
7. Estoy sentado porque…
8. Yo me hago el tonto (la tonta) cuando…
9. Me pongo colorado(a) cuando…
10. América fue descubierta…
11. Dicen que…
12. Ella está acostada ahora porque…
13. Me gustaría ser entrevistado(a) por…
14. Invitaría a todas las personas que conozco, excepto…
15. De ahora en adelante…

**e.** Palabras y más palabras

¿Qué respuestas de la columna **B** corresponden a las preguntas de la columna **A**?

| **A** | **B** |
|---|---|
| 1. ¿Qué dice ese letrero? | a. Se echaron a reír. |
| 2. ¿Tienes sed? | b. No, es muy cómica. |
| 3. ¿Vamos al cine? | c. Español y francés. |
| 4. ¿Tú entiendes esto? | d. No, no tengo ganas de salir. |
| 5. ¿Qué hicieron cuando te caíste? | e. ¡Un disparate! |
| 6. ¿Cuándo llega Ernesto? | f. Sí, no lo pongas en duda. |
| 7. ¿Es una película triste? | g. Con la visitadora social. |
| 8. ¿Dónde viven? | h. Sí, vamos a tomar algo. |
| 9. ¿Qué idiomas habla? | i. Se puso colorado. |
| 10. ¿Qué dijo Andrés? | j. Cortar el césped. |
| 11. ¿Qué vas a hacer mañana? | k. No, no tiene ni pies ni cabeza. |
| 12. ¿Es verdad? | l. Se me cayó el café. |
| 13. ¿Cómo manchaste la alfombra? | m. En un barrio muy elegante. |
| 14. ¿Con quién hablaste? | n. "No fumar" |
| 15. ¿Qué hizo cuando le diste un beso? | o. A principios de mayo. |

**f.** Vamos a conversar

1. ¿Cree Ud. que es una ventaja hablar más de un idioma? ¿Por qué?
2. ¿Estudia Ud. español por placer o porque lo necesita para su trabajo?
3. Al terminar este curso, ¿será Ud. capaz de hablar español perfectamente?
4. ¿Sabe Ud. la fecha del examen final para esta clase?
5. ¿Ha tenido alguna vez algún problema por no saber hablar bien el español?
6. ¿Cree Ud. que el Cuerpo de Paz realiza una gran labor? ¿Por qué?
7. Si tuviera la oportunidad, ¿qué país latinoamericano le gustaría visitar?
8. ¿Conoce Ud. a alguien que haya vivido en algún país latinoamericano?
9. Si Ud. hubiera tenido mucho dinero, ¿a dónde habría ido de vacaciones el año pasado?
10. ¿Sabe Ud. cuándo fue construida la universidad?
11. ¿A qué hora se abre la biblioteca de la universidad? ¿A qué hora se cierra?
12. ¿Se ve mucha influencia extranjera en la ciudad donde Ud. vive? Dé ejemplos.
13. ¿Puede Ud. recomendarme algún restaurante donde se coma bien?
14. ¿Qué haría Ud. si se le olvidaran las llaves de su coche?
15. Cuéntenos algo cómico que le haya pasado alguna vez.

**g.** Imagínense que Uds. están encargados de preparar un folleto de propaganda turística sobre la ciudad donde está la universidad. Para esto el profesor dividirá la clase en grupos de a dos o tres estudiantes. Cada grupo debe discutir los puntos que se señalan a continuación y al terminar, informará al resto de la clase sobre sus ideas. Después, toda la clase decidirá lo que debe ir en el folleto.

1. ...cuándo fue fundada la ciudad y por quién(es).
2. ...qué lugares interesantes se pueden visitar.
3. ...en qué restaurantes se come bien.
4. ...a qué hora se abren y se cierran las tiendas, los bancos, etc.
5. ...qué tipo de ropa se debe llevar.
6. ...qué fiestas populares se celebran y en qué fechas.
7. ...cómo se llega a esa ciudad.
8. ...qué otros idiomas, además del inglés, se hablan allí.
9. ...qué actividades culturales hay.
10. ...otras cosas que consideren interesantes.

# CARTA DE UNA VIAJERA

24 de diciembre de 19 . .

Queridos amigos:

Aquí me tienen Uds., de vuelta a mi país después de una larga ausencia. Estos viajes han sido una experiencia única en mi vida. Volví cargada de objetos de artesanía, fotografías, diapositivas° y, sobre todo, de recuerdos.°

     slides
     memories

Ahora puedo decir que conozco un poco mejor a nuestros vecinos latinoamericanos y al pueblo español. Yo había ido a esos países con muchas ideas preconcebidas, pero lo que vi allí me convenció de que estaba equivocada° y que muchas de ellas no tenían base alguna.

     wrong

Por ejemplo, aquí pensamos que todos los pueblos latinoamericanos son iguales, y que todos sus habitantes son del mismo tipo: morenos, de pelo y ojos negros, de estatura mediana…pero no es así. Es verdad que hay muchas similaridades entre los distintos países, pero también hay muchas diferencias, ya que no sólo tuvieron influencia española e indígena, sino también de otros países europeos. En la Argentina, Chile y Uruguay, por ejemplo, se ve la influencia francesa principalmente en la educación, la filosofía y la moda.

Y eso de que todos los latinoamericanos son morenos es otro mito, pues hay miles de personas rubias y pelirrojas, que no se diferencian en nada de la gente que recorre las calles de nuestras ciudades.

Debo confesarles que cuando yo estaba en la escuela secundaria, pensaba en Latinoamérica como una especie de° jungla verde, llena de pirañas y caimanes.° Les diré que no sólo hay grandes ciudades muy modernas, sino también desiertos y lugares donde hay nieve, hielo ¡y hasta pingüinos!

     a kind of
     alligators

Otra idea errónea que tenemos en los Estados Unidos es que el español que hablan en los diferentes países no es el mismo, o difiere mucho de un país a otro. En realidad, aunque hay diferencias regionales, los hispanohablantes se comunican sin ningún problema.

Bueno, los dejo porque me han pedido que dé una charla sobre mis experiencias en Latinoamérica y España y debo prepararla. Ojalá que mis cartas les hayan dado una pequeña idea de cómo son los pueblos y la gente de habla hispana. Más que nada, espero que los inspire a progresar en su conocimiento° del idioma y la cultura de España y Latinoamérica.

     knowledge

Hasta siempre,

Carol

Después de leer la carta, díganos:

1. ¿Qué trajo Carol de vuelta de su viaje?
2. ¿Qué idea errónea tienen los norteamericanos con respecto a los latinoameri-canos?
3. ¿Qué influencias se ven en los países latinoamericanos?
4. ¿Cómo imaginaba Carol a Latinoamérica cuando estaba en la escuela secun-daria?
5. ¿Cómo sabemos que Carol estaba equivocada?
6. ¿Qué idea errónea tienen en Los Estados Unidos sobre el español que se habla en los diferentes países?
7. ¿Qué le han pedido a Carol que haga?
8. ¿Qué espera Carol haber conseguido con sus cartas?

# *Compruebe cuanto sabe* (LECCIONES 10–12)

Tome este examen para ver cuánto material ha aprendido. Las respuestas correctas aparecen en el Apéndice E.

## LECCIÓN 10

**a.** *Expresiones que requieren el subjuntivo o el indicativo*

Complete lo siguiente con el equivalente español de las palabras que aparecen entre paréntesis:

1. Espero que no estalle la bomba ____ . (*before the men leave the building*)
2. Cerrarán el centro turístico ____ . (*when the winter season begins*)
3. Habló con los hombres de negocios ____ . (*until his plane left*)
4. Va a quedar suspendido ____ . (*unless he studies*)
5. Empezarán a investigar el crimen ____ . (*as soon as they arrive*)
6. No creo que tenga éxito ____ . (*even if he works*)
7. Voy a llevar el paraguas ____ . (*in case it rains*)
8. Se lo digo para que lo ____ . (*keep in mind*)
9. Fuimos a la tienda ____ . (*although it rained*)
10. Empezaron a hablar del atentado ____ . (*as soon as they arrived*)
11. Está muy pálido y dice que no se siente bien. ____ (*Perhaps he's sick*)
12. Les voy a traer la cuenta ____ . (*after they finish eating*)

**b.** *El imperativo: Forma* **tú**

Vuelva a escribir lo siguiente, usando la forma imperativa de **tú**:

1. *Debes venir* mañana y *traer* las armas.
2. *Debes levantarte* temprano y *bañarte*.
3. *Debes decirle* que se fije en el anuncio.
4. *No debes dárselo* ahora.
5. *Debes hacer* la ensalada y *ponerla* en la mesa.
6. *Debes firmarlas y fecharlas*.
7. *No debes utilizarlo* para eso.
8. *Debes tener* en cuenta que no es gratis.
9. *No debes ser* tan tímido y *debes ir* a la fiesta.
10. *Debes ser* paciente si quieres tener éxito.
11. *Debes salir* más temprano y *llevarle* el dinero a Eva.
12. *No debes decírmelo* a mí; *debes decírselo* a él.

**c.** *El imperfecto de subjuntivo (1)*

Cambie del discurso directo al discurso indirecto. Siga el modelo.

MODELO:   El profesor me dijo: "Emplea el subjuntivo."
          El profesor *me dijo que empleara* el subjuntivo.

1. Él les advirtió: "No intenten secuestrarlo."
2. David me rogó: "No se lo digas a nadie."
3. Luis nos dijo: "Lean la noticia sobre el secuestro del avión."
4. Él te dijo: "Obedezca la ley."
5. Mi tía me aconsejó: "No vayas con ellos."
6. Mi esposo me dijo: "Trata de disminuir los gastos."

**d.** *El imperfecto de subjuntivo (2)*

Complete las siguientes oraciones, usando los verbos que aparecen entre paréntesis, según corresponda:

1. Si ____ (tratar) de derribar la dictadura en ese país, fracasarían.
2. Siento mucho que la reunión de ayer ____ (ser) un fracaso.
3. Si el fin ____ (justificar) los medios, lo que él hizo sería aceptable.
4. ¡Quién ____ (poder) ser completamente libre!
5. Hablan como si dar un golpe de estado ____ (ser) una cosa fácil.
6. No sé lo que haría si ellos ____ (dejar) de venir a verme.

**e.** *Haber como verbo impersonal*

Complete las siguientes oraciones, usando el verbo **haber** en el tiempo que corresponda o la expresión **hay que**, según convenga:

1. El año pasado ____ muchos crímenes en esta ciudad.
2. Para tener éxito, ____ trabajar mucho.
3. Mañana ____ una reunión del sindicato.
4. Cada vez que íbamos a la playa, siempre ____ mucha gente.
5. Si no hubiera pobreza, no ____ tanto crimen.
6. Actualmente ____ dictaduras en muchos países latinoamericanos.

## LECCIÓN 11

**a.** *Los tiempos compuestos del subjuntivo*

Complete las siguientes oraciones con el presente perfecto o el pluscuamperfecto de subjuntivo, según convenga:

1. Dudo que ellos ____ (hacer) la entrevista.
2. Yo habría aceptado el papel si Uds. me lo ____ (dar).
3. Espero que tú ya le ____ (ofrecer) el puesto.
4. Habla de la entrevista como si él la ____ (hacer).
5. Me alegro de que el avión no ____ (despegar) todavía.
6. Dudaban que todos los pasajeros ya ____ (abordar) el avión.
7. Si yo ____ (ser) conservador, no lo habría elegido.
8. Siento que nosotros no ____ (ir) a veranear a Río el año pasado.
9. Espero que el auxiliar de vuelo nos ____ (reservar) los asientos.
10. Me alegro de que los periodistas ____ (ponerse) de acuerdo.

**b.** *El subjuntivo: Resumen general*

Complete las siguientes oraciones con el equivalente español de los verbos
que aparecen entre paréntesis. Use el indicativo, el infinitivo o el subjuntivo,
según convenga:

1. Ellos querían que yo les ____ las tiras cómicas.   (*bring*)
2. Es mejor que (tú) ____ el anuncio mañana.   (*put*)
3. Dile que te ____ la guía de espectáculos.   (*give*)
4. No habrían muerto si se ____ el cinturón.   (*had fastened*)
5. No habrá nadie que ____ entrevistarlo.   (*can*)
6. Siento que nosotros no ____ los papeles principales.   (*had*)
7. Hay muchas personas que ____ a ese festival.   (*go*)
8. Me alegro de ____ aquí.   (*to be*)
9. Recogeré los billetes si ____ tiempo.   (*have*)
10. No creo que ____ la telenovela todavía.   (*has begun*)
11. Si nosotros ____ ahora, llegaríamos a mediados de junio.   (*left*)
12. Por suerte podremos salir en cuanto ____ los chicos.   (*arrive*)
13. Es verdad que ellos ____ con destino a México.   (*traveled*)
14. El periodista no la quería ____ allí.   (*interview*)
15. Nosotros no queremos que ellos ____ ese programa.   (*get rid of*)

**c.** *Algunos usos de las preposiciones* **a**, **de** *y* **en**

Complete las siguientes oraciones, usando las preposiciones **a**, **de** y **en**, según
convenga:

1. Ayer, ____ las nueve ____ la mañana, fuimos ____ visitar ____ Isabel.
2. Le dije ____ Gustavo que yo quería que él empezara ____ enseñarme ____
   bailar tan pronto como llegáramos ____ Acapulco.

3. Me olvidé _____ decirte que íbamos _____ volver _____ coche.
4. Yo salí sin darme cuenta _____ que había dejado _____ la gata _____ la calle.
5. Mis hermanos y yo convinimos _____ que hablaríamos _____ todo, menos _____ política.
6. No te acordaste _____ decirle que la ropa estaba _____ la cama.
7. Adela es morena _____ ojos verdes, y es la chica más simpática _____ la familia.
8. Cuando te dije que él se había enamorado _____ mí, lo dije _____ broma.
9. Insistió _____ entrar _____ el banco para sacar dinero.
10. Oscar nunca confía _____ nadie.

**d.** *Prefijos y sufijos*

Forme nuevas palabras, tomando como base las que aparecen en la lista. Añada los prefijos y sufijos que correspondan, según el modelo.

MODELO:  habitado    *des*habitado
         leche       leche*ría*

| | | | |
|---|---|---|---|
| 1. zapato | 5. salvar | 9. hombre | 13. estudiar |
| 2. humano | 6. ordinario | 10. pan | 14. olvidar |
| 3. ayer | 7. marino | 11. decir | 15. carne |
| 4. fresco | 8. pensar | 12. calentar | 16. hacer |

# LECCIÓN 12

**a.** *La voz pasiva*

Conteste las siguientes preguntas, usando la voz pasiva y la información dada entre paréntesis:

1. ¿Quién escribió esa novela?   (Cortázar)
2. ¿Cuándo construirán ese hospital?   (en 1986)
3. ¿Quién ha publicado ese libro?   (la Editorial Losada)
4. ¿Quién firma los documentos?   (el director)
5. ¿Quién traducía las cartas?   (el señor Ruiz)

**b.** *El participio pasado con* **estar**

Conteste las siguientes preguntas, indicando que la acción ya está realizada. Siga el modelo.

MODELO:   *¿Cerraste* las ventanas?
          Sí, ya *están cerradas.*

1. *¿Hiciste* los letreros?
2. *¿Cortaste* el césped?
3. *¿Pusiste* la señal en el libro?
4. *¿Abriste* las puertas?
5. *¿Cubriste* los muebles?

**c.** *El* **se** *pasivo y el* **se** *impersonal*

Complete las siguientes preguntas, usando el **se** pasivo o el **se** impersonal y los verbos dados entre paréntesis:

1. ¿Qué lengua _____ (hablar) en Brasil?
2. ¿Cómo _____ (decir) "disparate" en inglés?
3. ¿Dónde _____ (vender) alfombras?
4. ¿Por dónde _____ (entrar) en este edificio?
5. ¿A qué hora _____ (cerrar) los bancos?
6. ¿Cómo _____ (poder) obtener el puesto de visitador social?

**d.** *El uso de* **se** *para referirse a acciones imprevistas*

Complete las siguientes oraciones, usando construcciones con **se** para indicar que la acción es accidental:

1. Ayer a mí _____ (romper) los platos.
2. A nosotros siempre _____ (perder) las llaves.
3. Anoche _____ (manchar) los pantalones al niño.
4. A ti siempre _____ (olvidar) los libros.
5. A esos pobres chicos _____ (morir) el perro.

**e.** *Algunas conjunciones*

Escriba oraciones con los elementos dados, añadiendo las conjunciones **pero, sino, sino que, e, u** o **menos**, según convenga:

1. ayer / venir / Tomás / Hilda
2. ahora / yo / no / tener ganas de / comer / tomar algo
3. en esa época / nosotros / no / trabajar / estudiar
4. anoche / ir / a la fiesta / todos / Amanda
5. mañana / traerlo / Rubén / Osvaldo
6. yo / no tenerlo / ahora / poder / conseguírtelo

**f.** *Algunas expresiones idiomáticas*

Complete lo siguiente con el equivalente español de las expresiones idiomáticas que aparecen entre paréntesis:

1. La carta de Julio _____ . (*didn't make any sense*)
2. Siempre que le hablo, _____ . (*he blushes*)
3. Yo nunca _____ lo que tú me dices. (*doubt*)
4. Termínalo para principios de mes _____ . (*at the latest*)
5. Eso no es de oro. Ellos _____ . (*deceived you*)
6. _____ cuando se echa a reír como un estúpido. (*It makes me furious*)
7. Mi media naranja _____ . (*didn't pay [any] attention to me*)
8. _____ te voy a decir las cosas sólo una vez. (*From now on*)

9. Recibí ____ regalos por mi cumpleaños. (*a few*)
10. En el fondo, ella sabe que todo lo hace ____ . (*reluctantly*)
11. Cuando le dije que se hacía tarde, ____ . (*he played dumb*)
12. Él cree que es cómico, pero siempre ____ . (*makes a fool of himself*)
13. Cuando le dije que tenía que pagar por adelantado, me dio un cheque ____ . (*immediately*)
14. En realidad él siempre ____ a todo. (*finds fault*)
15. No te oigo. Habla ____ . (*aloud*)

**g.** *¿Recuerda el vocabulario?*

Elija la palabra o frase que mejor complete cada oración:

1. Para alcanzar el (poder, placer, fracaso) necesitas la ayuda del pueblo.
2. Tienes que dar (lata, ánimo, marcha atrás) para salir del garaje.
3. Es un gobierno democrático y desea (suprimir, investigar, aprovechar) la censura.
4. Para mañana, quiero (estar de visita, tomar una decisión, influir) sobre ese problema.
5. Dice todo lo que siente. No tiene (chispa, pies ni cabeza, pelos en la lengua).
6. La (prensa, propaganda, censura) es un medio de comunicación muy importante.
7. No está muerto. Está (contento, vivo, despierto).
8. No somos vecinos, pero ella vive en un barrio (avanzado, elegante, cercano).
9. Fue un verdadero (papel, placer, canal) verlos.
10. No quiero hacerlo porque no (hay de qué, vale la pena, le doy las gracias).
11. Con la censura van a (ofrecer, estrenar, suprimir) muchos programas.
12. Él no está en su cuarto. Está (bajo, abajo, debajo), en la calle.
13. Es de estatura (mediana, corta, media).
14. A través de la historia se ha visto la (oportunidad, necesidad, facilidad) de la paz.
15. No dejes de hacer todo lo que te he dicho (en voz baja, a la larga, al pie de la letra).

# Apéndices

## APÉNDICE A: PRONUNCIACIÓN

### Vocales

There are five distinct vowels in Spanish: **a, e, i, o, u**. Each vowel has only one basic sound, which is produced with considerable muscular tension. The pronunciation of each vowel is constant, clear, and brief.

The sound is never prolonged; in fact, the length of the sound is practically the same whether it is produced in a stressed or unstressed syllable.[1]

To produce the English stressed vowels that most closely resemble Spanish, the speaker changes the position of the tongue, lips, and lower jaw during the production of the sound, so that the vowel actually starts as one sound and then *glides* into another. In Spanish, however, the tongue, lips, and jaw keep a constant position during the production of the sound:

> *English:* banana     *Spanish:* banana

The stress falls on the same vowel and syllable in both Spanish and English, but the stressed English *a* is longer than the Spanish stressed **a**:

> *English:* banana     *Spanish:* banana

Note also that the stressed English *a* has a sound different from the other *a*'s in the word, while the Spanish **a** sound remains constant and is similar to the other **a** sounds in the Spanish word.

**a**  in Spanish has a sound somewhat similar to the English *a* in the word *father*:

> alta   casa   palma   Ana   cama   Panamá   alma   apagar

**e**  is pronounced like the English *e* in the word *met*:

> mes   entre   este   deje   ese   encender   teme   prender

**i**  has a sound similar to the English *ee* in the word *see*:

> fin   ir   sí   sin   dividir   Trini   difícil

**o**  is similar to the English *o* in the word *no*, but without the glide:

> toco   como   poco   roto   corto   corro   solo   loco

---

[1]In a stressed syllable the prominence of the vowel is indicated by its loudness.

**u** is pronounced like the English *oo* sound in the word *shoot,* or the *ue* sound in the word *Sue*:

su  Lulú   Úrsula  cultura  un  luna  sucursal  Uruguay

### DIPHTHONGS AND TRIPHTHONGS

When unstressed **i** or **u** falls next to another vowel in a syllable, it unites with that vowel to form what is called a *diphthong.* Both vowels are pronounced as one syllable. Their sounds do not change; they are only pronounced more rapidly and with a glide. For example:

traiga  Lidia  treinta  siete   oigo    adiós
Aurora  agua   bueno   antiguo  ciudad  Luis

A *triphthong* is the union of three vowels, a stressed vowel between unstressed **i** or **u,** in the same syllable. For example: Paraguay, estudiáis.

ATENCIÓN:  Stressed **i** and **u** do not form diphthongs with other vowels, except in the combinations **iu** and **ui.** For example: **rí-o, sa-bí-ais.**

In syllabication, diphthongs and triphthongs are considered as a single vowel; their components cannot be separated.

## Consonantes

Consonant sounds are produced by regulating the flow of air through the mouth with the aid of two speech organs. As the diagrams illustrate, different speech organs can be used to control the air flow. The point of articulation will differ accordingly.

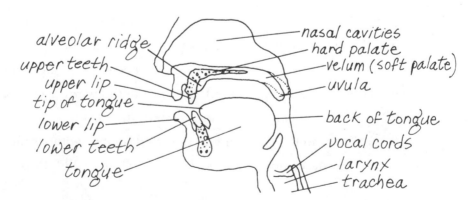

In Spanish the air flow can be controlled in different ways. One such way is called a *stop,* because in the articulation of the sound the air is stopped at some point while passing through the oral cavity.

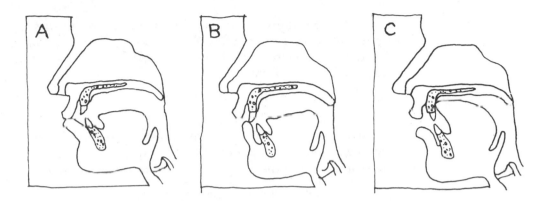

When we bring the speech organs close together, but without closing the air flow completely, we produce a friction sound called a *fricative*, such as the *ff* and the *th* in the English words *offer* and *other*.

**p** Spanish **p** is produced by bringing the lips together as a stream of air passes through the oral cavity (see diagram A). It is pronounced in a manner similar to the English *p* sound, but without the puff of air that follows after the English sound is produced:

> pesca  pude  puedo  parte  papá
> postre  piña  puente  Paco

**k** The Spanish **k** sound, represented by the letters **k, c** before **a, o, u,** or *a consonant,* and **qu,** is produced by touching the velum with the back of the tongue, as in diagram B. The sound is somewhat similar to the English *k* sound, but without the puff of air:

> casa  comer  cuna  clima  acción  que
> quinto  queso  aunque  kiosko  kilómetro

**t** Spanish **t** is produced by touching the back of the upper front teeth with the tip of the tongue, as in diagram C. It has no puff of air as in the English *t*:

> todo  antes  corto  Guatemala  diente
> resto  tonto  roto  tanque

**d** The Spanish consonant **d** has two different sounds depending on its position. At the beginning of an utterance and after **n** or **l**, the tip of the tongue presses the back of the upper front teeth to produce what is called a *voiced dental stop* (see diagram C):

> día  doma  dice  dolor  dar
> anda  Aldo  caldo  el deseo  un domicilio

In all other positions the sound of **d** is similar to the *th* sound in the English word *they*, but softer. This sound is called a *voiced dental fricative* (see diagram C). It is produced by placing the tip of the tongue behind the front teeth:

medida  todo   nada   nadie  medio
puedo   moda   queda  nudo

**g**  The Spanish consonant **g** also represents two sounds. At the beginning of an utterance or after **n** it is a *voiced velar stop* (see diagram B), almost identical to the English *g* sound in the word *guy:*

goma     glotón   gallo    gloria
gorrión  garra    guerra   angustia

In all other positions, except before **e** or **i,** it is a *voiced velar fricative* (see diagram B), similar to the English *g* sound in the word *sugar*. It is produced by moving the back of the tongue close to the velum, as in diagram F:

lago  alga       traga        amigo
algo  Dagoberto  el gorrión   la goma

**j**  The sound of Spanish **j** (or **g** before **e** and **i**) is called a *voiceless velar fricative*. It is produced by positioning the back of the tongue close to the velum (see diagram F). (In some Latin American countries the sound is similar to a strongly exaggerated English *h* sound):

gemir  juez  jarro  gitano  agente
juego  giro  bajo   gente

**b, v**  There is no difference in sound between Spanish **b** and **v**. Both letters are pronounced alike. At the beginning of an utterance or after **m** or **n, b** and **v** have a sound called a *voiced bilabial stop* (see diagram A), which is identical to the English *b* sound in the word *boy:*

vivir   beber  vamos  barco    enviar
hambre  batea  bueno  vestido

When pronounced between vowels, the Spanish **b** and **v** sound is a *voiced bilabial fricative* (see diagram A). This sound is produced by bringing the lips together but not closing them, so that some air may pass through:

sábado  autobús  yo voy  su barco

**y, ll**  In most countries, Spanish **ll** and **y** have a sound called a *voiced palatal fricative* (see diagram E) similar to the English *y* sound in the word *yes*:

el llavero  un yelmo  el yeso       su yunta  llama  yema
oye         trayecto  trayectoria   mayo      milla  bella

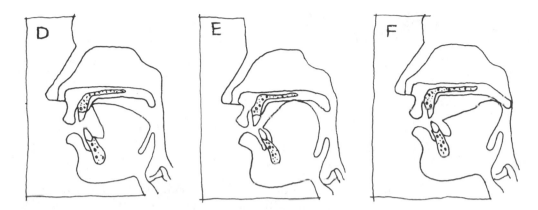

ATENCIÓN:   Spanish **y** when it stands alone or is at the end of a word is pronounced like the vowel **i**:

> rey  hoy  y  doy  buey  muy  voy  estoy  soy

**r, rr**   Spanish **r** is produced by tapping the alveolar ridge with the tongue only once and very briefly (see diagram D). The sound is similar to the English *dd* sound in the word *ladder*:

> crema  aroma  cara  arena  aro
> harina  toro  oro  eres  portero

Spanish **r** in an initial position and after **n, l,** or **s,** and also **rr** in the middle of a word are pronounced with a very strong trill. This trill is produced by bringing the tip of the tongue near the alveolar ridge and letting it vibrate freely while the air passes through the mouth:

> rama  carro  Israel  cierra  roto
> perro  alrededor  rizo  corre  Enrique

**s**   Spanish **s** is represented in most of the Spanish world by the letters **s, z,** and **c** before **e** or **i**. The sound is very similar to the English sibilant *s* in the word *sink*:

> sale  sitio  presidente  signo
> salsa  seda  suma  vaso
> sobrino  ciudad  cima  canción
> zapato  zarza  cerveza  centro

When it is in the final position, Spanish **s** is less sibilant than in other positions. In many regions of the Spanish world there is a tendency to aspirate word-final **s** and even to drop it altogether:

> eres  somos  estas  mesas  libros
> vamos  sillas  cosas  rezas  mucho

**h**   The letter **h** is silent in Spanish, unless it is combined with the **c** to form **ch**:

hoy     hora     hidra     hemos
humor     huevo     horror     hortelano

**ch**    Spanish **ch** is pronounced like the English *ch* in the word *chief*:

hecho     chico     coche     Chile
mucho     muchacho     salchicha

**f**    Spanish **f** is identical in sound to the English *f*:

difícil     feo     fuego     forma
fácil     fecha     foto     fueron

**l**    Spanish **l** is pronounced like the English *l* in the word *lean*. It is produced by touching the alveolar ridge with the tip of the tongue, as for the English *l*. The rest of the tongue should be kept fairly low in the mouth:

dolor     lata     ángel     lago     sueldo
los     pelo     lana     general     fácil

**m**    Spanish **m** is pronounced like the English *m* in the word *mother*:

mano     moda     mucho     muy
mismo     tampoco     multa     cómoda

**n**    In most cases, Spanish **n** has a sound similar to the English *n* (see diagram D):

nada     nunca     ninguno     norte
entra     tiene     sienta

The sound of Spanish **n** is often affected by the sounds that occur around it. When it appears before **b, v,** or **p,** it is pronounced like an **m:**

tan bueno     toman vino     sin poder
un pobre     comen peras     siguen bebiendo

Before **k, g,** and **j,** Spanish **n** has a voiced velar nasal sound similar to the English *ng* in the word *sing*:

un kilómetro     incompleto     conjunto     mango
tengo     enjuto     un comedor

**ñ**    Spanish **ñ** is a voiced palatal sound (see diagram E) similar to the English *ny* sound in the word *canyon*:

señor     otoño     ñoño     uña
leña     dueño     niños     años

**x**    Spanish **x** has two pronunciations depending on its position. Between vowels the sound is similar to an English *gs*:

examen   exacto   boxeo      éxito
oxidar     oxígeno  existencia

When it occurs before a consonant, Spanish **x** sounds like *s*:

expresión  explicar   extraer   excusa
expreso    exquisito  extremo

ATENCIÓN: When the **x** appears in the word **México** or in other words of Mexican origin associated with historical or legendary figures, or name places, it is pronounced like the letter **j**.

## Ritmo

Rhythm is the melodic variation of sound intensity that we usually associate with music. Spanish and English each regulate these variations in speech differently, because they have different patterns of syllable length. In Spanish the length of the stressed and unstressed syllables remains almost the same, while in English stressed syllables are considerably longer than unstressed ones:

*student*          estudiante
*composition*   composición
*police*          policía

Since the length of the Spanish syllables remains constant, the greater the number of syllables in a given word or phrase, the longer the phrase will be.

Pronounce the following words trying to keep stressed and unstressed syllables the same length, and enunciating each syllable clearly. (Remember that stressed and unstressed vowels are pronounced alike.)

Úr-su-la        el-ci-ne      ba-jan-to-dos
la-su-cur-sal    los-za-pa-tos  ki-ló-me-tro
Pa-ra-guay     bue-no
la-cul-tu-ra    di-fí-cil

## Enlace

In spoken Spanish the different words in a phrase or a sentence are not pronounced as isolated elements but combined together. This is called *linking*:

Pe-pe-co-me-pan     Pepe come pan
To-más-to-ma-le-che   Tomás toma leche
Luis-tie-ne-la-lla-ve    Luis tiene la llave
la-ma-no-de-Ro-ber-to  La mano de Roberto

1. The final consonant of a word is pronounced together with the initial vowel of the following word:

| | |
|---|---|
| Car-lo-san-da | Carlos anda |
| u-nán-gel | un ángel |
| e-lo-to-ño | el otoño |
| u-no-ses-tu-dio-sin-te-re-san-tes | unos estudios interesantes |

2. A diphthong is formed between the final vowel of a word and the initial vowel of the following word. A triphthong is formed when there is a combination of three vowels (see rules for the formation of diphtongs and triphthongs on page 316):

| | |
|---|---|
| suher-ma-na | su hermana |
| tues-co-pe-ta | tu escopeta |
| Ro-ber-toy-Luis | Roberto y Luis |
| ne-go-cioim-por-tan-te | negocio importante |
| llu-viay-nie-ve | lluvia y nieve |
| ar-duaem-pre-sa | ardua empresa |

3. When the final vowel of a word and the initial vowel of the following word are identical, they are pronounced slightly longer than one vowel:

| | | | |
|---|---|---|---|
| A-n*a*l-can-za | Ana alcanza | tie-n*e*-so | tiene eso |
| l*o*l-vi-do | lo olvido | Ad*a*-tien-de | Ada atiende |

The same rule applies when two identical vowels appear within a word:

| | |
|---|---|
| cr*es* | crees |
| T*e*-rán | Teherán |
| c*o*r-di-na-ción | coordinación |

4. When the final consonant of a word and the initial consonant of the following word are the same, they are pronounced like one consonant with slightly longer than normal duration:

| | | | |
|---|---|---|---|
| e-*l*a-*d*o | el lado | tie-ne-*s*ed | tienes sed |
| Car-lo-*s*al-ta | Carlos salta | | |

## Entonación

Intonation is the rise and fall of pitch in the delivery of a phrase or a sentence. In most languages intonation is one of the most important devices to express differences of meaning between otherwise identical phrases or sentences. In general, Spanish pitch tends to change less than English, giving the impression that the language is less emphatic.

As a rule, the intonation for normal statements in Spanish starts in a low tone, raises to a higher one on the first stressed syllable, maintains that tone until the last stressed syllable, and then goes back to the initial low tone, with still another drop at the very end:

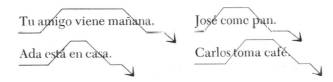

Tu amigo viene mañana.      José come pan.

Ada está en casa.      Carlos toma café.

## EL ALFABETO

| Letter | Name | Letter | Name | Letter | Name | Letter | Name |
|--------|------|--------|------|--------|------|--------|------|
| a | a | g | ge | m | eme | rr | erre |
| b | be | h | hache | n | ene | s | ese |
| c | ce | i | i | ñ | eñe | t | te |
| ch | che | j | jota | o | o | u | u |
| d | de | k | ka | p | pe | v | ve |
| e | e | l | ele | q | cu | w | doble ve |
| f | efe | ll | elle | r | ere | x | equis |
| | | | | | | y | y griega |
| | | | | | | z | zeta |

# APÉNDICE B: ALGUNAS REGLAS GENERALES

## Separación de sílabas

A. Vocales

1. A vowel or a vowel combination can constitute a syllable:

    e-ne-ro   a-cuer-do   Eu-ro-pa   ai-re   u-no

2. Diphthongs and triphthongs are considered single vowels and cannot be divided:

    vie-ne   Dia-na   cue-ro   es-tu-diáis   bui-tre

3. Two strong vowels do not form a diphthong and are separated into two syllables:

    em-ple-o   le-an   ro-e-dor   tra-e-mos   lo-a

4. A written accent mark on a weak vowel (i or u) breaks the diphthong, thus the vowels are separated into two syllables:

    rí-o   dú-o   Ma-rí-a   Ra-úl   ca-í-mos

B. Consonantes

1. A single consonant forms a syllable with the vowel that follows it:

    mi-nu-to   ca-sa-do   la-ti-na   Re-na-to

ATENCIÓN:   ch, ll and rr are considered single consonants:

    co-che   a-ma-ri-llo   ci-ga-rro

2. Consonant clusters composed of b, c, d, f, g, p or t with l or r are considered single consonants and cannot be separated:

    su-bli-me   cre-ma   dra-ma   flo-res   gra-mo   te-a-tro

3. When two consonants appear between two vowels, they are separated into two syllables:

    al-fa-be-to   mo-les-tia   me-ter-se

ATENCIÓN:   When a consonant cluster composed of b, c, d, f, g, p, or t with l or r appears between two vowels, the cluster joins the following vowel:

    so-bre   o-tra   ca-ble   te-lé-gra-fo

4. When three consonants appear between two vowels, only the last one goes with the following vowel:

    ins-pec-tor   trans-por-te   trans-for-mar

ATENCIÓN:   When there is a cluster of three consonants in the combinations described in rule 2, the first consonant joins the preceding vowel and the cluster joins the following vowel:

es-cri-bir   im-plo-rar   ex-tran-je-ro

## El acento ortográfico

In Spanish, all words are stressed according to specific rules. Words that do not follow the rules must have a written accent mark to indicate the change of stress. The basic rules for accentuation are as follows:

1. Words ending in a vowel, **n** or **s** are stressed on the next to the last syllable:

   **ver**-de   re-**ten**-go   ro-**sa**-da   es-**tu**-dian   co-**no**-ces

2. Words ending in a consonant, except **n** or **s**, are stressed on the last syllable:

   es-pa-**ñol**   pro-fe-**sor**   pa-**red**   tro-pi-**cal**   na-**riz**

3. All words that do not follow these rules, and also those that are stressed on the second from the last syllable, must have a written accent mark:

   ca-**fé**   co-**mió**   ma-**má**   sa-**lón**       fran-**cés**
   **án**-gel   **lá**-piz   **mú**-si-ca   de-**mó**-cra-ta

4. The interrogative and exclamatory pronouns and adverbs have a written accent mark to distinguish them from the relative forms:

   ¿**Qué** comes?
   ¡**Qué** calor hace!

5. Words that have the same spelling but different meanings have a written accent mark to differentiate one from another:

   | el | *the* | él | *he, him* |
   |----|-------|-----|-----------|
   | mi | *my* | mí | *me* |
   | tu | *your* | tú | *you* |
   | te | *you, yourself* | té | *tea* |
   | si | *if* | sí | *yes* |
   | mas | *but* | más | *more* |
   | solo | *alone* | sólo | *only* |

6. The demonstrative pronouns have a written accent mark to distinguish them from the demonstrative adjectives:

   éste   ésta   ése   ésa   aquél   aquélla
   éstos   éstas   ésos   ésas   aquéllos   aquéllas

## Uso de las mayúsculas

In Spanish, only proper nouns are capitalized. Nationalities, languages, days of the week and months of the year are not considered proper nouns:

Jaime Ballesteros es de Buenos Aires, pero sus padres no son argentinos. Son de España. El sábado, tres de junio, Jaime y sus padres, el doctor[1] Juan Ballesteros y su esposa, la señora[1] Consuelo Ballesteros, salen para Madrid.

## Puntuación

1. Question marks and exclamation marks must be placed at the beginning and at the end of questions and exclamations, respectively:

—¿Tú quieres ir con nosotros?
—¡Por supuesto!

2. A comma is not used between the last two words of a series:

Estudio francés, historia, geografía y matemáticas.

3. In a dialogue, a hyphen is used instead of quotation marks:

—¿Cómo estás, Pablo?
—Muy bien, ¿y tú?

## Estudio de cognados

A. Cognates

Cognates are words that are the same or similar in two languages. It is extremely valuable to be able to recognize them when learning a foreign language. Following are some principles of cognate recognition in Spanish:

1. Some words are exact cognates; only the pronunciation is different:

| general | terrible | musical | central | humor | banana |
| idea | mineral | horrible | cultural | natural | terror |

2. Some cognates are almost the same, except for a written accent mark, a final vowel, or a single consonant in the Spanish word:

| región | comercial | arte | México | posible | potente |
| persona | península | oficial | importante | conversión | imposible |

3. Most nouns ending in *-tion* in English end in **-ción** in Spanish:

conversación   solución   operación   cooperación

---

[1]These words are capitalized only when they are abbreviated: **Dr., Sra.**

4. English words ending in *-ce* and *-ty* end in **-cia, -cio, -tad,** and **-dad** in Spanish:

  importancia precipicio libertad ciudad

5. The English ending *-ous* is often equivalent to the Spanish ending **-oso(a)**:

  famoso amoroso numeroso malicioso

6. The English consonant *s* is often equivalent to the Spanish **es**:

  escuela estado estudio especial

7. English words ending in *-cle* end in **-culo** in Spanish:

  artículo círculo vehículo

8. English words ending in *-y* often end in **-io** in Spanish:

  laboratorio conservatorio

9. English words beginning with *ph* begin with **f** in Spanish:

  farmacia frase filosofía

10. There are many other easily recognizable cognates for which no rule can be given:

  millón deliberadamente estudiar millonario mayoría
  ingeniero norte   enemigo    monte

B. False cognates

False cognates are words that look similar in Spanish and in English, but have very different meanings. Some common ones are:

| English word | Spanish equivalent | False cognate |
| --- | --- | --- |
| actually | realmente | actualmente (*nowadays*) |
| application | solicitud | aplicación (*diligence*) |
| card | tarjeta | carta (*letter*) |
| character (*in lit.*) | personaje | carácter (*personality, nature*) |
| embarrassed | avergonzado(a) | embarazada (*pregnant*) |
| exit | salida | éxito (*success*) |
| library | biblioteca | librería (*bookstore*) |
| major (*studies*) | especialidad | mayor (*older, major in armed services*) |
| minor (*studies*) | segunda especialidad | menor (*younger*) |
| move (*from one home to another*) | mudarse | mover (*move something*) |
| question | pregunta | cuestión (*matter*) |
| subject | asunto, tema | sujeto (*subject of a sentence*) |

## APÉNDICE C: VERBOS

## Verbos regulares: Modelos de los verbos que terminan en *-ar, -er, -ir*

### INFINITIVE

| | | |
|---|---|---|
| **amar** *to love* | **comer** to eat | **vivir** *to live* |

### PRESENT PARTICIPLE

| | | |
|---|---|---|
| **amando** *loving* | **comiendo** *eating* | **viviendo** *living* |

### PAST PARTICIPLE

| | | |
|---|---|---|
| **amado** *loved* | **comido** *eaten* | **vivido** *lived* |

### SIMPLE TENSES

#### *Indicative Mood*

#### PRESENT

| *(I love)* | *(I eat)* | *(I live)* |
|---|---|---|
| amo | como | vivo |
| amas | comes | vives |
| ama | come | vive |
| amamos | comemos | vivimos |
| amáis | coméis | vivís |
| aman | comen | viven |

#### IMPERFECT

| *(I used to love)* | *(I used to eat)* | *(I used to live)* |
|---|---|---|
| amaba | comía | vivía |
| amabas | comías | vivías |
| amaba | comía | vivía |
| amábamos | comíamos | vivíamos |
| amabais | comíais | vivíais |
| amaban | comían | vivían |

#### PRETERIT

| *(I loved)* | *(I ate)* | *(I lived)* |
|---|---|---|
| amé | comí | viví |
| amaste | comiste | viviste |
| amó | comió | vivió |
| amamos | comimos | vivimos |
| amasteis | comisteis | vivisteis |
| amaron | comieron | vivieron |

## FUTURE

| (I will love) | (I will eat) | (I will live) |
|---|---|---|
| amaré | comeré | viviré |
| amarás | comerás | vivirás |
| amará | comerá | vivirá |
| amaremos | comeremos | viviremos |
| amaréis | comeréis | viviréis |
| amarán | comerán | vivirán |

## CONDITIONAL

| (I would love) | (I would eat) | (I would live) |
|---|---|---|
| amaría | comería | viviría |
| amarías | comerías | vivirías |
| amaría | comería | viviría |
| amaríamos | comeríamos | viviríamos |
| amaríais | comeríais | viviríais |
| amarían | comerían | vivirían |

### Subjunctive Mood

## PRESENT

| ([that] I [may] love) | ([that] I [may] eat) | ([that] I [may] live) |
|---|---|---|
| ame | coma | viva |
| ames | comas | vivas |
| ame | coma | viva |
| amemos | comamos | vivamos |
| améis | comáis | viváis |
| amen | coman | vivan |

## IMPERFECT

(two forms: **ara, ase**)

| ([that] I [might] love) | ([that] I [might] eat) | ([that] I [might] live) |
|---|---|---|
| amara -ase | comiera -iese | viviera -iese |
| amaras -ases | comieras -ieses | vivieras -ieses |
| amara -ase | comiera -iese | viviera -iese |
| amáramos -ásemos | comiéramos -iésemos | viviéramos -iésemos |
| amarais -aseis | comierais -ieseis | vivierais -ieseis |
| amaran -asen | comieran -iesen | vivieran -iesen |

## IMPERATIVE MOOD

| (love) | (eat) | (live) |
|---|---|---|
| ama (tú) | come (tú) | vive (tú) |
| ame (Ud.) | coma (Ud.) | viva (Ud.) |
| amemos (nosotros) | comamos (nosotros) | vivamos (nosotros) |
| amad (vosotros) | comed (vosotros) | vivid (vosotros) |
| amen (Uds.) | coman (Uds.) | vivan (Uds.) |

## COMPOUND TENSES

### PERFECT INFINITIVE

**haber amado**          **haber comido**          **haber vivido**

### PERFECT PARTICIPLE

**habiendo amado**       **habiendo comido**       **habiendo vivido**

### *Indicative Mood*

#### PRESENT PERFECT

| *(I have loved)* | *(I have eaten)* | *(I have lived)* |
|---|---|---|
| he amado | he comido | he vivido |
| has amado | has comido | has vivido |
| ha amado | ha comido | ha vivido |
| hemos amado | hemos comido | hemos vivido |
| habéis amado | habéis comido | habéis vivido |
| han amado | han comido | han vivido |

#### PLUPERFECT

| *(I had loved)* | *(I had eaten)* | *(I had lived)* |
|---|---|---|
| había amado | había comido | había vivido |
| habías amado | habías comido | habías vivido |
| había amado | había comido | había vivido |
| habíamos amado | habíamos comido | habíamos vivido |
| habíais amado | habíais comido | habíais vivido |
| habían amado | habían comido | habían vivido |

#### FUTURE PERFECT

| *(I will have loved)* | *(I will have eaten)* | *(I will have lived)* |
|---|---|---|
| habré amado | habré comido | habré vivido |
| habrás amado | habrás comido | habrás vivido |
| habrá amado | habrá comido | habrá vivido |
| habremos amado | habremos comido | habremos vivido |
| habréis amado | habréis comido | habréis vivido |
| habrán amado | habrán comido | habrán vivido |

#### CONDITIONAL PERFECT

| *(I would have loved)* | *(I would have eaten)* | *(I would have lived)* |
|---|---|---|
| habría amado | habría comido | habría vivido |
| habrías amado | habrías comido | habrías vivido |
| habría amado | habría comido | habría vivido |
| habríamos amado | habríamos comido | habríamos vivido |
| habríais amado | habríais comido | habríais vivido |
| habrían amado | habrían comido | habrían vivido |

*Subjunctive Mood*

### PRESENT PERFECT

| *([that] I [may] have loved)* | *([that] I [may] have eaten* | *([that] I [may] have lived)* |
|---|---|---|
| haya amado | haya comido | haya vivido |
| hayas amado | hayas comido | hayas vivido |
| haya amado | haya comido | haya vivido |
| hayamos amado | hayamos comido | hayamos vivido |
| hayáis amado | hayáis comido | hayáis vivido |
| hayan amado | hayan comido | hayan vivido |

### PLUPERFECT

(two forms: -ra, -se)

| *([that] I [might] have loved)* | *([that] I [might] have eaten)* | *([that] I [might] have lived)* |
|---|---|---|
| hubiera -iese amado | hubiera -iese comido | hubiera -iese vivido |
| hubieras -ieses amado | hubieras -ieses comido | hubieras -ieses vivido |
| hubiera -iese amado | hubiera -iese comido | hubiera -iese vivido |
| hubiéramos -iésemos amado | hubiéramos -iésemos comido | hubiéramos -iésemos vivido |
| hubierais -ieseis amado | hubierais -ieseis comido | hubierais -icseis vivido |
| hubieran -iesen amado | hubieran -iesen comido | hubieran -iesen vivido |

## Verbos de cambios radicales

Stem-changing verbs are those that have a change in the root of the verb. Verbs that end in **-ar** and **-er** change the stressed vowel **e** to **ie**, and the stressed **o** to **ue**. These changes occur in all persons, except the first and second persons plural of the present indicative, present subjunctive, and imperative.

### THE -ar AND -er STEM-CHANGING VERBS

| INFINITIVE | PRESENT INDICATIVE | IMPERATIVE | PRESENT SUBJUNCTIVE |
|---|---|---|---|
| **perder** | pierdo | —— | pierda |
| *to lose* | pierdes | pierde | pierdas |
| | pierde | pierda | pierda |
| | perdemos | perdamos | perdamos |
| | perdéis | perded | perdáis |
| | pierden | pierdan | pierdan |

| cerrar<br>to close | cierro<br>cierras<br>cierra | ——<br>cierra<br>cierre | cierre<br>cierres<br>cierre |
|---|---|---|---|
| | cerramos<br>cerráis<br>cierran | cerremos<br>cerrad<br>cierren | cerremos<br>cerréis<br>cierren |
| contar<br>to count,<br>to tell | cuento<br>cuentas<br>cuenta | ——<br>cuenta<br>cuente | cuente<br>cuentes<br>cuente |
| | contamos<br>contáis<br>cuentan | contemos<br>contad<br>cuenten | contemos<br>contéis<br>cuenten |
| volver<br>to return | vuelvo<br>vuelves<br>vuelve | ——<br>vuelve<br>vuelva | vuelva<br>vuelvas<br>vuelva |
| | volvemos<br>volvéis<br>vuelven | volvamos<br>volved<br>vuelvan | volvamos<br>volváis<br>vuelvan |

Verbs that follow the same pattern are:

acordarse   *to remember*
acostar(se)   *to go to bed*
almorzar   *to have lunch*
atravesar   *to go through*
cocer   *to cook*
colgar   *to hang*
comenzar   *to begin*
confesar   *to confess*
costar   *to cost*
demostrar   *to demonstrate, to show*
despertar(se)   *to wake up*
discernir   *to discern*
empezar   *to begin*
encender   *to light, turn on*
encontrar   *to find*

entender   *to understand*
llover   *to rain*
mover   *to move*
mostrar   *to show*
negar   *to deny*
nevar   *to snow*
pensar   *to think, to plan*
probar   *to prove, to taste*
recordar   *to remember*
rogar   *to beg*
sentar(se)   *to sit down*
soler   *to be in the habit of*
soñar   *to dream*
tender   *to stretch, to unfold*
torcer   *to twist*

There are two types of stem-changing verbs that end in **-ir:** one type changes stressed **e** to **ie** in some tenses and to **i** in others, and stressed **o** to **ue** or **u;** the second type changes stressed **e** to **i** only in all the irregular tenses.

Type I   **-ir: e>ie / i**
          **o>ue / u**

These changes occur as follows:

*Present Indicative:* all persons except the first and second plural change **e** to **ie** and **o** to **ue**. *Preterit:* third person, singular and plural, changes **e** to **i** and **o** to **u**. *Present Subjunctive:* all persons change **e** to **ie** and **o** to **ue**, except the first and second persons plural which change **e** to **i** and **o** to **u**. *Imperfect Subjunctive:* all persons change **e** to **i** and **o** to **u**. *Imperativo:* all persons except the second person plural change **e** to **ie** and **o** to **ue**, and first person plural changes **e** to **i** and **o** to **u**. *Present Participle:* changes **e** to **i** and **o** to **u**.

## THE -ir STEM-CHANGING VERBS (TYPE I)

| INFINITIVE sentir to feel | Indicative | | Imperative | Subjunctive | |
|---|---|---|---|---|---|
| | PRESENT | PRETERIT | | PRESENT | IMPERFECT |
| | siento | sentí | _____ | sienta | sintiera (-iese) |
| **PRESENT** | sientes | sentiste | siente | sientas | sintieras |
| **PARTICIPLE** siento | | sintió | sienta | sienta | sintiera |
| sintiendo | | | | | |
| | sentimos | sentimos | sintamos | sintamos | sintiéramos |
| | sentís | sentisteis | sentid | sintáis | sintierais |
| | sienten | sintieron | sientan | sientan | sintieran |
| **dormir** *to sleep* | duermo | dormí | _____ | duerma | durmiera (-iese) |
| | duermes | dormiste | duerme | duermas | durmieras |
| | duerme | durmió | duerma | duerma | durmiera |
| durmiendo | dormimos | dormimos | durmamos | durmamos | durmiéramos |
| | dormís | dormisteis | dormid | durmáis | durmierais |
| | duermen | durmieron | duerman | duerman | durmieran |

Other verbs that follow the same pattern are:

advertir  *to warn*                      mentir  *to lie*
arrepentir(se)  *to repent*              morir  *to die*
consentir  *to consent, to pamper*      preferir  *to prefer*
convertir(se)  *to turn into*           referir  *to refer*
divertir(se)  *to amuse oneself*        sugerir  *to suggest*
herir  *to wound, to hurt*

Type II   -ir: e>i

The verbs in the second category are irregular in the same tenses as those of the first type. The only difference is that they only have one change: e>i in all irregular persons.

### THE -ir STEM-CHANGING VERBS (TYPE II)

| INFINITIVE pedir to ask for, request | Indicative PRESENT | Indicative PRETERIT | Imperative | Subjunctive PRESENT | Subjunctive IMPERFECT |
|---|---|---|---|---|---|
| PRESENT PARTICIPLE pidiendo | pido pides pide | pedí pediste pidió | _____ pide pida | pida pidas pida | pidiera (-iese) pidieras pidiera |
|  | pedimos pedís piden | pedimos pedisteis pidieron | pidamos pedid pidan | pidamos pidáis pidan | pidiéramos pidierais pidieran |

Verbs that follow this pattern are:

concebir   *to conceive*
competir   *to compete*
despedir(se)   *to say goodbye*
elegir   *to choose*
impedir   *to prevent*
perseguir   *to pursue*

reír(se)   *to laugh*
repetir   *to repeat*
reñir   *to fight*
seguir   *to follow*
servir   *to serve*
vestir(se)   *to dress*

## Verbos de cambios ortográficos

Some verbs undergo a change in the spelling of the stem in some tenses, in order to keep the sound of the final consonant. The most common ones are those with the consonants **g** and **c**. Remember that **g** and **c** in front of **e** or **i** have a soft sound, and in front of **a, o,** or **u** have a hard sound. In order to keep the soft sound in front of **a, o,** or **u,** we change **g** and **c** to **j** and **z,** respectively. And in order to keep the hard sound of **g** or **c** in front of **e** and **i,** we add a **u** to the **g** (**gu**) and change the **c** to **qu.** The most important verbs of this type that are regular in all the tenses but change in spelling are the following:

1. Verbs ending in **-gar** change **g** to **gu** before **e** in the first person of the preterit and in all persons of the present subjunctive.

   **pagar**   to pay
   *Preterit:*      pagué, pagaste, pagó, etc.
   *Pres. Subj.:*   pague, pagues, pague, paguemos, paguéis, paguen

Verbs with the same change: **colgar, llegar, navegar, negar, regar, rogar, jugar.**

2. Verbs ending in **-ger** or **-gir** change **g** to **j** before **o** and **a** in the first person of the present indicative and in all the persons of the present subjunctive.

**proteger**  to protect
*Pres. Ind.:*    protejo, proteges, protege, etc.
*Pres. Subj.:*   proteja, protejas, proteja, protejamos, protejáis, protejan

Verbs with the same pattern: **coger, dirigir, escoger, exigir, recoger, corregir.**

3. Verbs ending in **-guar** change **gu** to **gü** before **e** in the first persons of the preterit and in all persons of the present subjunctive.

**averiguar**  to find out
*Preterit:*     averigüé, averiguaste, averiguó, etc.
*Pres. Subj.:*  averigüe, averigües, averigüe, averigüemos, averigüéis, averigüen

The verb **apaciguar** has the same changes as above.

4. Verbs ending in **-guir** change **gu** to **g** before **o** and **a** in the first person of the present indicative and in all persons of the present subjunctive.

**conseguir**  to get
*Pres. Ind.:*    consigo, consigues, consigue, etc.
*Pres. Subj.:*   consiga, consigas, consiga, consigamos, consigáis, consigan

Verbs with the same change: **distinguir, perseguir, proseguir, seguir.**

5. Verbs ending in **-car** change **c** to **qu** before **e** in the first person of the preterit and in all persons of the present subjunctive.

**tocar**  to touch, to play *(a musical instrument)*
*Preterit:*     toqué, tocaste, tocó, etc.
*Pres. Subj.:*  toque, toques, toque, toquemos, toquéis, toquen

Verbs that have the same pattern: **atacar, buscar, comunicar, explicar, indicar, sacar, pescar.**

6. Verbs ending in **-cer** or **-cir** preceded by a consonant change **c** to **z** before **o** and **a** in the first person of the present indicative and in all persons of the present subjunctive.

**torcer**  to twist
*Pres. Ind.:*    tuerzo, tuerces, tuerce, etc.
*Pres. Subj.:*   tuerza, tuerzas, tuerza, torzamos, torzáis, tuerzan

Verbs that have the same change: **convencer, esparcir, vencer.**

7. Verbs ending in **-cer** or **-cir** preceded by a vowel change **c** to **zc** before **o** and **a** in the first person of the present indicative and in all persons of the present subjunctive.

**conocer**   to know, to be acquainted with
*Pres. Ind.:*   conozco, conoces, conoce, etc.
*Pres. Subj.:*   conozca, conozcas, conozca, conozcamos, conozcáis, conozcan

Verbs that follow the same pattern: **agradecer, aparecer, carecer, establecer, entristecer** *(to sadden)*, **lucir, nacer, obedecer, ofrecer, padecer, parecer, pertenecer, relucir, reconocer.**

8. Verbs ending in **-zar** change **z** to **c** before **e** in the first person of the preterit and in all persons of the present subjunctive.

**rezar**   to pray
*Preterit:*   recé, rezaste, rezó, etc.
*Pres. Subj.:*   rece, reces, rece, recemos, recéis, recen

Verbs that have the same pattern: **alcanzar, almorzar, comenzar, cruzar, empezar, forzar, gozar, abrazar.**

9. Verbs ending in **-eer** change the unstressed **i** to **y** between vowels in the third person singular and plural of the preterit, in all persons of the imperfect subjunctive, and in the present participle.

**creer**   to believe
*Preterit:*   creí, creíste, creyó, creímos, creísteis, creyeron
*Imp. Subj.:*   creyera, creyeras, creyera, creyéramos, creyerais, creyeran
*Pres. Part.:*   creyendo
*Past Part.:*   creído

**Leer** and **poseer** follow the same pattern.

10. Verbs ending in **-uir** change the unstressed **i** to **y** between vowels (except **-quir** which has the silent **u**) in the following tenses and persons:

**huir**   to escape, to flee
*Pres. Part.:*   huyendo
*Pres. Ind.:*   huyo, huyes, huye, huimos, huís, huyen
*Preterit:*   huí, huiste, huyó, huimos, huisteis, huyeron
*Imperative:*   huye, huya, huyamos, huid, huyan
*Pres. Subj.:*   huya, huyas, huya, huyamos, huyáis, huyan
*Imp. Subj.:*   huyera(ese), huyeras, huyera, huyéramos, huyerais, huyeran

Verbs with the same change: **atribuir, concluir, constituir, construir, contribuir, destituir, destruir, disminuir, distribuir, excluir, incluir, influir, instruir, restituir, sustituir.**

11. Verbs ending in **-eír** lose one **e** in the third person singular and plu-

ral of the preterit, in all persons of the imperfect subjunctive, and in the present participle.

**reír**   to laugh
*Preterit:*      reí, reíste, rio, reímos, reísteis, rieron
*Imp. Subj.:*   riera(ese), rieras, riera, rieramos, rierais, rieran
*Pres. Part.:*  riendo

**Sonreír** and **freír** have the same pattern.

12. Verbs ending in **-iar** add a written accent to the **i**, except in the first and second persons plural of the present indicative and subjunctive.

**fiar(se)**   to trust
*Pres. Ind.:*   fío (me), fías (te), fía (se), fiamos (nos), fiáis (os), fían (se)
*Pres. Subj.:*  fíe (me), fíes (te), fíe (se), fiemos (nos), fiéis (os), fíen (se)

Other verbs which follow the same change: **enviar, ampliar, criar, desviar, enfriar, guiar, telegrafiar, vaciar, variar.**

13. Verbs ending in **-uar** (except **-guar**) add a written accent to the **u**, except in the first and second persons plural of the present indicative and subjunctive.

**actuar**   to act
*Pres. Ind.:*   actúo, actúas, actúa, actuamos, actuáis, actúan
*Pres. Subj.:*  actúe, actúes, actúe, actuemos, actuéis, actúen

Verbs with the same pattern: **continuar, acentuar, efectuar, exceptuar, graduar, habituar, insinuar, situar.**

14. Verbs ending in **-ñir** lose the **i** of the diphthongs **ie** and **ió** in the third person singular and plural of the preterit and all persons of the imperfect subjunctive. They also change the **e** of the stem to **i** in the same persons.

**teñir**   to dye
*Preterit:*      teñí, teñiste, **tiñó**, teñimos, teñisteis, **tiñeron**
*Imp. Subj.:*   tiñera (-ese), tiñeras, tiñera, tiñéramos, tiñerais, tiñeran

Verbs which follow the same change: **ceñir, constreñir, desteñir, estreñir, reñir.**

## Verbos irregulares comunes

**acertar**   to guess right
*Pres. Ind.:*   acierto, aciertas, acierta, acertamos, acertáis, aciertan
*Pres. Subj.:*  acierte, aciertes, acierte, acertemos, acertéis, acierten
*Imperative:*   acierta, acierte, acertemos, acertad, acierten

**adquirir**   to acquire
*Pres. Ind.:*   adquiero, adquieres, adquiere, adquirimos, adquirís, adquieren
*Pres. Subj.:*   adquiera, adquieras, adquiera, adquiramos, adquiráis, adquieran
*Imperative:*   adquiere, adquiera, adquiramos, adquirid, adquieran

**andar**   to walk
*Preterit:*   anduve, anduviste, anduvo, anduvimos, anduvisteis, anduvieron
*Imp. Subj.:*   anduviera (anduviese), anduvieras, anduviera, anduviéramos, anduvierais, anduvieran

**avergonzarse**   to be ashamed, to be embarrassed
*Pres. Ind.:*   me avergüenzo, te avergüenzas, se avergüenza, nos avergonzamos, os avergonzáis, se avergüenzan
*Pres. Subj.:*   me avergüence, te avergüences, se avergüence, nos avergoncemos, os avergoncéis, se avergüencen
*Imperative:*   avergüénzate, avergüéncese, avergoncémonos, avergonzaos, avergüencense

**caber**   to fit, to have enough room
*Pres. Ind.:*   quepo, cabes, cabe, cabemos, cabéis, caben
*Preterit:*   cupe, cupiste, cupo, cupimos, cupisteis, cupieron
*Future:*   cabré, cabrás, cabrá, cabremos, cabréis, cabrán
*Conditional:*   cabría, cabrías, cabría, cabríamos, cabríais, cabrían
*Imperative:*   cabe, quepa, quepamos, cabed, quepan
*Pres. Subj.:*   quepa, quepas, quepa, quepamos, quepáis, quepan
*Imp. Subj.:*   cupiera (cupiese), cupieras, cupiera, cupiéramos, cupierais, cupieran

**caer**   to fall
*Pres. Ind.:*   caigo, caes, cae, caemos, caéis, caen
*Preterit:*   caí, caíste, cayó, caímos, caísteis, cayeron
*Imperative:*   cae, caiga, caigamos, caed, caigan
*Pres. Subj.:*   caiga, caigas, caiga, caigamos, caigáis, caigan
*Imp. Subj.:*   cayera (cayese), cayeras, cayera, cayéramos, cayerais, cayeran
*Past Part.:*   caído

**cegar**   to blind
*Pres. Ind.:*   ciego, ciegas, ciega, cegamos, cegáis, ciegan
*Imperative:*   ciega, ciegue, ceguemos, cegad, cieguen
*Pres. Subj.:*   ciegue, ciegues, ciegue, ceguemos, ceguéis, cieguen

**conducir**   to guide, to drive
*Pres. Ind.:*   conduzco, conduces, conduce, conducimos, conducís, conducen

| *Preterit:* | conduje, condujiste, condujo, condujimos, condujisteis, condujeron |
| *Imperative:* | conduce, conduzca, conduzcamos, conducid, conduzcan |
| *Pres. Subj.:* | conduzca, conduzcas, conduzca, conduzcamos, conduzcáis, conduzcan |
| *Imp. Subj.:* | condujera (condujese), condujeras, condujera, condujéramos, condujerais, condujeran |

(All verbs ending in **-ducir** follow this pattern)

**convenir**   to agree (See **venir**)

**dar**   to give

| *Pres. Ind.:* | doy, das, da, damos, dais, dan |
| *Preterit:* | di, diste, dio, dimos, disteis, dieron |
| *Imperative:* | da, dé, demos, dad, den |
| *Pres. Subj.:* | dé, des, dé, demos, deis, den |
| *Imp. Subj.:* | diera (diese), dieras, diera, diéramos, dierais, dieran |

**decir**   to say, to tell

| *Pres. Ind.:* | digo, dices, dice, decimos, decís, dicen |
| *Preterit:* | dije, dijiste, dijo, dijimos, dijisteis, dijeron |
| *Future:* | diré, dirás, dirá, diremos, diréis, dirán |
| *Conditional:* | diría, dirías, diría, diríamos, diríais, dirían |
| *Imperative:* | di, diga, digamos, decid, digan |
| *Pres. Subj.:* | diga, digas, diga, digamos, digáis, digan |
| *Imp. Subj.:* | dijera (dijese), dijeras, dijera, dijéramos, dijerais, dijeran |
| *Pres. Part.:* | diciendo |
| *Past Part.:* | dicho |

**detener**   to stop, to hold, to arrest (See **tener**)

**elegir**   to choose

| *Pres. Ind.:* | elijo, eliges, elige, elegimos, elegís, eligen |
| *Preterit:* | elegí, elegiste, eligió, elegimos, elegisteis, eligieron |
| *Imperative:* | elige, elija, elijamos, elegid, elijan |
| *Pres. Subj.:* | elija, elijas, elija, elijamos, elijáis, elijan |
| *Imp. Subj.:* | eligiera (eligiese), eligieras, eligiera, eligiéramos, eligierais, eligieran |

**entender**   to understand

| *Pres. Ind.:* | entiendo, entiendes, entiende, entendemos, entendéis, entienden |
| *Imperative:* | entiende, entienda, entendamos, entended, entiendan |
| *Pres. Subj.:* | entienda, entiendas, entienda, entendamos, entendáis, entiendan |

**entretener**   to entertain, to amuse (See **tener**)
**extender**   to extend, to stretch out (See **tender**)

**errar**   to err, to miss
*Pres. Ind.:*      yerro, yerras, yerra, erramos, erráis, yerran
*Imperative:*   yerra, yerre, erremos, errad, yerren
*Pres. Subj.:*   yerre, yerres, yerre, erremos, erréis, yerren

**estar**   to be
*Pres. Ind.:*      estoy, estás, está, estamos, estáis, están
*Preterit:*         estuve, estuviste, estuvo, estuvimos, estuvisteis, estuvieron
*Imperative:*   está, esté, estemos, estad, estén
*Pres. Subj.:*   esté, estés, esté, estemos, estéis, estén
*Imp. Subj.:*    estuviera (estuviese), estuvieras, estuviera, estuviéramos, estuvierais, estuvieran

**haber**   to have
*Pres. Ind.:*      he, has, ha, hemos, habéis, han
*Preterit:*         hube, hubiste, hubo, hubimos, hubisteis, hubieron
*Future:*           habré, habrás, habrá, habremos, habréis, habrán
*Conditional:*   habría, habrías, habría, habríamos, habríais, habrían
*Imperative:*   he, haya, hayamos, habed, hayan
*Pres. Subj.:*   haya, hayas, haya, hayamos, hayáis, hayan
*Imp. Subj.:*    hubiera (hubiese), hubieras, hubiera, hubiéramos, hubierais, hubieran

**hacer**   to do, to make
*Pres. Ind.:*      hago, haces, hace, hacemos, hacéis, hacen
*Preterit:*         hice, hiciste, hizo, hicimos, hicisteis, hicieron
*Future:*           haré, harás, hará, haremos, haréis, harán
*Conditional:*   haría, harías, haría, haríamos, haríais, harían
*Imperative:*   haz, haga, hagamos, haced, hagan
*Pres. Subj.:*   haga, hagas, haga, hagamos, hagáis, hagan
*Imp. Subj.:*    hiciera (hiciese), hicieras, hiciera, hiciéramos, hicierais, hicieran
*Past. Part.:*    hecho

**imponer**   to impose, to deposit (See **poner**)

**introducir**   to introduce, to insert, to gain access (See **conducir**)

**ir**   to go
*Pres. Ind.:*      voy, vas, va, vamos, vais, van
*Imp. Ind.:*      iba, ibas, iba, íbamos, ibais, iban
*Preterit:*         fui, fuiste, fue, fuimos, fuisteis, fueron
*Imperative:*   ve, vaya, vayamos, id, vayan
*Pres. Subj.:*   vaya, vayas, vaya, vayamos, vayáis, vayan
*Imp. Subj.:*    fuera (fuese), fueras, fuera, fuéramos, fuerais, fueran

**jugar**   to play
*Pres. Ind.:*      juego, juegas, juega, jugamos, jugáis, juegan

*Imperative:* juega, juegue, juguemos, jugad, jueguen
*Pres. Subj.:* juegue, juegues, juegue, juguemos, juguéis, jueguen

**obtener** to obtain (See **tener**)

**oír** to hear
*Pres. Ind.:* oigo, oyes, oye, oímos, oís, oyen
*Preterit:* oí, oíste, oyó, oímos, oísteis, oyeron
*Imperative:* oye, oiga, oigamos, oid, oigan
*Pres. Subj.:* oiga, oigas, oiga, oigamos, oigáis, oigan
*Imp. Subj.:* oyera (oyese), oyeras, oyera, oyéramos, oyerais, oyeran
*Pres. Part.:* oyendo
*Past. Part.:* oído

**oler** to smell
*Pres. Ind.:* huelo, hueles, huele, olemos, oléis, huelen
*Imperative:* huele, huela, olamos, oled, huelan
*Pres. Subj.:* huela, huelas, huela, olamos, oláis, huelan

**poder** to be able
*Pres. Ind.:* puedo, puedes, puede, podemos, podéis, pueden
*Preterit:* pude, pudiste, pudo, pudimos, pudisteis, pudieron
*Future:* podré, podrás, podrá, podremos, podréis, podrán
*Conditional:* podría, podrías, podría, podríamos, podríais, podrían
*Imperative:* puede, pueda, podamos, poded, puedan
*Pres. Subj.:* pueda, puedas, pueda, podamos, podáis, puedan
*Imp. Subj.:* pudiera (pudiese), pudieras, pudiera, pudiéramos, pudierais, pudieran
*Pres. Part.:* pudiendo

**poner** to place, to put
*Pres. Ind.:* pongo, pones, pone, ponemos, ponéis, ponen
*Preterit:* puse, pusiste, puso, pusimos, pusisteis, pusieron
*Future:* pondré, pondrás, pondrá, pondremos, pondréis, pondrán
*Conditional:* pondría, pondrías, pondría, pondríamos, pondríais, pondrían
*Imperative:* pon, ponga, pongamos, poned, pongan
*Pres. Subj.:* ponga, pongas, ponga, pongamos, pongáis, pongan
*Imp. Subj.;* pusiera (pusiese), pusieras, pusiera, pusiéramos, pusierais, pusieran
*Past Part.:* puesto

**querer** to want, to wish, to like
*Pres. Ind.:* quiero, quieres, quiere, queremos, queréis, quieren
*Preterit:* quise, quisiste, quiso, quisimos, quisisteis, quisieron
*Future:* querré, querrás, querrá, querremos, querréis, querrán
*Conditional:* querría, querrías, querría, querríamos, querríais, querrían
*Imperative:* quiere, quiera, queramos, quered, quieran

*Pres. Sub.:*   quiera, quieras, quiera, queramos, queráis, quieran
*Impr. Subj.:*   quisiera (quisiese), quisieras, quisiera, quisiéramos, quisierais, quisieran

**resolver**   to decide on
*Pres. Ind.:*   resuelvo, resuelves, resuelve, resolvemos, resolvéis, resuelven
*Imperative:*   resuelve, resuelva, resolvamos, resolved, resuelvan
*Pres. Subj.:*   resuelva, resuelvas, resuelva, resolvamos, resolváis, resuelvan
*Past. Part.:*   resuelto

**saber**   to know
*Pres. Ind.:*   sé, sabes, sabe, sabemos, sabéis, saben
*Preterit:*   supe, supiste, supo, supimos, supisteis, supieron
*Future:*   sabré, sabrás, sabrá, sabremos, sabréis, sabrán
*Conditional:*   sabría, sabrías, sabría, sabríamos, sabríais, sabrían
*Imperative:*   sabe, sepa, sepamos, sabed, sepan
*Pres. Subj.:*   sepa, sepas, sepa, sepamos, sepáis, sepan
*Imp. Subj.:*   supiera (supiese), supieras, supiera, supiéramos, supierais, supieran

**salir**   to leave, to go out
*Pres. Ind.:*   salgo, sales, sale, salimos, salís, salen
*Future:*   saldré, saldrás, saldrá, saldremos, saldréis, saldrán
*Conditional:*   saldría, saldrías, saldría, saldríamos, saldríais, saldrían
*Imperative:*   sal, salga, salgamos, salid, salgan
*Pres. Subj.:*   salga, salgas, salga, salgamos, salgáis, salgan

**ser**   to be
*Pres. Ind.:*   soy, eres, es, somos, sois, son
*Imp. Ind.:*   era, eras, era, éramos, erais, eran
*Preterit:*   fui, fuiste, fue, fuimos, fuisteis, fueron
*Imperative:*   sé, sea, seamos, sed, sean
*Pres. Subj.:*   sea, seas, sea, seamos, seáis, sean
*Imp. Subj.:*   fuera (fuese), fueras, fuera, fuéramos, fuerais, fueran

**suponer**   to assume (See **poner**)

**tener**   to have
*Pres. Ind.:*   tengo, tienes, tiene, tenemos, tenéis, tienen
*Preterit:*   tuve, tuviste, tuvo, tuvimos, tuvisteis, tuvieron
*Future:*   tendré, tendrás, tendrá, tendremos, tendréis, tendrán
*Conditional:*   tendría, tendrías, tendría, tendríamos, tendríais, tendrían
*Imperative:*   ten, tenga, tengamos, tened, tengan
*Pres. Subj.:*   tenga, tengas, tenga, tengamos, tengáis, tengan
*Imp. Subj.:*   tuviera (tuviese), tuvieras, tuviera, tuviéramos, tuvierais, tuvieran

**tender**   to spread out, to hang out

*Pres. Ind.:* tiendo, tiendes, tiende, tendemos, tendéis, tienden
*Imperative:* tiende, tienda, tendamos, tended, tiendan
*Pres. Subj.:* tienda, tiendas, tienda, tendamos, tendáis, tiendan

**traducir** to translate
*Pres. Ind.:* traduzco, traduces, traduce, traducimos, traducís, traducen
*Preterit:* traduje, tradujiste, tradujo, tradujimos, tradujisteis, tradujeron
*Imperative:* traduce, traduzca, traduzcamos, traducid, traduzcan
*Pres. Subj.:* traduzca, traduzcas, traduzca, traduzcamos, traduzcáis, traduzcan
*Imp. Subj.:* tradujera (tradujese), tradujeras, tradujera, tradujéramos, tradujerais, tradujeran

**traer** to bring
*Pres. Ind.:* traigo, traes, trae, traemos, traéis, traen
*Preterit:* traje, trajiste, trajo, trajimos, trajisteis, trajeron
*Imperative:* trae, traiga, traigamos, traed, traigan
*Pres. Subj.:* traiga, traigas, traiga, traigamos, traigáis, traigan
*Imp. Subj.:* trajera (trajese), trajeras, trajera, trajéramos, trajerais, trajeran
*Pres. Part.:* trayendo
*Past Part.:* traído

**valer** to be worth
*Pres. Ind.:* valgo, vales, vale, valemos, valéis, valen
*Future:* valdré, valdrás, valdrá, valdremos, valdréis, valdrán
*Conditional:* valdría, valdrías, valdría, valdríamos, valdríais, valdrían
*Imperative:* vale, valga, valgamos, valed, valgan
*Pres. Subj.:* valga, valgas, valga, valgamos, valgáis, valgan

**venir** to come
*Pres. Ind.:* vengo, vienes, viene, venimos, venís, vienen
*Preterit:* vine, viniste, vino, vinimos, vinisteis, vinieron
*Future:* vendré, vendrás, vendrá, vendremos, vendréis, vendrán
*Conditional:* vendría, vendrías, vendría, vendríamos, vendríais, vendrían
*Imperative:* ven, venga, vengamos, venid, vengan
*Pres. Subj.:* venga, vengas, venga, vengamos, vengáis, vengan
*Imp. Subj.:* viniera (viniese), vinieras, viniera, viniéramos, vinierais, vinieran
*Pres. Part.:* viniendo

**ver** to see
*Pres. Ind.:* veo, ves, ve, vemos, veis, ven
*Imp. Ind.:* veía, veías, veía, veíamos, veíais, veían
*Preterit:* vi, viste, vio, vimos, visteis, vieron
*Imperative:* ve, vea, veamos, ved, vean
*Pres. Subj.:* vea, veas, vea, veamos, veáis, vean
*Imp. Subj.:* viera (viese), vieras, viera, viéramos, vierais, vieran
*Past Part.:* visto

## APÉNDICE D: NOMBRES DE PAÍSES, NACIONALIDADES E IDIOMAS

| *País* | *Nacionalidad* | *Idioma* |
|---|---|---|
| África (algunos países) | | |
| Argelia | argelino | árabe |
| Egipto | egipcio | árabe |
| Etiopía | etiópico | inglés-swahili |
| Kenia | keniano | inglés |
| Libia | libanés | árabe |
| Marruecos *(Morocco)* | marroquí | árabe |
| Rodesia | rodesiano | inglés |
| Sudáfrica | sudafricano | inglés |
| Sudán | sudanés | árabe |
| América | | |
| *Norteamérica* | | |
| Canadá | canadiense | inglés-francés |
| (Los) Estados Unidos | norteamericano | inglés |
|  | estadounidense | |
| México | mexicano | español |
| *Centroamérica* | | |
| Costa Rica | costarricense | español |
| El Salvador | salvadoreño | español |
| Guatemala | guatemalteco | español |
| Honduras | hondureño | español |
| Nicaragua | nicaragüense | español |
| Panamá | panameño | español |
| *Sudamérica* | | |
| Argentina | argentino | español |
| Bolivia | boliviano | español |
| Brasil | brasileño | portugués |
| Colombia | colombiano | español |
| Chile | chileno | español |
| Ecuador | ecuatoriano | español |
| Paraguay | paraguayo | español-guaraní |
| Perú | peruano | español |
| Uruguay | uruguayo | español |
| *Las Antillas* | | |
| Cuba | cubano | español |
| Haití | haitiano | francés |
| Jamaica | jamaicano | inglés |

| | | |
|---|---|---|
| Puerto Rico | puertorriqueño | español |
| República Dominicana | dominicano | español |

## Asia

| | | |
|---|---|---|
| Japón | japonés | japonés |
| India | indio | inglés |
| China | chino | chino |
| Las Filipinas | filipino | inglés, español, tagalo |

| | | |
|---|---|---|
| Australia | australiano | inglés |

## Europa

| | | |
|---|---|---|
| Alemania (*Germany*) | alemán | alemán |
| Austria | austríaco | alemán |
| Bélgica (*Belgium*) | belga | francés |
| Checoslovaquia | checoslovaco | checo |
| Dinamarca (*Denmark*) | danés | danés |
| Escocia (*Scotland*) | escocés | inglés |
| España | español | español |
| Francia | francés | francés |
| Finlandia | finlandés | finlandés |
| Grecia (*Greece*) | griego | griego |
| Holanda (*Holland*) | holandés | holandés |
| Hungría (*Hungary*) | húngaro | húngaro |
| Inglaterra (*England*) | inglés | inglés |
| Irlanda (*Ireland*) | irlandés | inglés |
| Italia | italiano | italiano |
| Noruega (*Norway*) | noruego | noruego |
| Polonia (*Poland*) | polaco | polaco |
| Portugal | portugués | portugués |
| Rumania | rumano | rumano |
| Rusia | ruso | ruso |
| Suecia (*Sweden*) | sueco | sueco |
| Suiza (*Switzerland*) | suizo | francés, alemán, italiano |
| Yugoslavia | yugoslavo | yugoslavo |

## Medio Oriente

| | | |
|---|---|---|
| Arabia | árabe | árabe |
| Israel | israelita, israelí | hebreo |
| Turquía | turco | turco |

# APÉNDICE E: RESPUESTAS A LAS SECCIONES *COMPRUEBE CUANTO SABE*

## LECCIÓN 1

a. 1. desaparezco / aparezco    2. reconozco / sé    3. veo / quepo    4. hago / pongo / salgo    5. conduzco

b. 1. —¿Tú conoces a Pedro? Él asiste a la Universidad de Asunción. —Sí, yo conozco a Pedro. Él y yo charlamos todos los días. ¿Sabes que su papá es ingeniero? —Sí.    2. —¿Juan sabe jugar al tenis? —¡Ya lo creo! Juega muy bien.

c. 1. recuerdas (te acuerdas de) / sueñas    2. corrige / sugiere    3. advierto / muerde    4. despertamos    5. comienzan (empiezan)    6. confieso / entiendo    7. niega    8. dicen / despide

d. 1. preguntan    2. pido    3. pedir    4. pregunta    5. preguntar

e. 1. (Yo) quiero llevar a mi perro conmigo.    2. ¿No ama usted a su país, señor Medina?    3. (Yo) no tengo hermanos.    4. (Nosotros) no necesitamos ver a nadie.    5. Busco (Estoy buscando) secretaria.

f. 1. Nuestros libros están en el aula.    2. Mis padres son de Lima.    3. Su título es de la Universidad de La Habana.    4. Tu libro de español está en la mesa.    5. Una buena amiga mía es Rosa.

## LECCIÓN 2

a. 1. No, no son las mías.    2. No, el mío no es norteamericano.    3. No, yo no cuido a los míos.    4. No, el nuestro no es muy capacitado.    5. No, esta camisa no es la suya.

b. 1. El doctor Vera dice que la educación es importante, y yo estoy de acuerdo.    2. Mi composición tiene mil palabras y la de Ana tiene solamente (sólo) cien.    3. Mi hijo es médico. ¡Es un médico muy bueno!    4. Él tiene una clase los lunes a las cuatro.    5. Yo necesito otro trabajo porque tengo problemas económicos.    6. El señor Soto nunca usa sombrero.

c. 1. Sí, la conozco.    2. Sí, los hay.    3. Sí, te llamo mañana.    4. Sí, mis padres me visitan todos los días.    5. Sí, yo los tengo.    6. Sí, lo sé.    7. Sí, tu tía nos conoce.    8. Sí, podemos hacerlo. (Sí, lo podemos hacer.)

d. 1. sigue (continúa) estudiando    2. está criando    3. siguen (continúan) trabajando    4. está aterrizando    5. estás reservando    6. estoy trabajando    7. seguimos (continuamos) hablando    8. está preguntando

## LECCIÓN 3

a. 1. es / es    2. son    3. está    4. está    5. están    6. es    7. es / está / es    8. está    9. estoy    10. está / está    11. es / es / estoy    12. son    13. es / son    14. están    15. es / es

b. 1. Yo quiero traerle (le quiero traer) un portafolio de Paraguay.    2. ¿Quién te corta el pelo, querido(a)?    3. Yo siempre le compro a mi hija vestidos de algodón.    4. Ellos nos escriben cada vez que se van de viaje.    5. Él me va a traer (va a traerme) una sobrecama (una cubrecama) de encaje.    6. Yo les voy a hablar (voy a hablarles) sobre (de) la artesanía del Ecuador.

c. 1. compré    2. trajeron / vendieron    3. diste    4. supo / dijo    5. fue / trajo    6. Pidieron / comieron    7. vino    8. pusiste    9. pude    10. tuvimos    11. Fueron    12. cupe / fui    13. dijeron    14. estuviste    15. hizo

d. 1. disponía    2. asistía    3. iba / veía    4. hacía    5. tenías    6. Eran    7. llevaba    8. salían

e. 1. despegar   2. descuento   3. bordada   4. veces   5. bajo   6. cuero   7. de última hora   8. pasan una película   9. tomar el sol   10. basta   11. ahora voy   12. amo   13. propias   14. un balneario   15. adorno

## LECCIÓN 4

a. 1. eligió   2. empecé   3. llegué   4. toqué   5. leyó   6. durmieron   7. pagué   8. negué   9. pidieron   10. oyó

b. 1. era / vivía / hablaban   2. progresaron   3. hacía / llovía / llegó   4. dijeron / debía   5. encantaba / era   6. eran / comenzó (empezó) / terminó   7. estuve / no terminé   8. no vino / dolía

c. I. —¿Por qué no vino René?   G. —No pudo venir porque no se sentía bien.   I. —Yo tampoco quería venir, pero cuando supe que iba a tocar esta banda, me decidí.   G. —Yo no sabía que la banda estaba en la ciudad.   I. —Yo conocí hoy al director. ¡Es simpatiquísimo!   G. —¿Carlos Torres? Yo ya lo conocía.   I. —Estoy muy contenta porque pude conseguir su autógrafo para mi hermanita.   G. —Yo podía habértelo conseguido.   I. —Sí, pero el autógrafo me dio una excusa para hablar con él... ¡Oye! ¡Qué corbata tan bonita! ¿Cuánto te costó?   G. —Me costó veinte dólares. Había otras que costaban menos, pero no eran tan bonitas.

d. 1. ¡Me encanta este paisaje!   2. La obra de ese pintor no nos interesa realmente.   3. ¿Te duelen los pies, querido(a)?   4. La acuarela cuesta diez dólares, pero (a mí) me quedan solamente ocho dólares. Me faltan dos dólares.   5. Me parece que no les gusta el retrato.   6. Él es pobre, pero ella dice que no le importa.

e. 1. No, no puedo comprártela (no te la puedo comprar).   2. No, no se los pedí.   3. No, no me lo dio.   4. No, no pienso comprárselo (no se lo pienso comprar).   5. No, no nos las va a dar (no va a dárnoslas).

f. 1. —¿Tú sabes (Usted sabe) quién dibujó este cuadro? —No...no lo sé...Voy a preguntárselo (Se lo voy a preguntar) a Juan.   2. —Yo no tengo dinero. —¿Por qué no se lo pides a tu papá?   3. —Yo no puedo estar aquí mañana. —¿Se lo digo al profesor (a la profesora)? —Sí, por favor.

## LECCIÓN 5

a. 1. Por la mañana me baño y me visto.   2. Anoche nos acostamos temprano.   3. Mis padres se fueron de vacaciones el verano pasado.   4. Mis compañeros se quejaban cuando tenían exámenes.   5. Dicen que te pareces a tu padre.   6. Nos encontramos en el café.   7. Me los pruebo.   8. Se peleaban todo el día.

b. 1. tan sabroso (rico)   2. tantas reuniones (juntas)   3. mejor que   4. menos picante que   5. de las que   6. mucho mayor que   7. el más alto de   8. más pequeña que   9. del que   10. menor que   11. tanto como   12. inteligentísima

c. 1. Póngalo en el bolsillo.   2. Denle un pedazo de pastel.   3. Sirva papas fritas.   4. Dénsela a Carlos.   5. Vaya a Toledo.   6. Llámenla al llegar a casa.   7. Tráiganos vegetales.   8. Pruébese el sombrero azul.   9. Díganles que sí.   10. Cómprenselo a Rita.

d. 1. para / por / por / para / para   2. Por / para   3. por / para   4. Por / para / para   5. por / por / por / por / para   6. para / por   7. por / por   8. Por / por   9. para   10. Para / por

## LECCIÓN 6

a. 1. Era un hombre muy grande.   2. Eran unas chicas muy pobres.   3. Es un vino italiano.   4. Fue en una antigua ciudad.   5. Es una mujer única.   6. Compré un coche nuevo.   7. Es un señor viejo.   8. Tengo el mismo profesor.   9. Compré un vestido azul.   10. Fue un gran presidente.   11. Quiero hablar con el director mismo.   12. Es un viejo amigo.

b. 1. ventanas rotas    2. informe confuso    3. tienda abierta    4. problema resuelto    5. trabajos hechos    6. anillo devuelto    7. presidente electo    8. perros sueltos    9. casas construidas    10. puerta cerrada    11. gatos muertos    12. profesores sorprendidos

c. 1. había hecho    2. ha comprado    3. habíamos celebrado    4. he cambiado    5. habían dicho    6. habías envuelto    7. ha evitado    8. he visto

d. 1. Dicen que comer fruta es bueno.    2. Ellos querían ir a la feria.    3. Antes de ir a la Misa del Gallo, cenaron.    4. Él volvió (regresó) a eso de las doce. Yo lo oí entrar.    5. Los niños querían ver el pesebre.    6. Mi compañero(a) de cuarto dice que tiene tres informes sin terminar.    7. Yo no quiero hablar de eso otra vez (volver a hablar de eso).    8. No fumar.    9. Acaban de volver del campo.    10. Voy a empezar (comenzar) a estudiar para el examen.

e. 1. l    2. s    3. q    4. a    5. n    6. b    7. t    8. p    9. c    10. d    11. e    12. r    13. f    14. g    15. j    16. k    17. m    18. h    19. o    20. i

## LECCIÓN 7

a. 1. prohibirá    2. habrá    3. hablará    4. revisaremos    5. podrá    6. dirán    7. vendrán    8. valdrá    9. harás    10. cobrarán

b. 1. Costará unos sesenta dólares.    2. Será el hijo del cajero.    3. Cabrán unos veinte.    4. Lo pondrán en el periódico.    5. Tendrá unos veinticinco años.    6. Lo pagará la compañía.

c. 1. Yo tomaría el metro.    2. Nosotros iríamos a la gasolinera.    3. Eso no haría ruido.    4. El gobierno industrializaría el país.    5. Ellos no limitarían las importaciones.    6. Eso terminaría con la contaminación del aire.    7. Charlaríamos animadamente.    8. Así y todo la casa valdría mucho.    9. El pueblo no podría soportar la inflación.    10. ¿Tú querrías parar allí?

d. 1. ¿A qué hora llegarían Adela y Jorge anoche?    2. ¿Cuánto costaría el coche del profesor?    3. ¿Quién los salvaría del incendio?    4. ¿Qué edad tendría Luis en esa época?    5. ¿Qué querría ese señor?    6. ¿Qué harían los chicos ayer?

e. 1. Los estudiantes habrán terminado las clases.    2. Yo me habré casado.    3. Nosotros habremos construido nuestra casa.    3. Tú habrás hecho un viaje a Suramérica.    4. Ustedes habrán ahorrado mil dólares.    5. El gobierno habrá resuelto el problema de las divisas.

f. 1. Yo habría aprendido español.    2. Mis padres habrían ahorrado mucho dinero.    3. Mi hermana habría puesto dinero en el banco.    4. Tú habrías alquilado una casa en Madrid.    5. Nosotros nos habríamos comprado mucha ropa.    6. Ustedes se lo habrían dicho a todos sus amigos.

g. 1. la manga    2. la cura    3. la guía    4. la frente    5. punta    6. moda    7. el resto    8. el capital    9. un parte    10. una fonda    11. aquella loma    12. a la derecha

h. 1. Voy a darle (te) un consejo: Necesita(s) unas vacaciones.    2. Compré los muebles para la sala.    3. Sus (tus) hijos no quieren sus (tus) consejos.    4. Los celos de su esposa causaron el divorcio.    5. ¿Oyó (oíste) las noticias? Toda la ciudad está en tinieblas.

## LECCIÓN 8

a. 1. escribamos / escribir    2. sean / conserven    3. aprenda / hacer    4. pierdas / vayan    5. dedique / trabajar    6. te enfrentes    7. digamos / mintamos    8. nos acostemos / durmamos / nos levantemos    9. aclare / escuchar    10. ser

b. 1. Es urgente hacer el censo este año. 2. Es importante que tú sepas cuáles son tus metas. 3. Es conveniente señalar las ventajas del bilingüismo. 4. Es mejor hacerse médico que abogado. 5. Es necesario que Uds. me den la información. 6. Es preferible que sirvamos la ensalada primero.

c. 1. Levantémonos más temprano. 2. Digámoselo a Mario. 3. Probémonos esos zapatos. 4. Traigámosle un disco a Sonia. 5. Sentémonos en aquella mesa. 6. Comamos ahora.

d. 1. Carlos, que (quien) vive conmigo ahora, es mexicano. 2. Ésa es la chica española de quien yo te hablé. 3. La señora cuyo hijo está en el hospital está muy triste. 4. El libro que compré ayer es muy interesante. 5. Vamos a visitar a los niños para quienes compramos los juguetes. 6. El anillo que compré en México es de oro.

e. 1. Mi hermano, de quien hablamos ayer, es su verdadero padre. 2. En cierto(a) modo (manera) lo que ellos han dicho es verdad. 3. El que ríe último ríe mejor. 4. Ella dice que ellos quieren que yo vaya con ellos, lo cual (lo que) me sorprende. 5. Mis hermanas, sin las cuales no podemos viajar, no están aquí todavía.

## LECCIÓN 9

a. 1. Yo siento que tú no puedas ir al estadio conmigo. 2. Lamento que no tengan churros. 3. Me alegro de que Uds. sepan apreciar a sus padres. 4. Ellos temen no poder servirnos de guía. 5. El entrenador siente que esos jugadores estén enfermos. 6. Ellos se alegran de ir a patinar con nosotros. 7. Espero que la noticia venga en la página deportiva. 8. Temo que mi equipo pierda esta tarde. 9. Siento mucho tener que perderme el partido de básquetbol. 10. Espero que mi hijo no se lastime jugando al fútbol.

b. 1. comenten 2. sepas 3. puedan 4. se dé cuenta 5. echen de menos 6. falte

c. 1. se imagina 2. quede 3. es 4. gustan 5. marque 6. quiera 7. pueda 8. haya 9. es 10. está 11. pierdan 12. sirvan

d. 1. Hace dos horas que terminó la pelea de boxeo. 2. Hace cinco horas que no comemos. 3. Llevo un año y medio estudiando español. 4. Hacía seis meses que mis padres se conocían cuando se casaron. 5. Hace tres horas que estamos sentados aquí. 6. Hace diez minutos que llegué. 7. Hace una semana que no veo a mis padres. 8. Llevo cinco años viviendo en esta ciudad.

e. 1. Lo difícil 2. Por lo general 3. Lo triste 4. A lo mejor 5. lo de 6. lo rápido 7. Por lo visto 8. por lo tanto

f. 1. siglo 2. dominio 3. se puso 4. adecuada 5. no pasa 6. amable 7. página 8. a pesar de que 9. golpe 10. llegó a ser 11. deportes 12. grados 13. guardarlo 14. falta 15. En fin

## LECCIÓN 10

a. 1. antes de que los hombres salgan del edificio. 2. cuando comience la temporada de invierno. 3. hasta que su avión salió. 4. a menos que estudie. 5. tan pronto como ellos lleguen. 6. aunque trabaje. 7. en caso de que llueva. 8. tenga en cuenta. 9. aunque llovió. 10. tan pronto como ellos llegaron. 11. quizás (tal vez) está enfermo. 12. después que terminen de comer.

b. 1. Ven mañana y trae las armas. 2. Levántate temprano y báñate. 3. Dile que se fije en el anuncio. 4. No se lo des ahora. 5. Haz la ensalada y ponla en la mesa. 6. Fírmalas y féchalas. 7. No lo utilices para eso. 8. Ten en cuenta que no es gratis. 9. No seas tan tímido y ve a la fiesta. 10. Sé paciente si quieres tener éxito. 11. Sal más temprano y llévale el dinero a Eva. 12. No me lo digas a mí; díselo a él.

c. 1. Él les advirtió que no intentaran secuestrarlo.   2. David me rogó que no se lo dijera a nadie.   3. Luis nos dijo que leyéramos la noticia sobre el secuestro del avión.   4. Él te dijo que obedecieras la ley.   5. Mi tía me aconsejó que no fuera con ellos.   6. Mi esposo me dijo que tratara de disminuir los gastos.

d. 1. trataran   2. fuera   3. justificara   4. pudiera   5. fuera   6. dejaran

e. 1. hubo   2. hay   3. habrá   4. había   5. habría   6. hay

## LECCIÓN 11

a. 1. hayan hecho   2. hubieran dado   3. hayas ofrecido   4. hubiera hecho   5. haya despegado   6. hubieran abordado   7. hubiera sido   8. hubiéramos ido   9. haya reservado   10. se hayan puesto

b. 1. trajera   2. pongas   3. dé   4. hubieran abrochado   5. pueda   6. tengamos   7. van   8. estar   9. tengo   10. haya empezado   11. saliéramos   12. lleguen   13. viajaron   14. entrevistar   15. supriman

c. 1. a / de / a / a   2. a / a / a / a   3. de / a / en   4. de / a / en   5. en / de / de   6. de / en   7. de / de   8. de / en   9. en / en   10. en

d. 1. zapatero (zapatería)   2. sobrehumano   3. anteayer   4. frescura   5. salvación   6. extraordinario   7. submarino   8. pensamiento (pensador)   9. superhombre   10. panadero (panadería)   11. contradecir   12. recalentar   13. estudiante   14. inolvidable   15. carnicero (carnicería)   16. rehacer (deshacer)

## LECCIÓN 12

a. 1. Esa novela fue escrita por Cortázar.   2. Ese hospital será construido en 1986.   3. Ese libro ha sido publicado por la Editorial Losada.   4. Los documentos son firmados por el director.   5. Las cartas eran traducidas por el señor Ruiz.

b. 1. Sí, ya están hechos.   2. Sí, ya está cortado.   3. Sí, ya está puesta.   4. Sí, ya están abiertas.   5. Sí, ya están cubiertos.

c. 1. se habla   2. se dice   3. se venden   4. se entra   5. se cierran   6. se puede

d. 1. se me rompieron   2. se nos pierden   3. se le mancharon   4. se te olvidan   5. se les murió

e. 1. Ayer vinieron Tomás e Hilda.   2. Ahora yo no tengo ganas de comer sino de tomar algo.   3. En esa época nosotros no trabajábamos sino que estudiábamos.   4. Anoche fueron a la fiesta todos menos Amanda.   5. Mañana lo traerán Rubén u Osvaldo.   6. Yo no lo tengo ahora, pero puedo conseguírtelo.

f. 1. no tenía pies ni cabeza   2. se pone colorado   3. pongo en duda   4. a más tardar   5. te dieron gato por liebre   6. Me da rabia   7. no me hizo caso   8. De ahora en adelante   9. unos cuantos   10. de mala gana   11. se hizo el tonto   12. se pone en ridículo   13. en el acto   14. le pone peros   15. en voz alta

g. 1. poder   2. marcha atrás   3. suprimir   4. tomar una decisión   5. pelos en la lengua   6. prensa   7. vivo   8. cercano   9. placer   10. vale la pena   11. suprimir   12. abajo   13. mediana   14. necesidad   15. al pie de la letra

# Vocabulario

## A

**¿a cuánto estamos hoy?**
what's the date today?
**a eso de**  about
**a fines de**  at the end of
**a la larga**  in the long run
**a lo mejor**  maybe
**a más tardar**  at the latest
**a mediados de**  around the
middle of (*a month, a year*)
**a pesar de que**  in spite of the
fact that
**a principios de**  at the beginning of
**a propósito**  by the way
**a través de**  through
**abajo**  below, down, under
**abiertamente**  openly
**abordar**  to board
**abrocharse el cinturón**  to fasten seat belts
**aceituna** (*f.*)  olive
**acerca de**  about
**aclarar**  to clarify

**actual**  present, belonging to
present time
**actualmente**  at present,
nowadays
**acuarela** (*f.*)  watercolor
**acumulador** (*m.*)  battery
**adecuado**(a)  fit, correct,
adequate
**adelantar**  to progress
**adorno** (*m.*)  ornament
**adquirir**  to acquire
**agarrar**  to take
**aguantar**  to bear, to stand
**ahora mismo**  right now
**ahorrar**  to save
**al mismo tiempo**  at the same
time
**al pie de la letra**  exactly
**alcanzar**  to reach, to attain
**alejar**  to remove, to separate
**alfarería** (*f.*)  pottery
**alfombra** (*f.*)  carpet, rug
**algo por el estilo**  something
like that

**algodón** (*m.*)  cotton
**altavoz** (*m.*)  loudspeaker
**allí mismo**  right there
**ama de casa**  homemaker,
housewife
**amable**  kind, polite
**amar**  to love
**anuncio** (*m.*)  advertisement
**apostar** (o>ue)  to bet
**apreciar**  appreciate
**aprovechar**  to take advantage
**—la ocasión**  to take
advantage of the oppor-
tunity
**aretes** (*m.*)  earrings
**arma** (*f.*)  weapon
**arreglárselas** (**para**)  to manage (to)
**artesanía** (*f.*)  arts and crafts
**artículos de primera necesidad**
(*m.*)  necessities
**asalto** (*m.*)  round (*ref. to*
*boxing*)
**así y todo**  even so

359

**asignatura** (*f.*)   subject (in school)
**asistencia** (*f.*)   attendance
**asistir** (**a**)   to attend
**asunto** (*m.*)   subject
**atender** (**i>ie**)   to attend to someone, to wait on someone
**atentado** (*m.*)   assault, criminal attack
**aterrizar**   to land
**atrasado** (**a**)   backward, behind (the times)
**autóctono(a)**   native
**aula** (*f.*)   classroom
**auxiliar de vuelo** (*m.f.*)   flight attendant
**avanzado(a)**   advanced
**avergonzar**   to embarrass

**B**

**bajo**   under, below
**bajo(a)**   short
**balneario** (*m.*)   seaside resort
**baloncesto** (*m.*)   basketball
**barrio** (*m.*)   neighborhood
**básquetbol** (*m.*)   basketball
**bastar** (**con**)   to be enough
**batería** (*f.*)   battery
**beca** (*f.*)   scholarship
**biblioteca** (*f.*)   library
**biftec** (*m.*)   steak
**bilingüe**   bilingual
**bilingüismo** (*m.*)   bilingualism
**billetera** (*f.*)   wallet
**bolsillo** (*m.*)   pocket
**bolso** (*m.*)   purse
**bordado(a)**   embroidered
**boxeador** (*m.*)   boxer
**boxeo** (*m.*)   boxing
**brazalete** (*m.*)   bracelet
**budín** (*m.*)   pudding

**C**

**cada vez**   each time
**cajero(a)**   cashier
**calcular**   to figure out, to calculate

**caldo** (*m.*)   broth
**calidad** (*f.*)   quality
**cálido(a)**   hot (*climate*)
**caliente**   hot
**cambiar de idea**   to change one's mind
**campeón(ona)**   champion
**campo** (*m.*)   country, field
**capacitado(a)**   able, capable
**carácter** (*m.*)   temperament
**carta** (*f.*)   letter
**cartera** (*f.*)   purse
**carrera** (*f.*)   career
**celebrar**   to celebrate
**censo** (*m.*)   census
**censura** (*f.*)   censorship
**centro turístico** (*m.*)   tourist center
**cercano(a)**   nearby
**césped** (*m.*)   lawn
**cesta** (*f.*)   basket
**cinta** (*f.*)   tape
**cinturón** (*m.*)   belt
**cita** (*f.*)   appointment
**cobrar**   to charge
**coger**   to take
**colorado(a)**   red
**collar** (*m.*)   necklace
**comentar**   to comment
**cómico(a)**   comical
**compañero(a) de cuarto**   roommate
**con destino a**   bound for (destination)
**con mucho gusto**   gladly
**concierto** (*m.*)   concert
**conejo** (*m.*)   rabbit
**conseguir** (**e>i**)   to get
**conservador(a)**   conservative
**conservar**   to conserve, to maintain
**contador(a)**   accountant, C.P.A.
**contaminación del aire** (*f.*)   smog; air pollution
**convencido(a)**   convinced
**corto(a)**   short
**cosa** (*f.*)   thing

**criar**   to raise
**crimen** (*m.*)   crime
**crucero** (*m.*)   cruise
**cuadrilátero** (*m.*)   ring (*ref. to boxing*)
**cuadro** (*m.*)   painting, picture
**cuenta** (*f.*)   bead
**cuero** (*m.*)   leather
**Cuerpo de Paz** (*m.*)   Peace Corps
**cuestión** (*f.*)   matter
**cuidar**   to take care of
**cultivar**   to raise
**cuñada**   sister-in-law
**cuñado**   brother-in-law
**curso** (*m.*)   course, class

**CH**

**charlar**   to chat
**churros** (*m.*)   type of pastry

**D**

**dar**   to give; —**ánimos**   to cheer up; —**gato por liebre**   to deceive; —**la vuelta**   to go around; —**lata**   to annoy; —**marcha atrás**   to back up; —**rabia**   to make furious; —**una vuelta**   to go for a walk (ride)
**darse cuenta** (**de**)   to realize
**darse por vencido**   to give up
**de**   about
**de ahora en adelante**   from now on
**de mal en peor**   from bad to worse
**de mala gana**   reluctantly
**de última hora**   last minute
**de vez en cuando**   once in a while
**debajo de**   under, below, underneath
**dedicar**   to devote
**dejar de**   to fail (to do something)
**dentro de**   within, in

deporte (*m.*)   sports
deportivo(a)   related to sports
derechos de aduana (*m.*)
   custom duties
derribar   to overthrow (*i.e., a government*)
descuento (*m.*)   discount
desempeñar   to perform
desigualdad (*f.*)   inequality
despegar   to take off
día y noche   night and day
dibujar   to draw
dibujo (*m.*)   drawing
dictadura (*f.*)   dictatorship
difundir   to spread
disco (*m.*)   record
diseño (*m.*)   design
disminuir   to lessen
disparate (*m.*)   blunder, nonsense
disponer (de)   to have available
disposición (*f.*)   aptitude, inclination
divisas (*f.*)   foreign exchange
dominio (*m.*)   mastery
dueño(a)   owner

E

económico(a)   financial
echar de menos   to miss
echarse a reír   to burst out laughing
educativo(a)   educational
embarazada   pregnant
embotellamiento del tránsito (*m.*)   traffic jam
emplear   to use
en cambio   on the other hand
en cierta manera   in a way
en el acto   immediately
en el extranjero   abroad
en el fondo   deep down
en fin   in conclusion, anyway
en ninguna parte, en ningún lado   nowhere
en parte   partly
en realidad   in fact

en regla   in order
en serio   seriously
en todas partes   everywhere
en voz alta   aloud
en voz baja   in a low voice
encaje (*m.*)   lace
encantar   to enchant, to delight
encargar   to order
encontrarse (o>ue)   to meet
enfrentarse   to face
entrenador(a)   trainer
entrevistar   to interview
entusiasmado(a)   enthused, excited
equipo (*m.*)   team
escalera (*f.*)   ladder
escuela (*f.*)   school;—secundaria   secondary school (junior or senior high school)
especialidad (*f.*)   major
espejo (*m.*)   mirror
esquiar   to ski
estación de servicio (*f.*)   service station
estadio (*m.*)   stadium
estallar   to go off, to explode
estar de acuerdo   to agree, to be in agreement
estar de visita   to be visiting
estatura (*f.*)   height
evitar   to avoid
examen (*m.*)   examination;—de mediados (mitad) de curso   mid-term examination
existir   to exist
éxito (*m.*)   success
expresar   to express

F

fabricado(a)   made
fabricar   to manufacture, to make
facturar   to check (luggage)
facultad (*f.*)   college (within a university system)
faltar (a)   to miss

feria (*f.*)   fair
figurar   to shape
fijarse (en)   to notice
filigrana (*f.*)   filigree
flete (*m.*)   freight
florero (*m.*)   vase
folklórico(a)   folklore, related to folklore
folleto (*m.*)   brochure
fracasar   to fail
fracaso (*m.*)   failure
fuera de combate   knocked out

G

gasolinera (*f.*)   service station
gato(a)   cat
gente (*f.*)   people
gira (*f.*)   tour
gobierno (*m.*)   government
golpe (*m.*)   blow, hit, stroke;—de estado (*m.*)   coup d'état
grado (*m.*)   degree
gratis   free
guardar   to put aside, to keep
guía (*m.f.*)   guide

H

hacer   to do, to make;—caso   to pay attention;—cola   to stand in line;—escala   to stop over;—la vista gorda   to overlook;—los trabajos de la casa   to do housework
hacerse   to become;—el (la) tonto(a)   to play dumb;—tarde   to get late
hacérsele a uno agua la boca   to have one's mouth water
hecho(a)   made
herradura (*f.*)   horseshoe
hoja (*f.*)   leaf
hombre de negocios   businessman
hora (*f.*)   hour, time
hoy en día   nowadays
huelga (*f.*)   strike

## I

**idioma** (*m.*)   language
**imaginar(se)**   to imagine
**importación** (*f.*)   import
**importar**   to import
**industrializar**   to industrialize
**influir**   to influence
**informe** (*m.*)   report
**ingeniero(a)**   engineer
**intentar**   to try
**interesar**   to interest
**investigar**   to investigate
**ir de excursión**   to go on an outing

## J

**joya** (*f.*)   jewelry
**jugador(a)**   player
**junta** (*f.*)   meeting
**justificar**   to justify

## L

**labor** (*f.*)   work
**lastimar(se)**   to hurt (oneself)
**lengua** (*f.*)   language
**letrero** (*m.*)   sign
**levantar**   to raise
**ley** (*f.*)   law
**libre**   free
**librería** (*f.*)   bookstore
**limitar**   to limit
**lograr**   to achieve
**luna** (*f.*)   moon

## LL

**llanta** (*f.*)   tire
**llegar a ser**   to become
**llevar**   to take

## M

**madrileño(a)**   native of Madrid
**mancha** (*f.*)   birthmark; stain
**manchar**   to stain
**mantener** (*conj. like* **tener**)   to maintain, to keep, to support

**marca** (*f.*)   brand
**marcar**   to score (*ref. to sports*)
**materia** (*f.*)   subject (in school)
**mayor**   older
**media naranja**   better half
**mediano(a)**   average, middle, medium
**medio**   middle, half
**medios de comunicación** (*m.*)   media
**mejorar**   to improve
**menor**   younger
**merienda** (*f.*)   afternoon snack
**meta** (*f.*)   goal
**meter**   to put, to insert
**metro** (*m.*)   subway
**miembro** (*m.*)   member
**misa** (*f.*)   mass (Catholic)
**Misa del Gallo**   midnight mass
**mover** (o>ue)   to move
**movimiento** (*m.*)   movement
**mudar(se)**   to move (to) (from one house to another)
**músico** (*m.f.*)   musician

## N

**nacer**   to be born
**nacimiento**   manger
**necesidad** (*f.*)   need
**no cabe duda** (**de que**)   there's no doubt that
**no tener pelos en la lengua**   to be outspoken
**no tener pies ni cabeza**   not to make any sense
**nocturno(a)**   night, related to night
**Nochebuena** (*f.*)   Christmas Eve
**nuera**   daughter-in-law

## O

**obligatorio(a)**   mandatory
**obra** (*f.*)   work
**obtener** (*conj. like* **tener**)   to get

**ola** (*f.*)   wave
**óleo** (*m.*)   oil
**ordenar**   to order
**¡oye!**   listen!

## P

**página** (*f.*)   page
**paisaje** (*m.*)   landscape
**paja** (*f.*)   straw
**papas fritas** (*f.*)   French fries
**papel** (*m.*)   role
**parar**   to stop
**partido** (*m.*)   game
**pasado(a)**   last
**pasajero(a)**   passenger
**pasar de**   to go over
**pasar** (**por**)   to pick up, to come for
**pasar una película**   to show a movie
**pata** (*f.*)   paw
**patinar**   to skate
**pedazo** (*m.*)   piece
**pedir** (e>i)   to order
**pelea** (*f.*)   fight
**pensar** (e>ie)   to think, to plan
**pequeño(a)**   small
**perder** (e>ie)   to miss;—**de vista**   to lose sight (of)
**perderse** (**algo**)   to miss out on (something)
**periodista** (*m.f.*)   journalist
**personaje** (*m.*)   character (i.e., in a play)
**personalidad** (*f.*)   disposition
**personas**   people
**pesebre** (*m.*)   manger
**petróleo** (*m.*)   oil, petroleum
**picante**   hot, spicy
**pintar**   to paint
**pintor(a)**   painter
**pintura** (*f.*)   painting, paint
**placa** (*f.*)   plaque
**placer** (*m.*)   pleasure
**planear**   to plan
**poco(a)**   little (quantity)

**poder** (*m.*)  power
**poner**  to put, to place;—**el grito en el cielo**  to hit the roof;—**en duda**  to doubt; —**en peligro**  to endanger; —**peros**  to find fault
**ponerse colorado(a)**  to blush
**ponerse contento(a)**  to be happy
**ponerse de acuerdo**  to agree
**ponerse en ridículo**  to make a fool of oneself
**por adelantado**  in advance
**por eso**  that's why
**por las nubes**  sky high
**por no tener (algo)**  for the lack of (something)
**por poco**  almost
**por si acaso**  just in case
**por su cuenta**  on their own
**por suerte**  luckily
**portafolio** (*m.*)  briefcase
**pregunta** (*f.*)  question
**prejuicio** (*m.*)  prejudice
**prensa** (*f.*)  press
**presión de aire** (*f.*)  air pressure
**promedio** (*m.*)  average
**propaganda** (*f.*)  advertisement
**propio(a)**  related, own
**protestar**  to protest
**pueblo** (*m.*)  town, people
**puertorriqueño(a)**  Puerto Rican

## Q

**quedar suspendido**  to fail (*a course*)

## R

**realizar**  to do (to accomplish something)
**realmente**  actually, really
**recibir**  to get, to receive
**recoger**  to pick up
**renuncia** (*f.*)  resignation

**renunciar**  to give up, to resign
**reñido(a)**  close (*ref. to game*)
**requisito** (*m.*)  requirement
**reservar**  to reserve
**resignación** (*f.*)  resignation, submission
**respetar**  to respect
**retrato** (*m.*)  portrait
**reunión** (*f.*)  meeting
**revisar**  to check
**rico(a)**  tasty, delicious
**ruborizarse**  to blush
**ruido** (*m.*)  noise

## S

**salario** (*m.*)  salary, wages
**salida** (*f.*)  exit
**salir campeón(ona)**  to be the champion
**salir de viaje**  to go on a trip
**salón de clase** (*m.*)  classroom
**salvar**  to rescue, to save
**santo(a)**  saint
**santo(a)**  holy (*adj.*)
**secuestrar**  to kidnap
**secuestro** (*m.*)  kidnapping; —**de un avión**  hijacking
**segunda especialidad** (*f.*) minor (studies)
**semilla** (*f.*)  seed, pit
**sentado(a)**  seated
**sentimiento** (*m.*)  feeling
**señal** (*f.*)  sign
**señalar**  to indicate
**servir (e>i) (de)**  to serve as
**siglo** (*m.*)  century
**signo** (*m.*)  sign
**sin embargo**  however
**sin falta**  without fail
**sindicato** (*m.*)  union
**sobre**  about
**sobre todo**  above all
**sobrecama** (*f.*)  bedspread
**solicitud** (*f.*)  application
**soportar**  to bear
**sorprendido(a)**  surprised

**subterráneo** (*m.*)  subway
**suceso** (*m.*)  event, happening
**sudamericano(a)**  South American
**suegra**  mother-in-law
**suegro**  father-in-law
**sueldo** (*m.*)  salary, wages
**sugerencia** (*f.*)  suggestion
**sugestión** (*f.*)  hint
**sujeto** (*m.*)  subject (in a sentence)
**suprimir**  to omit, to get rid of

## T

**tal vez**  perhaps
**tallado(a)**  carved
**tanque** (*m.*)  tank
**tanto aquí como**  here, as well as
**tarifa** (*f.*)  rate
**tarjeta** (*f.*)  card;—**de embarque**  boarding pass
**tejido** (*m.*)  fabric, material, cloth
**tela** (*f.*)  fabric, material, cloth
**temporada turística** (*f.*) tourist season
**tener**  to have;—**chispa**  to be witty;—**en cuenta**  to keep in mind;—**éxito**  to succeed; —**ganas de**  to feel like
**tiempo** (*m.*)  time
**tipo** (*m.*)  guy, fellow
**título** (*m.*)  degree
**tocadiscos** (*m.*)  record player
**tocarle a uno**  to be one's turn
**tomar**  to take;—**algo**  to have something to eat or drink; —**una decisión**  to make a decision
**toro** (*m.*)  bull
**tortilla** (*f.*)  omelet
**trabajo** (*m.*)  work
**transporte colectivo** (*m.*)  mass transit
**trébol** (*m.*)  clover
**trozo** (*m.*)  piece

¡Continuemos!

## U

**último**(a)   last (in a series)
**una vez**   once
**universitario**(a)   college
**unos**   about (with numbers)
**unos**(as) **cuantos**(as)
   a few
**utilizar**   to use

## V

**vegetal** (*m.*)   vegetable
**velorio** (*m.*)   wake
**venezolano**(a)   Venezuelan
**ventaja** (*f.*)   advantage
**veranear**   to spend the
   summer
**verdadero**(a)   real

**vez** (*f.*)   time
**visitador**(a) **social**   social worker
**vivo**(a)   alive

## Y

**y eso que...**   and mind you . . .
**¡ya lo creo!**   I'll say
**yerno**   son-in-law

## English–Spanish

### A

**a few** unos(as) cuantos(as)
**able** capacitado(a)
**about** a eso de, acerca de, de, sobre
**about** (with numbers) unos(as)
**above all** sobre todo
**abroad** en el extranjero
**accountant** contador(a)
**achieve** lograr
**acquire** adquirir
**actually** realmente
**adequate** adecuado(a)
**advanced** avanzado(a)
**advantage** ventaja (*f.*)
**advertisement** anuncio (*m.*), propaganda (*f.*)
**afternoon snack** merienda (*f.*)
**agree** estar de acuerdo, ponerse de acuerdo
**air pollution** contaminación del aire (*f.*)
**air pressure** presión de aire (*f.*)
**alive** vivo(a)
**almost** por poco
**aloud** en voz alta
**and mind you . . .** y eso que…
**annoy** dar lata
**anyway** en fin
**application** solicitud (*f.*)
**appointment** cita (*f.*)
**appreciate** apreciar
**aptitude** disposición (*f.*)
**around the middle of** (a month, a year) a mediados de
**arts and crafts** artesanía (*f.*)
**assault** atentado (*m.*)
**at present** actualmente
**at the beginning of** a principios de
**at the end of** a fines de
**at the latest** a más tardar
**at the same time** al mismo tiempo

**attain** alcanzar
**attend** asistir (a);—**to someone** atender (i>ie)
**attendance** asistencia (*f.*)
**average** promedio (*m.*)
**average** mediano(a)
**avoid** evitar

### B

**back up** dar marcha atrás
**backward** atrasado(a)
**basket** cesta (*f.*)
**basketball** baloncesto (*m.*), básquetbol (*m.*)
**battery** acumulador (*m.*), batería (*f.*)
**be born** nacer
**be enough** bastar (con)
**be happy** ponerse contento(a)
**be in agreement** estar de acuerdo
**be one's turn** tocarle a uno
**be outspoken** no tener pelos en la lengua
**be the champion** salir campeón(ona)
**be visiting** estar de visita
**be witty** tener chispa
**bead** cuenta (*f.*)
**bear** (*vb.*) aguantar, soportar
**become** hacerse, llegar a ser
**bedspread** sobrecama (*f.*)
**behind** (the times) atrasado(a)
**below** abajo, bajo, debajo de
**belt** cinturón (*m.*)
**bet** apostar (o>ue)
**better half** media naranja
**bilingual** bilingüe
**bilingualism** bilingüismo (*m.*)
**birthmark** mancha (*f.*)
**blow** (*n.*) golpe (*m.*)
**blunder** disparate (*m.*)
**blush** ponerse colorado(a), ruborizarse

**board** abordar
**boarding pass** tarjeta (*f.*) de embarque
**bookstore** librería (*f.*)
**bound for** (*destination*) con destino a
**boxer** boxeador
**boxing** boxeo (*m.*)
**bracelet** brazalete (*m.*)
**brand** marca (*f.*)
**briefcase** portafolio (*m.*)
**brochure** folleto (*m.*)
**broth** caldo (*m.*)
**brother-in-law** cuñado
**bull** toro (*m.*)
**burst out laughing** echarse a reír
**businessman** hombre de negocios
**by the way** a propósito

### C

**C.P.A.** contador(a)
**calculate** calcular
**capable** capacitado(a)
**card** tarjeta (*f.*)
**career** carrera (*f.*)
**carpet** alfombra (*f.*)
**carved** tallado(a)
**cashier** cajero(a)
**cat** gato(a)
**celebrate** celebrar
**censorship** censura (*f.*)
**census** censo (*m.*)
**century** siglo (*m.*)
**champion** campeón(ona)
**change one's mind** cambiar de idea
**character** (*i.e. in a play*) personaje (*m.*)
**charge** cobrar
**chat** charlar
**check** (*vb.*) revisar
**check** (*luggage*) facturar

**cheer up**  dar ánimos
**Christmas Eve**  Nochebuena (*f.*)
**clarify**  aclarar
**class**  curso (*m.*)
**classroom**  aula (*f.*), salón de clase (*m.*)
**close** (*ref. to games*)  reñido(a)
**cloth**  tejido (*m.*), tela (*f.*)
**clover**  trébol (*m.*)
**college** (*within a university system*)  facultad (*f.*)
**college**  universitario(a)
**come for**  pasar (por)
**comical**  cómico(a)
**comment**  comentar
**concert**  concierto (*m.*)
**conservative**  conservador(a)
**conserve**  conservar
**convinced**  convencido(a)
**correct**  adecuado(a)
**cotton**  algodón (*m.*)
**country**  campo (*m.*)
**coup d'etat**  golpe de estado (*m.*)
**course**  curso (*m.*)
**crime**  crimen (*m.*)
**criminal attack**  atentado (*m.*)
**cruise**  crucero (*m.*)
**custom duties**  derechos de aduana (*m.*)

## D

**daughter-in-law**  nuera
**deceive**  dar gato por liebre
**deep down**  en el fondo
**degree**  grado (*m.*), título (*m.*)
**delicious**  rico(a)
**delight**  encantar
**design**  diseño (*m.*)
**devote**  dedicar
**dictatorship**  dictadura (*f.*)
**discount**  descuento (*m.*)
**disposition**  personalidad (*f.*)
**do**  hacer
**do** (*to accomplish something*)  realizar
**doubt**  poner en duda

**down**  abajo
**draw**  dibujar
**drawing**  dibujo (*m.*)

## E

**each time**  cada vez
**earrings**  aretes (*m.*)
**educational**  educativo(a)
**embarrass**  avergonzar (o>ue)
**embroidered**  bordado(a)
**enchant**  encantar
**endanger**  poner en peligro
**engineer**  ingeniero(a)
**enthused**  entusiasmado(a)
**even so**  así y todo
**event**  suceso (*m.*)
**everywhere**  en todas partes
**exactly**  al pie de la letra
**examination**  examen (*m.*)
**excited**  entusiasmado(a)
**exist**  existir
**exit**  salida (*f.*)
**explode**  estallar
**express**  expresar

## F

**fabric**  tejido (*m.*). tela (*f.*)
**face**  enfrentarse
**fail**  fracasar
**fail** (*a course*)  quedar suspendido(a)
**fail** (*to do something*)  dejar de
**failure**  fracaso (*m.*)
**fair**  feria (*f.*)
**fasten seat belts**  abrocharse el cinturón
**father-in-law**  suegro
**feel like**  tener ganas de
**feeling**  sentimiento (*m.*)
**fellow**  tipo (*m.*)
**field**  campo (*m.*)
**fight**  pelea (*f.*)
**figure out**  calcular
**filigree**  filigrana (*f.*)
**financial**  económico(a)
**find fault**  poner peros

**fit**  adecuado(a)
**flight attendant**  auxiliar de vuelo (*m.f.*)
**folklore**  folklórico(a)
**for the lack of** (something)  por no tener (algo)
**foreign exchange**  divisas (*f.*)
**free** (*adj.*)  gratis, libre
**freight**  flete (*m.*)
**French fries**  papas fritas (*f.*)
**from bad to worse**  de mal en peor
**from now on**  de ahora en adelante
**frying pan**  sartén (*f.*)

## G

**game**  partido (*m.*)
**get**  conseguir (e>i), obtener (*conj. like tener*), recibir; **—late**  hacerse tarde; **—rid of**  suprimir
**give**  dar; **—up**  darse por vencido
**gladly**  con mucho gusto
**go around**  dar la vuelta
**go for a walk** (**ride**)  dar una vuelta
**go off**  estallar
**go on a trip**  salir de viaje
**go on an outing**  ir de excursión
**go over**  pasar de
**goal**  meta (*f.*)
**government**  gobierno (*m.*)
**guide** (*n.*)  guía (*m.f.*)
**guy**  tipo (*m.*)

## H

**half**  medio(a)
**happening**  suceso (*m.*)
**have**  tener; **—available**  disponer (de); **—one's mouth water**  hacérsele a uno agua la boca; **—something to eat or drink**  tomar algo
**height**  estatura (*f.*)

**hijacking** secuestro de un avión (*m.*)

**hint** sugestión (*f.*)

**hit** (*n.*) golpe (*m.*)

**hit the roof** poner el grito en el cielo

**holy** (*adj.*) santo(a)

**homemaker** ama de casa

**horseshoe** herradura (*f.*)

**hot** caliente, cálido(a), picante

**hour** hora (*f.*)

**housewife** ama de casa

**however** sin embargo

**hurt** (oneself) lastimar(se)

**I**

**I'll say!** ¡Ya lo creo!

**imagine** imaginar(se)

**immediately** en el acto

**import** (*n.*) importación (*f.*)

**import** (*vb.*) importar

**improve** mejorar

**in** dentro de;—**a low voice** en voz baja;—**a way** en cierta manera;—**advance** por adelantado;—**conclusion** en fin;—**fact** en realidad; —**order** en regla;—**spite of the fact that** a pesar de que; —**the long run** a la larga

**inclination** disposición (*f.*)

**indicate** señalar

**industrialize** industrializar

**inequality** desigualdad (*f.*)

**influence** influir

**insert** meter

**interest** (*vb.*) interesar

**interview** entrevistar

**investigate** investigar

**J**

**jewelry** joya (*f.*)

**journalist** periodista (*m.f.*)

**junior high school** escuela secundaria (*f.*)

**just in case** por si acaso

**justify** justificar

**K**

**keep** guardar, mantener (*conj. like tener*);—**in mind** tener en cuenta

**kidnap** secuestrar

**kidnapping** secuestro (*m.*)

**kind** amable

**knocked out** fuera de combate

**L**

**lace** encaje (*m.*)

**ladder** escalera (*f.*)

**land** aterrizar

**landscape** paisaje (*m.*)

**language** idioma (*m.*), lengua (*f.*)

**last** (*adj.*) pasado(a)

**last** (*in a series*) último(a)

**last minute** de última hora

**law** ley (*f.*)

**lawn** césped (*m.*)

**leaf** hoja (*f.*)

**leather** cuero (*m.*)

**lessen** disminuir

**letter** carta (*f.*)

**library** biblioteca (*f.*)

**limit** limitar

**listen!** ¡oye!

**little** (quantity) poco(a)

**lose sight** (of) perder (e>ie) de vista

**loudspeaker** altavoz (*m.*)

**love** (*vb.*) amar

**luckily** por suerte

**M**

**made** fabricado(a), hecho(a)

**maintain** conservar, mantener (*conj. like tener*)

**major** especialidad (*f.*)

**make** fabricar, hacer;—**a decision** tomar una decisión;—**a fool of oneself** ponerse en ridículo; —**furious** dar rabia

**manage** (to) arreglárselas (para)

**mandatory** obligatorio(a)

**manger** nacimiento (*m.*), pesebre (*m.*)

**manufacture** fabricar

**mass** (*Catholic*) misa (*f.*)

**mass transit** transporte colectivo (*m.*)

**mastery** dominio (*m.*)

**material** tejido (*m.*), tela (*f.*)

**matter** (*n.*) cuestión (*f.*)

**maybe** a lo mejor

**media** medios de comunicación (*m.*)

**medium** (*adj.*) mediano(a)

**meet** encontrarse (o>ue)

**meeting** junta (*f.*), reunión (*f.*)

**member** miembro (*m.*)

**mid-term examination** examen de mediados (mitad) de curso (*m.*)

**middle** (*n.*) medio (*m.*)

**middle** (*adj.*) mediano(a)

**midnight mass** Misa del Gallo (*f.*)

**minor** (studies) segunda especialidad (*f.*)

**mirror** espejo (*m.*)

**miss** echar de menos, faltar (a), perder (e>ie);—**out on** (something) perderse (algo)

**moon** luna (*f.*)

**mother-in-law** suegra

**move** mover (o>ue);—**(to) from one house to another** mudarse

**movement** movimiento (*m.*)

**musician** músico (*m.f.*)

**N**

**native** autóctono(a)

**nearby** cercano(a)

**necessities** artículos de primera necesidad (*m.*)

**necklace** collar (*m.*)

**need** (*n.*) necesidad (*f.*)

**neighborhood** barrio (*m.*)

**night** (*adj.*) nocturno(a)

**night and day**   día y noche
**noise**   ruido (*m.*)
**nonsense**   disparate (*m.*)
**not to make any sense**   no tener ni pies ni cabeza
**notice** (*vb.*)   fijarse (en)
**nowadays**   actualmente, hoy en día
**nowhere**   en ninguna parte

## O

**oil**   óleo (*m.*), petróleo (*m.*)
**older**   mayor
**olive**   aceituna (*f.*)
**omelet**   tortilla (*f.*)
**omit**   suprimir
**on the other hand**   en cambio
**on their own**   por su cuenta
**once**   una vez;—**in a while** de vez en cuando
**openly**   abiertamente
**order**   encargar, ordenar, pedir (e>i)
**ornament**   adorno (*m.*)
**overlook**   hacer la vista gorda
**overthrow** (*i.e., a government*) derribar
**own**   propio(a)
**owner**   dueño(a)

## P

**paint** (*n.*)   pintura (*f.*)
**paint** (*vb.*)   pintar
**painter**   pintor(a)
**painting**   cuadro (*m.*), pintura (*f.*)
**page**   página (*f.*)
**partly**   en parte
**passenger**   pasajero(a)
**paw**   pata (*f.*)
**pay attention**   hacer caso
**Peace Corps**   Cuerpo de Paz (*m.*)
**people**   gente (*f.*), personas (*f.*), pueblo (*m.*)
**perform**   desempeñar
**perhaps**   tal vez

**petroleum**   petróleo (*m.*)
**pick up**   recoger, pasar (por)
**picture**   cuadro (*m.*)
**piece**   pedazo (*m.*), trozo (*m.*)
**place**   poner
**plan** (*vb.*)   pensar (e>ie), planear
**plaque**   placa (*f.*)
**play dumb**   hacerse el (la) tonto(a)
**player**   jugador(a)
**pleasure**   placer (*m.*)
**pocket**   bolsillo (*m.*)
**polite**   amable
**portrait**   retrato (*m.*)
**pottery**   alfarería (*f.*)
**power**   poder (*m.*)
**pregnant**   embarazada
**prejudice**   prejuicio (*m.*)
**present** (*adj.*)   actual
**press**   prensa (*f.*)
**progress**   adelantar
**protest**   protestar
**Puerto Rican** puertorriqueño(a)
**purse**   bolso (*m.*), cartera (*f.*)
**put**   meter, poner
**put aside**   guardar

## Q

**quality**   calidad (*f.*)
**question** (*n.*)   pregunta (*f.*)

## R

**rabbit**   conejo (*m.*)
**raise**   cultivar, criar, levantar
**rate**   tarifa (*f.*)
**reach**   alcanzar
**real**   verdadero(a)
**realize**   darse cuenta de
**really**   realmente
**record** (*n.*)   disco (*m.*)
**record player**   tocadiscos (*m.*)
**red**   colorado(a)
**related**   propio(a)
**reluctantly**   de mala gana
**remove**   alejar

**report** (*n.*)   informe (*m.*)
**requirement**   requisito (*m.*)
**rescue** (*vb.*)   salvar
**reserve**   reservar
**resign**   renunciar
**resignation**   renuncia (*f.*), resignación (*f.*)
**respect**   respetar
**right now**   ahora mismo
**right there**   allí mismo
**ring** (*ref. to boxing*) cuadrilátero (*m.*)
**role**   papel (*m.*)
**roommate**   compañero(a) de cuarto
**round** (*ref. to boxing*)   asalto (*m.*)
**rug**   alfombra (*f.*)

## S

**saint**   santo(a) (*m.f.*)
**salary**   salario (*m.*), sueldo (*m.*)
**save**   ahorrar, salvar
**scholarship**   beca (*f.*)
**school**   escuela (*f.*)
**score**   marcar (*ref. to sports*)
**seaside resort**   balneario (*m.*)
**seated**   sentado(a)
**secondary school**   escuela secundaria (*f.*)
**seed**   semilla (*f.*)
**senior high school**   escuela secundaria (*f.*)
**separate**   alejar
**seriously**   en serio
**serve as**   servir (e>i) de
**service station**   estación de servicio (*f.*), gasolinera (*f.*)
**shape**   figurar
**short**   bajo(a), corto(a)
**show a movie**   pasar una película
**sign**   letrero (*m.*), señal (*f.*), signo (*m.*)
**sister-in-law**   cuñada
**skate** (*vb.*)   patinar
**ski** (*vb.*)   esquiar
**sky high**   por las nubes

**small** pequeño(a)

**smog** contaminación del aire (*f.*)

**social worker** visitador(a) social

**something like that** algo por el estilo

**son-in-law** yerno

**South American** sudamericano(a)

**spend the summer** veranear

**spicy** picante

**sport** deporte (*m.*)

**spread** difundir

**stadium** estadio (*m.*)

**stain** (*n.*) mancha (*f.*)

**stain** (*vb.*) manchar

**stand** (*vb.*) aguantar

**stand in line** hacer cola

**steak** biftec (*m.*)

**stop** parar;—**over** hacer escala

**straw** paja (*f.*)

**strike** (*n.*) huelga (*f.*)

**stroke** golpe (*m.*)

**subject** asunto (*m.*)

**subject** (*in school*) asignatura (*f.*), materia (*f.*)

**subject** (*in a sentence*) sujeto (*m.*)

**submission** resignación (*f.*)

**subway** metro (*m.*), subterráneo (*m.*)

**succeed** tener éxito

**success** éxito (*m.*)

**suggestion** sugerencia (*f.*)

**support** mantener (*conj. like tener*)

**surprised** sorprendido(a)

## T

**take** agarrar, coger, llevar, tomar;—**advantage** aprovechar(se);—**advantage of the opportunity** aprovechar la ocasión;—**care of** cuidar;—**off** despegar

**tank** tanque (*m.*)

**tape** (*n.*) cinta (*f.*)

**tasty** rico(a)

**team** equipo (*m.*)

**temperament** carácter (*m.*)

**that's why** por eso

**there's no doubt that** no cabe duda de que

**thing** cosa (*f.*)

**think** pensar (e>ie)

**through** a través de

**time** hora (*f.*), tiempo (*m.*), vez (*f.*)

**tire** llanta (*f.*)

**tour** gira (*f.*)

**tourist center** centro turístico (*m.*)

**tourist season** temporada turística (*f.*)

**town** pueblo (*m.*)

**traffic jam** embotellamiento del tránsito (*m.*)

**trainer** entrenador(a)

**try** intentar

## U

**under** abajo, bajo, debajo de

**underneath** debajo de

**union** sindicato (*m.*)

**use** emplear, utilizar, usar

## V

**vase** florero (*m.*)

**vegetable** vegetal (*m.*)

**Venezuelan** venezolano(a)

## W

**wages** salario (*m.*), sueldo (*m.*)

**wait on someone** atender (e>ie)

**wake** (*n.*) velorio (*m.*)

**wallet** billetera (*f.*)

**watercolor** acuarela (*f.*)

**wave** (*n.*) ola (*f.*)

**weapon** arma (*f.*)

**What's the date today?** ¿A cuánto estamos?

**within** dentro de

**without fail** sin falta

**work** (*n.*) labor (*f.*), obra (*f.*), trabajo (*m.*)

## Y

**younger** menor

# Índice

371

# PHOTOGRAPH CREDITS

1 2 3 4 5 6 7 8 9 0